taxi!

méthode de français

3

Anne-Marie Johnson

Robert Menand

Avec la participation d'Annie Berthet et de Véronique Kizirian

HACHETTE
Français langue étrangère

Crédits photographiques
Ana/Henneghien : 134. **Barberousse/Gastromédia** : 87. **The Bridgeman Art Library/Giraudon** : 63/P. Willy : 105, 110, 141. **Brigade des Sapeurs-Pompiers** : 34. **Cats**/Les innocents : 50. **Charmet/B.** Wirts : 91. **Cit'images**/J.-L. Dolmaire : 39h, 39b. **Cosmos/P.** Maitre : 139. **France 3**/M.-L. Harot et C. Schousboe : 29. **Gamma**/Benali : 116. **Getty**/P. J. Crook : 17./Illustration Works : 59./Image Bank : 66. **L'Illustration**/Collection : 13. **Magnum**/H. Cartier-Bresson : 115. **Pascal Maine** : 26. **Photonica** : 96. **Roger-Viollet** : 92, 101. **Lucas Schifres** : 25. **REA/I.** Hanning : 32/J. Leynse : 32/D. Haillac : 36/72. **SNCB** : 19. **Rapho**/Ronis : 42. **Roger Viollet** : 83. **Tendance floue**/D. Bourges : 32./M. Jacob : 56. **Vu**/Rondeau : 126/Favier : 129.

Crédits pour les œuvres d'art (peintures)
Paul Gauguin, *Paysage à Pont-Aven* (1888), collection privée : 63.
Félix Vallotton, *Le Dîner, effet de lampe* (1899), musée d'Orsay, Paris : 83.
Bill Wirts, *Now I've got a "fridge" in my house* (1955), bibliothèque des Arts décoratifs, Paris : 91.
Pablo Picasso, *La Grande Baigneuse au livre* (1937), musée Picasso, Paris : 105.
Georges de la Tour, *Le Tricheur* (1635-1640), musée du Louvre, Paris : 110.
Raoul Dufy, *Pont rose et chemin de fer à Nogent* (1935), musée des beaux-arts André-Malraux, Le Havre : 141.

Crédits pour les timbres poste : portraits de région, p. 103/104
La pétanque : Sunset/J.M. Fichaux. **Le camembert :** Sunset/D. Brossard. **Chanel :** croquis de Karl Lagerfeld. **Le château de Chenonceau :** Sunset/Marge. **Les vignobles de Champagne :** Top/Cephas/M. Rock.

Nous avons recherché en vain les auteurs ou les ayants droit de certains documents reproduits dans ce livre. Leurs droits sont réservés aux Éditions Hachette.

Intervenants
Cartographie : Hachette Éducation
Conception graphique, photogravure et réalisation : Anne-Danielle Naname et Tin Cuadra
Couverture : Guylène et Christophe Moi
Illustrations : Annie-Claude Martin et Zaü
Recherche iconographique : Brigitte Hammond
Secrétariat d'édition : Claire Dupuis

ISBN : 2-01-155289-3

© HACHETTE LIVRE 2004, 43, quai de Grenelle, F 75 905 Paris CEDEX 15.

Avant-propos

Le niveau 3 de *Taxi !* couvre environ 120 heures d'enseignement et s'adresse à un public de grands adolescents et d'adultes ayant suivi 200 heures d'apprentissage du français. Il suit les recommandations du niveau B1 du *Cadre européen commun de référence pour l'apprentissage, l'enseignement et l'évaluation des langues* et permet de se préparer aux épreuves A3 et A4 du DELF 1er degré.

Le niveau 3 de *Taxi !* est constitué de douze unités comprenant quatre leçons chacune :
– trois leçons d'apprentissage consacrées à l'acquisition de compétences aussi bien linguistiques que culturelles : en plus du travail d'observation, en contexte, des formes et des structures du système linguistique français, l'apprenant est amené à mieux connaître – et donc à mieux comprendre – la France d'aujourd'hui et le comportement des Français ;
– une leçon proposant la réalisation de tâches pratiques : l'objectif est d'amener l'apprenant à faire face à des situations concrètes en France.

Outre les pages *Bilan*, qui permettent à l'apprenant de vérifier s'il a assimilé les notions grammaticales et lexicales développées dans chacune des unités, on retrouve également une double page d'*Évaluation* des quatre compétences, toutes les trois unités : l'apprenant a ainsi la possibilité de contrôler ses acquis au fur et à mesure de son apprentissage.

Comme les deux précédents niveaux, *Taxi ! 3* se caractérise par :
– un contenu et une progression solides associés à un parcours simple et clairement balisé : chaque double page correspond à une leçon ;
– une approche à la fois thématique, fonctionnelle et communicative : chaque unité s'articule autour d'un thème dominant ;
– une mise en place de stratégies interactives pour développer les savoirs, les savoir-faire et les savoir-être chez l'apprenant.

Tout en reprenant le découpage, le rythme et les méthodes de travail des précédents niveaux, *Taxi ! 3* intègre les évolutions nécessaires pour amener l'apprenant vers une plus grande autonomie :
– la proportion de documents authentiques est extrêmement importante, aussi bien à l'oral qu'à l'écrit ;
– la confrontation de supports de natures diverses permet de révéler les contrastes ou les paradoxes propres à toute forme de culture en général et à la culture française en particulier ;
– la mise en place de stratégies de lecture et de repérages systématiques amène l'apprenant à se construire, à l'écrit, des modèles adaptables à différents types de situations.

Bonne découverte à tous avec *Taxi ! 3*

Tableau des contenus

UNITÉS	CONTENUS THÉMATIQUES	OBJECTIFS ET SAVOIR-FAIRE COMMUNICATIFS
Unité 1 **Gens d'ici, gens d'ailleurs**	• Histoire(s) de l'immigration en France • L'acquisition de la nationalité française • Identité nationale et sentiment européen	• Exposer une situation passée et les étapes de son évolution • Apporter des précisions d'ordre temporel • Faire une réclamation
Unité 2 **Et moi, et moi, et moi…**	• L'évolution des modèles de base dans la société française • Le célibat : les causes d'un phénomène en augmentation • Le développement des émissions centrées sur l'individu	• Exposer son mode de vie • Parler de ses valeurs de référence • Expliquer ses choix • Demander un renseignement
Unité 3 **Jean qui rit, Jean qui pleure**	• Portrait contrasté des Français • Fêtes traditionnelles et nouvelle convivialité • Le droit de grève en question	• Comparer des attitudes et des comportements • Exprimer son accord ou son désaccord • Donner des informations pratiques (coordonnées, horaires, tarifs, conditions…)

ÉVALUATION 1

UNITÉS	CONTENUS THÉMATIQUES	OBJECTIFS ET SAVOIR-FAIRE COMMUNICATIFS
Unité 4 **Si jeunesse savait, si vieillesse pouvait**	• Les conséquences du vieillissement de la population en France • Le culte de la jeunesse • Être jeune aujourd'hui : entre rêves et réalité	• Caractériser des personnes et des comportements • Formuler un regret, un reproche • Développer une hypothèse • Exprimer une demande polie, un souhait ou un conseil
Unité 5 **De l'utile à l'agréable**	• Les grandes mutations du monde du travail • Les nouvelles façons de travailler • L'accroissement du temps consacré aux loisirs	• Exprimer une opinion de manière nuancée • Parler de son travail et de ses loisirs • Exprimer des rapports temporels entre deux actions • Demander des renseignements en vue de l'organisation d'un séjour
Unité 6 **Le bonheur est dans le pré**	• La dégradation de l'environnement urbain • Quelques expériences originales pour remédier à ce phénomène • Le développement des attitudes « écocitoyennes »	• Décrire un environnement • Demander des informations sur l'organisation d'une manifestation, d'un programme de formation… • Évoquer des souvenirs • Défendre un projet

ÉVALUATION 2

OBJECTIFS LINGUISTIQUES	PHONÉTIQUE
• Les temps du récit : le présent, le passé composé, l'imparfait, le plus-que-parfait • Le passé simple (reconnaissance) • L'expression de la durée • Les noms et adjectifs relatifs à un pays • Les préfixes numéraux *uni-*, *bi-*, *tri-* et *multi-*	• Distinction des groupes presque homophones
• La place de la négation dans la phrase • L'expression de la cause • Les préfixes à valeur de superlatif *sur-*, *super-* et *hyper-*	• Distinction des registres de langue standard et familier
• Les suffixes nominaux *-ité* et *-age* • L'expression de la comparaison • La place des doubles pronoms	• Distinction des nasales [ɛ̃], [ɑ̃] et [ɔ̃]
• Les pronoms relatifs simples et composés • Les termes « socialement corrects » • Les suffixes *-isme* et *-ir* • L'usage du conditionnel	• Distinction de l'imparfait et du conditionnel • Distinction des sentiments exprimés avec le conditionnel
• Les sigles et les abréviations • Les valeurs du subjonctif • Le subjonctif présent et passé • Les propositions temporelles	• Distinction de l'expression de la déception ou de l'indifférence
• Les figures de style • La place de l'adjectif • L'accord du participe passé des verbes pronominaux	• Distinction [y], [œ] et [u] • Intonation : colère ou nostalgie • Distinction [s] et [z]

Tableau des contenus

UNITÉS	CONTENUS THÉMATIQUES	OBJECTIFS ET SAVOIR-FAIRE COMMUNICATIFS
Unité 7 **Entre la poire et le fromage**	• Le vin, symbole de fête et de convivialité • L'évolution des pratiques alimentaires des Français • La Semaine du Goût	• Construire un discours en hiérarchisant les faits, les idées
Unité 8 **Fourmis ou cigales ?**	• Attitudes contrastées des Français face à l'argent • Les pratiques culturelles liées à l'argent • Consommer autrement : le commerce équitable	• Exprimer le degré de probabilité d'un fait ou d'un phénomène • Mettre une information en relief • Décrire des pratiques culturelles
Unité 9 **Du coq à l'âme**	• La France : entre idées reçues et valeurs réelles • Les images de la France dans le monde • Marianne, un symbole aux visages multiples	• Établir un constat en le nuançant • Indiquer un ordre de grandeur • Rapporter des propos
ÉVALUATION 3		
Unité 10 **C'est pas demain la veille !**	• Les grandes mutations sociales du 20e siècle en France • Progrès scientifiques et lois éthiques : un difficile accord • La machine au secours de l'homme ?	• Parler de l'avenir • Hiérarchiser chronologiquement des événements • Exprimer son accord ou son désaccord
Unité 11 **Culture : entre élitisme et démocratisation**	• Attitudes contrastées face à l'art • Les Journées européennes du Patrimoine • L'évolution des pratiques culturelles en France	• Présenter les conséquences d'un phénomène • Exprimer des objectifs • Exprimer la progression ou la régression d'un phénomène
Unité 12 **Entre sacré et profane**	• L'évolution des pratiques religieuses en France • Les nouvelles formes de spiritualité • Les rites de passage	• Relever et formuler des contradictions ou des différences • Argumenter un point de vue
ÉVALUATION 4		

OBJECTIFS LINGUISTIQUES	PHONÉTIQUE
• Les procédés de substitution • Les articulateurs du discours • La modalisation par les adverbes • Les interjections	• Distinction des sentiments exprimés avec des interjections
• Indicatif, conditionnel ou subjonctif ? • La forme passive • La forme pronominale de sens passif • La focalisation • La nominalisation	• Distinction du sens d'un énoncé selon l'intonation
• Les adverbes de manière, de degré et de temps • L'expression de proportions • Le discours rapporté au passé • La concordance des temps	• Accentuation expressive dans des phrases comportant des expressions de quantité
• L'expression de l'avenir : présent de l'indicatif, futur proche, futur simple, futur antérieur, conditionnel • Les marqueurs chronologiques • Les préfixes *bio-*, *cyber-*, *électro-* et *micro-*	• Intonation : différentes intentions de communication
• L'expression de la conséquence et du but • Les préfixes négatifs *dé-* et *in-*	• Prononciation du préfixe *in-*
• Les pronoms et les adverbes indéfinis • L'expression de l'opposition et de la concession • Le pluriel des noms composés	• Prononciation de *tous* et de *tout*

Carte de l'Europe

ISLANDE

SUÈDE

NORVÈGE

FINLANDE

Helsinki

Stockholm

Tallinn

ESTONIE

RUSSIE

mer du Nord

DANEMARK

Riga

LETTONIE

Copenhague

LITUANIE

IRLANDE Dublin

ROYAUME-UNI

RUSSIE

Vilnius

BIÉLORUSSIE

PAYS-BAS

Berlin

Varsovie

Londres

Amsterdam

océan

BELGIQUE

ALLEMAGNE

POLOGNE

UKRAINE

Bruxelles

LUXEMBOURG

Francfort-sur-le-Main

Prague

Atlantique

Paris

RÉPUBLIQUE TCHÈQUE

Strasbourg

SLOVAQUIE

FRANCE

Vienne Bratislava

MOLDAVIE

SUISSE

AUTRICHE

Budapest

SLOVÉNIE

Ljubljana

HONGRIE

ITALIE

CROATIE

ROUMANIE

BOSNIE-HERZÉGOVINE

PORTUGAL

ANDORRE

mer Noire

Lisbonne

Madrid

SERBIE-ET-MONTÉNÉGRO

BULGARIE

Rome

ESPAGNE

FYROM

TURQUIE

ALBANIE

GRÈCE

Athènes

Nicosie

les 25 pays de l'Union européenne

MALTE

La Valette

mer

haut lieu de l'Union européenne

CHYPRE

capitale d'État

Méditerranée

500 km

Carte de France

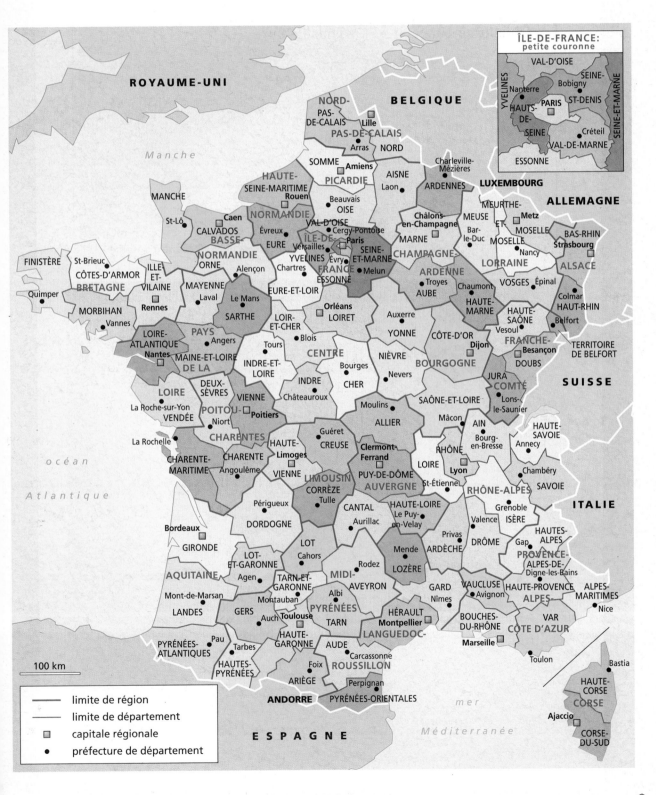

ÎLE-DE-FRANCE:
petite couronne

VAL-D'OISE

YVELINES Nanterre Bobigny SEINE-
HAUTS- PARIS ST-DENIS ET-MARNE
DE-
SEINE Créteil
VAL-DE-MARNE
ESSONNE

ROYAUME-UNI

NORD-
PAS- BELGIQUE
DE-CALAIS

PAS-DE-CALAIS Lille
Arras NORD

Manche

SOMME Charleville- LUXEMBOURG
HAUTE- Amiens AISNE Mézières
SEINE-MARITIME PICARDIE Laon ARDENNES MEURTHE- ALLEMAGNE
MANCHE Rouen Beauvais Châlons- MEUSE ET- Metz
OISE en-Champagne Bar- MOSELLE BAS-RHIN
St-Lô Caen VAL-D'OISE MARNE le-Duc MOSELLE Nancy Strasbourg
CALVADOS Évreux Cergy-Pontoise CHAMPAGNE- Colmar
BASSE- EURE Versailles Paris SEINE- ARDENNE VOSGES Épinal ALSACE
FINISTÈRE St-Brieuc NORMANDIE ÎLE-DE- ET-MARNE Troyes Chaumont HAUT-RHIN
CÔTES-D'ARMOR ILLE- ORNE Alençon YVELINES FRANCE Melun AUBE HAUTE- Belfort
BRETAGNE ET- MAYENNE Chartres ESSONNE MARNE HAUTE-SAÔNE TERRITOIRE
Quimper VILAINE Laval Le Mans EURE-ET-LOIR Orléans YONNE Vesoul FRANCHE- DE BELFORT
MORBIHAN Rennes SARTHE LOIR- LOIRET Auxerre CÔTE-D'OR Dijon COMTÉ Besançon
Vannes PAYS ET-CHER Blois CENTRE NIÈVRE BOURGOGNE DOUBS
LOIRE- Angers Tours INDRE-ET- Bourges JURA COMTÉ
ATLANTIQUE MAINE-ET-LOIRE LOIRE INDRE CHER Nevers SAÔNE-ET-LOIRE Lons- SUISSE
Nantes DE LA Châteauroux le-Saunier
DEUX- VIENNE Moulins Mâcon
LOIRE SÈVRES POITOU- Poitiers ALLIER AIN HAUTE-
La Roche-sur-Yon VENDÉE Niort Guéret Bourg- SAVOIE
La Rochelle CHARENTES HAUTE- CREUSE Clermont- en-Bresse Annecy
CHARENTE- CHARENTE Limoges Ferrand RHÔNE Chambéry
MARITIME Angoulême VIENNE LIMOUSIN PUY-DE-DÔME LOIRE Lyon SAVOIE
CORRÈZE AUVERGNE St-Étienne RHÔNE-ALPES
Périgueux Tulle HAUTE-LOIRE Grenoble ITALIE
DORDOGNE CANTAL Le Puy- Valence ISÈRE
Bordeaux Aurillac en-Velay Privas HAUTES-
GIRONDE LOT DRÔME Gap ALPES
LOT- Cahors Mende ARDÈCHE PROVENCE-
ET-GARONNE Rodez LOZÈRE ALPES-DE-
AQUITAINE Agen TARN-ET- MIDI- Digne-les-Bains
Mont-de-Marsan GARONNE Albi AVEYRON GARD HAUTE-PROVENCE ALPES-
LANDES Montauban PYRÉNÉES TARN HÉRAULT Nîmes ALPES MARITIMES
GERS Auch Toulouse Montpellier BOUCHES- VAR Nice
Pau HAUTE- LANGUEDOC- DU-RHÔNE CÔTE D'AZUR
PYRÉNÉES- Tarbes GARONNE AUDE Marseille
ATLANTIQUES Carcassonne Toulon Bastia
HAUTES- Foix ROUSSILLON
PYRÉNÉES ARIÈGE Perpignan HAUTE-
ANDORRE PYRÉNÉES-ORIENTALES mer CORSE
CORSE
ESPAGNE Méditerranée Ajaccio
CORSE-
DU-SUD

océan

Atlantique

100 km

—— limite de région
— limite de département
▫ capitale régionale
• préfecture de département

LES SONS DU FRANÇAIS

16 voyelles

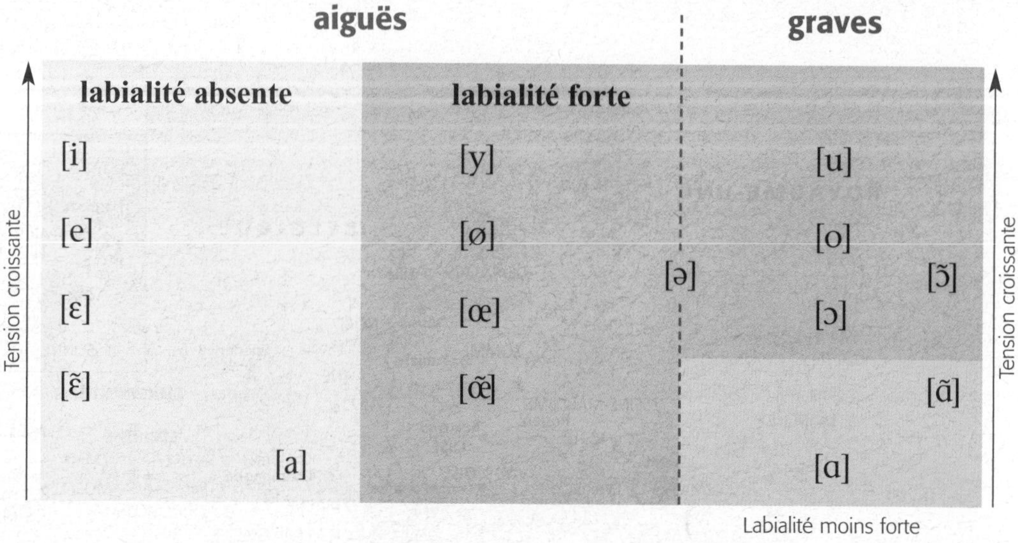

	aiguës		graves

labialité absente   **labialité forte**

Tension croissante →

[i]   [y]   [u]

[e]   [ø]   [o]

                     [ə]   [ɔ̃]

[ɛ]   [œ]   [ɔ]

[ɛ̃]   [œ̃]   [ɑ̃]

       [a]   [ɑ]

← Tension croissante

Labialité moins forte

17 consonnes

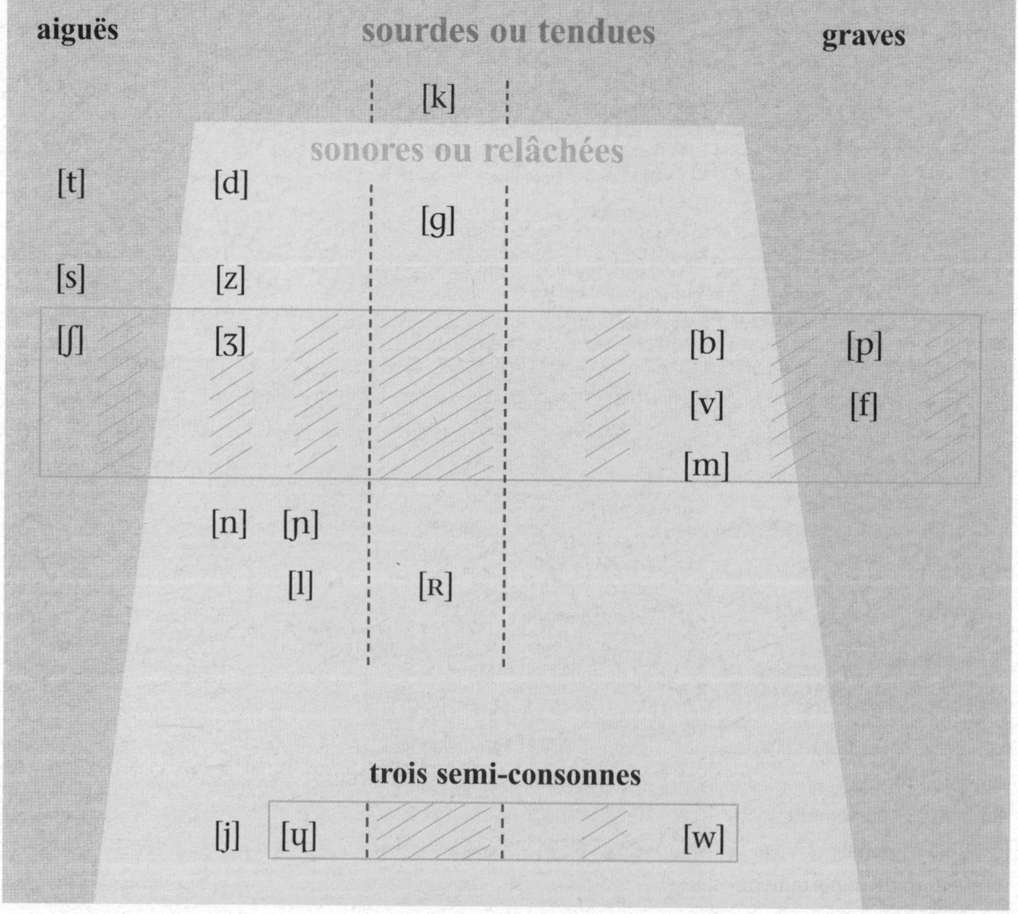

aiguës   **sourdes ou tendues**   graves

[k]

sonores ou relâchées

[t]   [d]

               [g]

[s]   [z]

[ʃ]   [ʒ]   [b]   [p]

                                     [v]   [f]

                                     [m]

[n]   [ɲ]

[l]   [ʀ]

trois semi-consonnes

[j]   [ɥ]   [w]

Unité 1

Gens d'ici, gens d'ailleurs

Contenus thématiques

- Histoire(s) de l'immigration en France
- L'acquisition de la nationalité française
- Identité nationale et sentiment européen

Objectifs et savoir-faire communicatifs

- Exposer une situation passée et les étapes de son évolution
- Apporter des précisions d'ordre temporel
- Faire une réclamation

Objectifs linguistiques

- Les temps du récit : le présent, le passé composé, l'imparfait, le plus-que-parfait
- Le passé simple (reconnaissance)
- L'expression de la durée
- Les noms et adjectifs relatifs à un pays
- Les préfixes numéraux *uni-*, *bi-*, *tri-* et *multi-*

Mon père, ce héros

Comprendre

❶ Flash-back.

1 Lisez les deux textes ci-contre et indiquez leurs thèmes communs.

le racisme / l'immigration / la famille / la violence

2 Lisez à nouveau les textes.

a Repérez le(s) point(s) commun(s) entre :

1 les parents des deux enfants ; **2** le lieu où habitent les immigrés.

b Relevez les adjectifs qui caractérisent le mieux chaque père. Justifiez vos choix.

alcoolique / fort / beau / autoritaire / courageux / fier / simple / violent

❷ Dans le temps…

1 Lisez le texte de Richard Morgiève et relevez les énoncés qui donnent des informations sur :

a l'arrivée du père en France ; **b** l'arrivée du père en Ardèche ; **c** sa situation professionnelle ; **d** la raison pour laquelle la jeune femme n'attend pas son futur mari à la gare.

2 Observez ces énoncés et dites quels temps évoquent :

a une action antérieure à une autre action ou une situation passée ; **b** une situation à un moment du passé ; **c** un événement ponctuel réalisé dans le passé.

3 Lisez le texte de Cavanna et repérez le temps le plus souvent utilisé. Indiquez pourquoi l'auteur a choisi ce temps.

S'entraîner

❸ Un moment d'émoi.
Remplacez les verbes au passé simple par un passé composé.

Il sourit et elle sourit à son tour. Ils se regardèrent, soudain complices comme deux amants qui n'ont pas besoin de se parler pour se comprendre. Elle s'en aperçut. Elle rougit. Elle baissa les yeux. Là-bas Simon l'appelait, maman, maman. Mon père et ma mère se dirent au revoir. Elle rejoignit son fils, sa tête tournait, viens Simon, viens, viens manger ton goûter au chaud, viens.

Richard Morgiève, *Un petit homme de dos*,
© éd. Gallimard, Fonds Joëlle Losfeld, 1988.

Il nous a toujours dit qu'il a débarqué au Havre en 1938 et qu'il venait de Liverpool, *via* Brême et Varsovie. D'après lui il était interprète et n'avait d'autre ambition que celle de vivre tranquillement. À l'en croire, boire un café au lait le matin et terminer la journée en jouant aux cartes, c'était suffisant pour le rendre l'homme le plus heureux du monde. […]

En février 1942 il fit irruption à S., Ardèche.

Ma mère était veuve. Elle avait un fils de quatre ans sur les bras. Son mari était sous-marinier, radio. Il était mort l'année précédente, emporté par une sale fièvre.

Ma mère avait vingt-quatre ans, elle était belle comme une fleur, mais à quoi bon ? […]

Pour l'heure ils ne s'étaient pas encore rencontrés. Il descendit du train, sortit de la gare et gravit la pente conduisant à la cour des Miracles, un ancien palace qui servait d'asile à une colonie de réfugiés polonais. […] Mon père se présenta à la cour des Miracles. Il avait des recommandations, on lui attribua donc une chambre, et si l'enfer ressemblait à quelque chose, il ressemblerait sûrement à ce frigo. Mais mon père était blindé, il ne craignait ni le froid ni le diable. À vrai dire, il ne craignait rien. […]

Des jours passèrent et ce fut enfin le jour J. Elle promenait Simon. Lui, avec son béret, son écharpe, son manteau bleu, son mètre soixante-huit et son allure générale de monsieur Tout-le-monde dévoyé, lui donc remontait vers le centre du village.

Richard Morgiève,
Un petit homme de dos,
© éd. Gallimard, Fonds Joëlle Losfeld, 1988.

❹ Biographie.
Conjuguez les verbes au temps qui convient.

François Cavanna … (naître) en 1923, à Nogent-sur-Marne. Son père … (être) italien et marié à une Française qu'il … (rencontrer) quelques années plus tôt, à son arrivée en France. Son enfance, celle-là même qu'il … (décrire) dans *Les Ritals*, il l' … (passer) dans la banlieue des bords de Marne. Avant de devenir journaliste puis écrivain, il … (faire) toutes sortes de petits métiers. En 1979, il … (recevoir) le prix Interallié pour *Les Russkoffs*, livre dans lequel il … (raconter) la suite de ses souvenirs d'enfance.

La rue Sainte-Anne et le quartier tout autour, c'est le vieux Nogent. Les Français ont abandonné ses ruelles tortillées, ses enfilades de cours et de couloirs et ses caves grouillantes de rats d'égout aux Ritals[1]. À part quelques artisans […], les quelques familles françaises qui se cramponnent, noyées dans les Ritals, sont des gens très pauvres, ou alors des soûlards[2] à moitié clodos[3] qui vivent des Assurances et se foutent sur la gueule[4] le samedi soir devant toute la rue […]. Les Ritals, de la maison au chantier et du chantier au bistrot, ne fréquentent que des Ritals. Alors, ils croient que tous les Français sont comme ceux-là […]. La plupart interdisent à leurs mômes de jouer avec les mômes des Français. Déjà, moi, à moitié français par ma mère, je suis suspect. […]

Les Ritals, ça s'engueule[5] pas, ça se bat pas. En tout cas, tu vois rien de l'extérieur. Les Français disent que c'est des hypocrites. Le père fronce le sourcil, les mômes filent, font ce qu'ils ont à faire, sans un mot. Le père cogne rarement.

Il faut que ce soit très grave. Un crime. Avoir répondu « non » à la mère, par exemple. […] Maman est éperdue d'admiration et d'envie. Elle voudrait que papa soit comme ça. Un chef. Un dieu. Papa ne m'a jamais battu. C'est pas un dieu papa. J'ai pas peur de lui. […]

Il est petit, papa, tout petit, mais qu'est-ce qu'il est costaud ! Il est trapu et gras du bide[6], ça lui va très bien. Vous verriez ses yeux ! Bleus comme ces fleurs bleues, vous savez, quand elles se mettent à être vraiment bleues. Ses cheveux sont blancs et fins comme les fils de ces plantes qui poussent dans les haies, je sais pas comment ça s'appelle. Ils ont toujours été blancs. Quand il était gosse, au pays, les autres l'appelaient *« Il Bianco »*.

François Cavanna, *Les Ritals*, © éd. Albin Michel, 1996.

Les mots ou expressions annotés dans le texte sont familiers.
1. Aux Italiens. 2. Des alcooliques. 3. Clochards. 4. Se battent.
5. Se dispute. 6. Du ventre.

Immigration italienne, 1946.

GRAMMAIRE

Les temps du récit

- Le **présent** indique une situation actuelle ou une action ponctuelle réalisée au moment où l'on parle :
  Il est petit, papa, mais qu'est-ce qu'il est costaud !

- Le **passé composé** indique une action ponctuelle réalisée dans le passé :
  Les Français ont abandonné ses ruelles aux Ritals.

  En littérature, on utilise souvent le **passé simple** à la place du passé composé :
  En février 1942, il fit irruption à S., Ardèche.

- L'**imparfait** indique les circonstances d'un événement, une habitude ou un état passé :
  Quand il était gosse, ils l'appelaient « Il Bianco ».

- Le **plus-que-parfait** indique une action antérieure à une autre action ou une situation passée :
  Il parlait anglais car il avait travaillé à Liverpool.

Parler

5 Évocation.
Richard Morgiève est invité à la radio pour présenter son livre et évoquer quelques souvenirs d'enfance. Avec votre voisin(e), jouez la scène.

Écrire

6 Rencontre.
Imaginez la lettre que la mère de Richard Morgiève écrit à sa meilleure amie, le jour de sa rencontre avec ce jeune immigré polonais qui deviendra le père de l'auteur.

Parler

❶ Opinion.

Avec votre voisin(e), répondez aux questions.

1 Dans votre pays, de quel(s) pays d'origine viennent la plupart des immigrés ? **2** À quelle époque sont-ils arrivés ? **3** Existe-t-il des problèmes d'intégration les concernant ? **4** Dans quel(s) secteur(s) travaillent-ils en priorité ? **5** Connaissez-vous les différents moyens d'acquérir la nationalité de votre pays ? Si oui, citez-les. **6** Êtes-vous favorable ou non au droit de vote des étrangers ?

Comprendre

❷ Entre ici et là-bas.

1 Écoutez la première partie de l'interview et indiquez ce qui est dit (oui/non/on ne sait pas). ☎

a Les parents de la jeune femme sont arrivés en France il y a soixante ans. **b** Au départ, ils ne voulaient rester que pour deux ou trois ans seulement. **c** Ils ont quitté le Portugal pour fuir le chômage et la pauvreté. **d** Les entreprises françaises recherchaient alors des ouvriers à l'étranger. **e** Arrivés en France, ils ont trouvé du travail en quelques jours. **f** Son père a travaillé pendant vingt ans dans une entreprise portugaise, à Cerizay. **g** Ses parents sont français depuis 1968. **h** Comme cela fait plus de trente ans qu'ils sont en France, ils ont le droit de vote.

2 a Complétez, à l'aide des informations que vous avez, la fiche de renseignements de la personne interviewée.

b Lisez le document 3 et expliquez pourquoi la jeune femme n'a pas pu acquérir la nationalité française à sa naissance.

3 a Écoutez la seconde partie de l'enregistrement et complétez la fiche de renseignements de l'activité 2. ☎

b Écoutez à nouveau cet enregistrement et lisez les documents 1 et 2. Relevez deux éléments qui ont changé depuis que la jeune femme a entrepris ses démarches de naturalisation, en 1994. ☎

c Pourquoi a-t-elle souhaité devenir française ?

GRAMMAIRE

L'expression de la durée

- *Pendant* et *durant* indiquent une durée définie :
  *Vous avez résidé en France **pendant** cinq années ?*

- *Pour* indique une durée prévue :
  *Ils retournent au Portugal **pour** un an ou deux.*

- *En* indique une durée nécessaire :
  *Elle a obtenu son passeport **en** quelques mois.*

- *Entre* indique une durée limitée :
  *J'ai vécu en France **entre** 1995 et 1997.*

- *Il y a* indique que l'événement est terminé au moment où l'on parle :
  *Ils ont quitté leur pays **il y a** cinq ans.*

- *Depuis*, *ça fait… que*, *il y a… que* indiquent que l'événement continue au moment où l'on parle :
  *Il y a maintenant onze ans **qu'**elle vit en France.*

FICHE DE RENSEIGNEMENTS

NOM ⌊_____⌋

Prénom ⌊_____⌋

Âge ⌊____⌋   Nationalité ⌊_____⌋

Lieu de naissance ⌊_____⌋

Nombre d'années de résidence en France ⌊____⌋

Nombre de frères et sœurs ⌊____⌋

Nationalité et lieu de naissance

du père ⌊_____⌋

de la mère ⌊_____⌋

Acquisition de la nationalité

☐ à la naissance ☐ à la majorité ☐ par anticipation

---

❸ Français par anticipation.

1 Relisez le document 1 et repérez les énoncés qui indiquent :

a la tranche d'âge requise pour acquérir la nationalité française par anticipation ; **b** le nombre d'années minimum durant lesquelles il est nécessaire d'avoir vécu en France ; **c** l'âge à partir duquel il faut habiter sur le sol français.

2 a Observez vos réponses et relevez les expressions de la durée. Quel mot indique :

1 un événement qui dure encore ; **2** une durée définie ; **3** une durée limitée ?

b Repérez, dans les affirmations de l'activité 2.1, d'autres moyens d'exprimer une durée. Puis, dites s'ils indiquent :

1 une durée nécessaire ; **2** une durée prévue ; **3** un événement qui est terminé.

droit du sang

16 mars 1998

Devenir Français/e

■ **Vous avez 18 ans**

■ **Vous êtes né/e en France de parents étrangers**

■ **Vous avez vécu au moins 5 ans en France entre 11 et 18 ans**

Vous devenez français/e à votre majorité

Pensez-y dès maintenant

Pour obtenir votre certificat de nationalité française, vous devrez présenter les documents prouvant votre naissance et votre résidence en France

Renseignez-vous auprès de votre mairie, préfecture, tribunal d'instance

MINISTÈRE DE LA JUSTICE

1

DIRECTION DE LA POPULATION
ET DES MIGRATIONS

L'acquisition anticipée de la nationalité française

Avant 18 ans, vous pouvez devenir français de manière anticipée par déclaration :

Vous avez entre 16 et 18 ans

Vous pouvez demander à devenir français si vous remplissez les trois conditions suivantes :
– vous êtes né en France ;
– vos parents sont étrangers ;
– vous résidez en France et vous y avez résidé pendant au moins cinq années, consécutives ou non, depuis l'âge de 11 ans.

Vous devez effectuer une démarche auprès du tribunal d'instance compétent pour votre domicile et apporter la preuve de votre naissance en France et de votre résidence (certificat de scolarité, certificat de travail…).

Après avoir vérifié que vous remplissez les conditions, le tribunal d'instance enregistrera votre déclaration.

Novembre 2002.

3

DIRECTION DE LA POPULATION ET DES MIGRATIONS

La nationalité française est attribuée à la naissance dans deux cas

Par filiation : c'est le droit du sang
L'article 18 du code civil dispose que :
« est français l'enfant, légitime ou naturel, dont l'un des parents au moins est français ».

En raison du lieu de naissance : c'est le droit du sol
Aux termes de l'article 19-3 du code civil
« est français l'enfant, légitime ou naturel, né en France lorsque l'un de ses parents au moins y est lui-même né ».

Novembre 2002.

S'entraîner

❹ Histoires de naturalisation.
Complétez le dialogue avec *durant, pour, en, il y a, depuis, ça fait… que* et *il y a… que*.

– Kamel, … longtemps … vos parents habitent en France ?

– Oh oui ! Ils sont arrivés ici … trente ans environ, au début des années 70.

– Et … toutes ces années, est-ce qu'ils ont pu acquérir la nationalité française ?

– Ça a été difficile mais oui, … maintenant un peu plus de deux ans … ils sont français.

– Et vous alors ?

– Eh bien, moi, comme j'ai seize ans et que j'ai vécu en France … toutes ces années, j'ai pu demander ma naturalisation. Ça a été assez rapide : tout s'est fait … quelques semaines.

– Vous aimeriez retourner vivre là où vos parents sont nés ?

– Ah oui ! La preuve : j'y vais … un an, peut-être plus.

Si proches, si différents

Une Anglaise et le continent

**La romancière britannique Antonia Susan Byatt a tenté
de comprendre ce qui fait un Européen. Sa réponse mêle l'histoire,
le goût de la différence et l'attachement à certaines valeurs humanistes.**

« Espérons qu'un jour tous les Européens se sentiront chez eux n'importe où sur ce vaste Vieux Continent, comme ils se sentent chez eux dans leur pays natal », déclarait Winston Churchill en 1948 à La Haye, au Congrès de l'Europe. Cinquante ans plus tard, j'ai demandé à chaque Européen que je rencontrais s'il se sentait européen et ce que cela représentait pour lui.

Les chauffeurs de taxi londoniens m'ont répondu qu'à Bruxelles « ils » voulaient homogénéiser tout le monde et faire une Europe fédérale dirigée d'on ne sait où par on ne sait qui. Mais, en vérité, tous sont incorrigiblement européens. L'un d'eux passe ses week-ends aux Pays-Bas à pêcher avec un ami néerlandais. Un autre fait des économies pour faire un tour des capitales d'Europe en étudiant avec soin la gastronomie et la culture de chaque pays.

En Italie, une de mes connaissances considère *« que l'Union européenne est formidable sur le plan économique et commercial, mais qu'il est impossible de parler d'un sens d'appartenance à l'Europe. Les pays européens sont indépendants depuis de trop longs siècles et il n'est pas si facile ni avisé d'effacer les traditions et les différences ».*

J'ai demandé à des Norvégiens s'ils se sentaient européens. Tous sans exception ont expliqué de façon très réfléchie qu'ils ne se sentaient pas vraiment européens mais plutôt scandinaves. Les Danois disent la même chose :

l'Union européenne, c'est nécessaire, c'est utile, mais leur identité au sens large est scandinave.

L'Allemand Hans Magnus Enzensberger m'a répondu que les Européens n'existaient pas, que chaque peuple était bien trop singulier, enraciné dans ses traditions, sa langue et son histoire. […] Au fond, les Européens ont surtout en commun le sentiment d'avoir un passé aussi lointain que complexe.

Les jeunes, eux, ont une vision très pratique de l'Europe. Ils voyagent d'un pays à l'autre grâce à des billets bon marché et prennent part à des échanges entre universités européennes. Ma fille, qui vit à Newcastle, a partagé un logement avec une Française, deux Allemandes et deux auto-stoppeurs belges qui avaient été ramenés d'Espagne par un ami. Les jeunes Européens se marient entre eux et ont des enfants bilingues. Tous m'ont dit : *« Quand je suis en Amérique, je sais que je suis européen. »*

Aux États-Unis, les origines familiales – italiennes, irlandaises, juives, hispaniques – s'intègrent sans se diluer dans la nouvelle identité choisie par les individus. Je ne pense pas que les Européens, y compris les partisans les plus enthousiastes de l'union politique, parviennent un jour à intégrer leurs origines dans une nouvelle identité nationale aussi naturellement que le font les Américains.

Antonia Susan Byatt, *Courrier international*,
n° 632, 12 décembre 2002
(article traduit du journal *The New York Times*).

Comprendre

❶ Identités plurielles.

1 a Écoutez l'enregistrement et imaginez la question posée à chacune des personnes interrogées.

b Écoutez à nouveau l'enregistrement et relevez les réponses relatives à :

1 la politique ; 2 la monnaie ; 3 la culture ; 4 l'identité nationale ; 5 l'Histoire.

c Quel est le sentiment global de la plupart des personnes interrogées ?

2 Observez le titre de l'article ci-dessus et imaginez de quel *continent* il s'agit. Puis, dites ce que suggère ce titre.

3 Lisez l'article et relevez :

a les éléments qui révèlent un sentiment d'identité européenne ; **b** les éléments qui révèlent un sentiment d'identité nationale ; **c** les aspects positifs de l'Union européenne ; **d** les critiques formulées à l'égard des dirigeants européens ; **e** la principale différence entre les Américains et les Européens.

De Standaard, P. J. Crook.

② Tour d'Europe.
Lisez à nouveau l'article.

1 a Repérez les mots qui se réfèrent :

1 à la Grande-Bretagne ; **2** aux Pays-Bas ;
3 à l'Italie ; **4** à la Norvège ; **5** au Danemark ;
6 à l'Allemagne ; **7** à la France ; **8** à la Belgique ;
9 à l'Espagne ; **10** à l'Irlande.

b Observez vos réponses et dites quand il
faut mettre une majuscule au début des mots.

2 a Relevez le terme :

1 qui désigne la communauté économique et
politique en Europe ; **2** qui indique le nombre
de langues parlées par un enfant né d'un
mariage entre deux Européens.

b Observez vos réponses et indiquez
comment se construisent ces deux termes.

S'entraîner

③ Le 7ᵉ art aux couleurs de l'Europe.
Ajoutez une majuscule si nécessaire.

❙ La 10ᵉ édition du Festival du cinéma européen a
❙ été principalement marquée par le dernier film du

❙ metteur en scène italien Silvio Boldini. Tourné en
❙ anglais, avec des acteurs britanniques, espagnols
❙ et italiens, le film retrace l'histoire d'un jeune
❙ étudiant australien qui décide de partager son
❙ appartement londonien avec une superbe mexicaine,
❙ une drôle d'italienne et deux globe-trotters irlandais…

④ Revue de presse européenne.
Remplacez les expressions soulignées par un
mot contenant le préfixe *uni-*, *bi-*, *tri-* ou *multi-*.

1 La Commission européenne organise une réunion
<u>deux fois par semaine</u>. (*La Nouvelle République*)
2 Bruxelles accorde une aide économique pour la
création d'un centre <u>proposant différents types de
médias</u>. (*L'Étudiant*) **3** Les députés souhaitent
<u>donner la même forme à</u> la plupart des lois des
différents pays européens. (*Nice-Matin*) **4** Des
manifestants ont brûlé le drapeau <u>bleu blanc rouge</u>
devant l'ambassade de France à Oslo. (*Le Monde*)

⑤ Elle l'a pris ou elle l'a appris ?
1 Écoutez les phrases et identifiez dans le
texte p. 148, celle que vous entendez. 🎧

2 Écoutez une deuxième fois uniquement le
groupe verbal de chaque phrase. Comptez
le nombre de syllabes. 🎧

3 Répétez les phrases complètes en faisant
attention au nombre de syllabes.

Parler

⑥ Point de vue et attitude.
Avec votre voisin(e), répondez aux questions.

1 Vous-même, à quoi avez-vous le sentiment
d'appartenir le plus : votre ville, votre région, votre
pays, votre continent… ? **2** Lorsque l'un de vos
compatriotes reçoit un prix international (en sport,
en littérature, au cinéma…), ressentez-vous une
certaine fierté nationale ?

VOCABULAIRE

❙ **Les noms et adjectifs relatifs à un pays**

Seuls les **noms** de nationalité prennent une majuscule :
*Ma fille vit avec **une Française**, **deux Allemandes** et deux copains **belges**.*
　　　　　　　　 = nom 　　　　　　　　　　　　　　　　　 = adjectif
L'anglais *est de plus en plus utilisé dans les échanges professionnels.*
= la langue

❙ **Les préfixes numéraux**

Pour exprimer le nombre ou la périodicité, on peut utiliser les préfixes suivants :

● ***uni-*** = un 　　　　 *Ils ont un drapeau **unicolore** ? Tu es sûr ?* = avec une seule couleur
● ***bi-*** = deux 　　　 *Il s'agit d'un **bimensuel** sur l'Europe.* = un magazine qui paraît deux fois par mois
● ***tri-*** = trois 　　　 *Pour travailler au Parlement, il faut être **trilingue**.* = capable de parler trois langues
● ***multi-*** = plusieurs 　 *On a créé un centre **multiculturel** à Bruxelles.* = consacré à plusieurs formes de cultures

INTER Rail

Découvrez l'Europe en train

Caractéristiques

→ Le réseau européen de chemins de fer est divisé en 8 zones Inter Rail. Le prix dépend du nombre de zones que vous souhaitez parcourir et du temps de validité de votre Pass.

→ Vous pouvez obtenir un Pass pour une zone (valable pendant 12 ou 22 jours), pour 2 zones, pour 3 zones ou pour les 8 zones (valable pendant un mois).

→ Le Pass est uniquement valable en 2e classe.

→ Il est nominatif et vous offre la possibilité de circuler librement sur les réseaux ferroviaires des pays des zones choisies, à l'exclusion des trajets à l'intérieur de votre pays de domicile.

→ Une réduction de 50 % est prévue pour des billets complémentaires, pour des trajets en dehors des zones de votre choix, achetés en même temps que l'Inter Rail.

→ Le Pass Inter Rail est en vente toute l'année dans toutes les gares qui vendent des produits internationaux et dans la plupart des agences de voyages.

Zones

Zone A	Grande-Bretagne, Irlande du Nord, Irlande
Zone B	Finlande, Norvège, Suède
Zone C	Allemagne, Autriche, Danemark, Suisse
Zone D	Croatie, Hongrie, Pologne, Slovaquie, Tchéquie
Zone E	Belgique, France, Luxembourg, Pays-Bas
Zone F	Espagne, Portugal, Maroc
Zone G	Grèce, Italie, Slovénie, Turquie
Zone H	Bulgarie, Macédoine, Roumanie, Yougoslavie

Prix

Pass pour	Validité	Jeunes – 26 ans	À partir de 26 a...
1 zone	12 jours	182 euros	266 euro...
1 zone	22 jours	219 euros	318 euro...
2 zones	1 mois	285 euros	402 euro...
3 zones	1 mois	329 euros	468 euro...
Toutes les zones	1 mois	389 euros	552 euro...

* Les enfants de moins de 12 ans paient la moitié du prix d'un adu... de plus de 26 ans. Les enfants de moins de 4 ans voyagent gra... tement à condition qu'ils n'occupent pas une place individuelle.

INTER Ra...

Repérer

❶ L'Europe à tout prix.

1 Lisez la brochure Inter Rail et relevez le prix d'un Pass pour chacune des personnes suivantes et ses proches.

Katarina Roos, Berlin (Allemagne), 25 ans. Elle souhaite voyager au Danemark et en Suède pendant trois semaines.

Antonio et Pilar Mendez, Bilbao (Espagne), 35 et 31 ans, deux enfants de 8 et 13 ans. Ils veulent découvrir le sud de la France pendant dix jours.

Giancarlo Viti, Milan (Italie), 42 ans. Il désire traverser la Slovénie, l'Autriche, la Tchéquie, la Pologne et la Finlande pendant un mois.

2 Relisez la brochure et indiquez s'il est possible :

a de donner son Pass à un(e) ami(e) ; **b** de voyager en 1re classe ; **c** d'acheter le Pass sur Internet ; **d** de payer moins cher pour des voyages en dehors des zones achetées.

❷ Réclamation.

1 Lisez la lettre et indiquez :

a le prix du Pass que la personne souhaitait acheter ; **b** le montant réel du Pass qu'elle a reçu.

2 Dites dans quel paragraphe l'auteur :

a exprime son mécontentement ; **b** présente l'erreur commise ; **c** exprime l'espoir d'un remboursement ; **d** prend congé avec une formule de politesse ; **e** rappelle les faits ; **f** fait part des conséquences.

Calais, le 29 août 20...

Monsieur,

Désireuse de découvrir la Grande-Bretagne et l'Irlande durant mes toutes premières semaines de retraite, je me suis rendue il y a un mois exactement à la gare la plus proche de mon domicile pour y acheter un Pass valable 22 jours sur la zone correspondante.

La personne à qui je me suis adressée à ce moment-là étant visiblement inexpérimentée, pour ne pas dire incompétente, il a fallu que je lui explique — chose incroyable — les caractéristiques du Pass et le principe de validité.

De toute évidence, cela n'a servi à rien ; cette personne n'a pas compris ce que je désirais et m'a finalement vendu un Pass 12 jours au prix d'un Pass 22 jours, chose dont je me suis malheureusement rendu compte trop tard, alors même que j'étais en Écosse, à la moitié de mon voyage.

Bien évidemment, je n'ai pas pu prouver, sur place, que j'avais acheté un Pass 22 jours ; j'ai donc été obligée de payer le reste de mon voyage au tarif normal. Vous comprendrez, je l'espère, mon indignation devant une grossière erreur qui m'a coûté très cher et m'a gâché une partie de mon séjour.

C'est pourquoi je vous demande aujourd'hui non seulement le remboursement intégral du Pass qui m'a été vendu mais également celui de tous les trajets que j'ai dû effectuer au tarif normal.

Dans cette attente, recevez, Monsieur, mes salutations distinguées.

ASALiERi

Réaliser

❸ À l'agence.
Choisissez l'un des personnages de l'exercice 1 et, avec votre voisin(e), imaginez le dialogue à l'agence de voyages.

❹ Carte postale.
Durant votre voyage en Europe, vous profitez d'un long trajet en train pour envoyer une carte postale à un(e) ami(e) et lui raconter ce que vous avez fait pendant les deux jours précédents.

❺ Un hôtel hors de prix !
Avant de partir en voyage, vous avez réservé trois nuits d'hôtel dans l'une des villes que vous souhaitez traverser. Malheureusement, en arrivant sur place, la réservation n'a pas été effectuée, l'hôtel est complet et vous devez dormir dans un hôtel beaucoup plus cher. À votre retour, vous écrivez à votre agence de voyages pour réclamer un remboursement du supplément que vous avez payé.

❶ Tranches de vie.
Choisissez la bonne réponse.

1 Il (est arrivé/arrivait) en France en 1978 ; il (est venu/venait) d'Angleterre.

2 Il ne (parlait/a parlé) pas un mot de français quand il (a quitté/quittait) son pays.

3 Il (travaillait/a travaillé) cinq ans dans une usine où il (apprenait/a appris) la langue.

4 Il (s'est marié/se mariait) avec une Française et ils (avaient/ont eu) un enfant.

❷ Disparitions.
Réécrivez la biographie de Georges Perec au temps qui convient.

Georges Perec (naître) à Paris en 1936 ; il (mourir) en 1982 à l'âge de 46 ans. En 1965, il (obtenir) le prix Renaudot pour *Les Choses*, roman dans lequel il (décrire) avec ironie la société de son époque. Son roman *La Vie mode d'emploi* (paraître) en 1978 ; Perec y (raconter) la vie dans un immeuble parisien. Ce (être) un homme qui (aimer) les défis : dans *Les Revenantes*, paru en 1972, il ne (utiliser) qu'une seule voyelle : la lettre e. Avant *Les Revenantes*, Perec (publier) en 1969 un autre roman extraordinaire : *La Disparition*. Dans cette œuvre, la lettre e (disparaître).

▶ *Georges Perec est né…*

❸ Nouvelles fraîches.
Complétez avec une expression de la durée.

1 Ils sont partis en Inde … deux semaines ; je n'ai pas de nouvelles … leur départ.

2 Elle est restée dans ce pays plusieurs semaines … mars et mai 2004.

3 Il est français … 15 jours ! Maintenant, c'est … toujours !

4 On peut s'inscrire sur les listes électorales … tout le mois de décembre. Après ce sera trop tard.

5 Il a obtenu les papiers pour sa naturalisation … quelques jours.

❹ C'est fini ou pas ?
Lisez les phrases et dites si l'événement dure encore ou non.

1 Ça fait maintenant trois ans qu'elle a commencé les démarches.

2 Il y a environ dix ans que nous ne sommes pas retournés dans notre pays.

3 Je ne les ai pas revus depuis longtemps, c'est dommage.

4 Il y a longtemps, mes grands-parents sont arrivés ici les poches vides.

5 L'immigration, ça existe depuis toujours, c'est un phénomène naturel.

❺ Ça s'écrit comme ça.
Mettez des majuscules si nécessaire.

1 Les parents ? Le père, c'est un italien du nord et la mère, elle est polonaise.

2 C'est la loi française sur l'acquisition de la nationalité.

3 Le basque et le breton sont des langues parlées en france.

4 Elle a souhaité adopter la nationalité italienne quand elle s'est mariée.

5 Les français ne sont pas tous nés en france et certains ne parlent pas français.

❻ Quand ou combien ?
Dites si les mots soulignés indiquent le nombre ou la périodicité.

1 C'est une décision bilatérale concernant les deux pays.

2 Le sujet de la biennale ? Vers une identité multiculturelle.

3 Cette revue trimestrielle présente les droits et les devoirs des immigrés.

4 Être bigame, c'est avoir deux femmes ou deux maris. C'est interdit ici.

5 C'est un bon exemple de société multiraciale.

Unité 2

Et moi, et moi, et moi…

Contenus thématiques

- L'évolution des modèles de base dans la société française
- Le célibat : les causes d'un phénomène en augmentation
- Le développement des émissions centrées sur l'individu

Objectifs et savoir-faire communicatifs

- Exposer son mode de vie
- Parler de ses valeurs de référence
- Expliquer ses choix
- Demander un renseignement

Objectifs linguistiques

- La place de la négation dans la phrase
- L'expression de la cause
- Les préfixes à valeur de superlatif *sur-*, *super-* et *hyper-*

La vie en solo

Salon **Céliberté**

Tout l'univers des célibataires...

...se trouve l'Espace Champerre

les 14,15,16 Novembre 20

Pour plus d'informations, www.celiber

ou 08 92 69 02 95

Parking : accès par le périphérique
sortie porte de Champerret.
Métro : Porte Champerret
Bus : PC1 /84/92/93/163/164/165
Horaires : vendredi de 13 à 21 H
samedi de 11 à 21H
dimanche de 11 à 20H
Prix d'une entrée : 10€

En partenariat avec :

MIEUX VIVRE Votre Argent 125 ZURBAN Ch

DIESEL Cinefil.com

Comprendre

① **Une population très courtisée.**

1 Observez l'affiche. Qu'évoque pour vous le mot *céliberté* ? Imaginez ce que ce salon propose.

2 Lisez le texte *Céliberté* de la brochure et relevez :

a l'année de création de ce salon ; **b** le type de célibataires à qui il est destiné ; **c** la raison pour laquelle on s'intéresse aujourd'hui aux célibataires.

3 Lisez l'article de *Libération*.

a Repérez les termes utilisés pour désigner les célibataires et le célibat. Dites ce que signifient ces changements de désignation.

b Qu'est-ce qui caractérise, aujourd'hui, le mode de vie des célibataires dans les domaines suivants ?

les rencontres / les vacances / la consommation

② **Bienvenue au club !**

1 a Écoutez l'enregistrement et associez chacune des personnes interrogées à ce qui la caractérise. 🕾

1 Annie 2 Hélène 3 Patrick 4 Sylvie

a vient au club de célibataires depuis des années. **b** est originaire de province et a du mal à rencontrer des gens. **c** ne réussit pas à lier des relations avec ses collègues de travail. **d** vit seul(e) depuis son divorce.

b Écoutez à nouveau et relevez : 🕾

1 le portrait type d'un(e) solo ; 2 les raisons de la solitude des célibataires ; 3 le but de leur inscription au club de loisirs.

2 a Lisez ces témoignages. Identifiez trois témoignages que vous avez entendus et dites à quelle personne ils correspondent.

1 Au club, personne ne te juge, tu es accepté tout de suite ! 2 Je ne connaissais personne avant d'arriver à Paris. 3 Ne plus venir ici est inimaginable pour moi. Je suis une accro du club ! 4 Je n'ai encore rencontré personne au club mais je ne peux pas me passer de cette superambiance ! 5 J'ai aucune chance de trouver quelqu'un dans mon travail actuel. 6 Sais-tu ce que c'est de ne jamais voir personne, de ne parler à personne pendant des jours et des jours ? Eh bien, c'était mon cas avant de découvrir ce club ! 7 Fréquenter un club de loisirs, j'en ai pas honte mais j'irais pas non plus le clamer sur les toits.

b Lisez la transcription de l'enregistrement p. 149 et vérifiez vos réponses.

3 a Repérez les moyens utilisés pour exprimer la négation dans ces témoignages.

b Indiquez ce qui caractérise la forme orale.

S'entraîner

③ **Sondage.**

Répondez de manière négative aux questions posées dans le sondage suivant.

1 Avez-vous gardé des contacts avec votre ex-femme ? 2 Est-ce vous qui vivez avec vos enfants ? 3 Depuis votre séparation, vous avez rencontré quelqu'un d'autre ? 4 Vous allez parfois dans des soirées pour solos ? 5 Est-ce que vous allez dans les salons réservés aux célibataires ?

a deuxième édition du Salon de l'art de
vie des célibataires baptisé Céliberté

Céliberté :
un salon pour bien vivre votre
célibat

■ Aujourd'hui, le célibat est un véritable phénomène de société. Le nombre de célibataires en France est en perpétuelle augmentation : on en dénombre près de 14 millions, dont 4 en région parisienne.

■ Vous souhaitez vivre le mieux possible votre célibat, vous rêvez de ne plus être seul(e) ? **Le deuxième Salon des célibataires**, baptisé Céliberté, est peut-être le moyen de vous y aider. **Cette année, il se déroulera du 14 au 16 novembre 2003 à l'espace Champerret à Paris.**

Plus de 100 exposants seront présents pour proposer leurs services plus spécifiquement destinés aux célibataires : agences de voyages, clubs de sports, constructeurs automobiles, opérateurs téléphoniques, sociétés de livraison à domicile… Des banques vous proposeront également des conseils pour mieux gérer votre argent.

« Pour cibler les célibataires : subtilité et banalisation »

Jean-Claude Kaufmann est sociologue, directeur de recherches au CNRS[1]. À l'occasion du salon Céliberté, il parle de cette population courtisée, les célibataires.

Les célibataires sont-ils une cible marketing intéressante ?
Parlons plutôt des « solos », c'est-à-dire ceux qui n'ont pas de vie affective stable. Ils sont réputés gros consommateurs, mais sont difficiles à aborder parce qu'ils n'aiment pas être montrés du doigt.

Parce qu'ils vivent mal le fait d'être célibataires ?
C'est toujours les deux à la fois, parce qu'ils ont deux visions d'eux-mêmes : « *J'assume ma vie en solo* », d'un côté, et « *Ça peut plus durer comme ça* », de l'autre.

Comment expliquer, alors, le succès des salons, du *speedating* (soirées de rencontre) ou des sites sur Internet ?
Ces nouveaux instruments donnent une image positive à ce qui était considéré jusqu'alors comme négatif. Le *speedating*, par exemple : c'est nouveau, ça vient des États-Unis, ça véhicule une image branchée, urbaine. Et surtout, on peut faire des rencontres sans se mettre vraiment en danger.
Il y a deux manières de cibler les solos sans en avoir l'air. La première, c'est la subtilité. Le Club Med a compris ça : ils ne parlent pas de clubs pour célibataires mais de « *villages adultes* ». Céliberté fait un peu pareil : les organisateurs parlent plus de style de vie et d'autonomie que de célibat.
L'autre solution, c'est la banalisation : la barquette individuelle en supermarché s'adresse aussi bien à la personne vivant seule qu'aux membres d'une famille qui mangent séparément, sur le pouce.

Guillaume Rollin, *Libération*, 15 novembre 2003.

1. Centre national de la recherche scientifique.

GRAMMAIRE

La place de la négation dans la phrase

- **Un verbe à l'infinitif**
Ne pas/Ne plus/Ne rien/Ne jamais + verbe
*Ne **plus** rester seul, c'est ça ma motivation !*
❗ *ne voir **personne***

- **Un verbe à un temps simple**
*Ne pas/Ne plus/Ne rien/Ne personne/
Ne jamais* + verbe entre les deux éléments de la négation
*De nos jours, on n'ose **plus** aller vers les autres.*

- **Un verbe à un temps composé**
Ne pas/Ne plus/Ne rien/Ne jamais + auxiliaire entre les deux éléments de la négation
*Je n'ai **jamais** réussi à me faire à la vie en solo.*
❗ *Je n'ai rencontré **personne** au club.*

- Des négations peuvent être utilisées ensemble :
jamais, personne, rien, (non) plus, sans, aucun(e).
*Depuis son divorce, il **ne** s'est **pas** remarié ;
son ex-femme **non plus**.*

④ **Impressions à chaud.**
Voici quelques commentaires à la sortie d'un *speedating*. Transformez-les en leur donnant un sens négatif.

1 Je me suis beaucoup amusée ! Et puis, quelqu'un m'a laissé ses coordonnées ! (Anne, 37 ans) 2 Tout m'intéresse dans ces soirées… Et je suis sûr de rencontrer des filles sympa. (Greg, 25 ans) 3 J'ai pris quelques numéros de téléphone. Alors, on se reverra bientôt, c'est évident ! (Marilyn, 48 ans) 4 Moi, j'ai passé ma soirée à parler avec tout le monde ! (Marc, 33 ans) 5 J'aime beaucoup ce système de rencontres, et ma sœur aussi ! (Mélina, 22 ans)

Parler

⑤ **Sept minutes chrono.**
Vous avez décidé de participer à un *speedating* pendant lequel vous avez sept minutes pour lier connaissance avec une personne avant de changer d'interlocuteur. Jouez la scène avec deux autres personnes de votre classe.

Chambres à louer

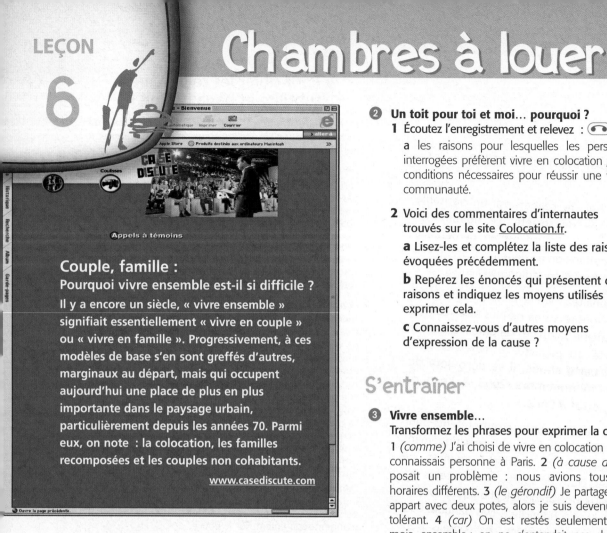

CA SE DISCUTE

Appels à témoins

Couple, famille :

Pourquoi vivre ensemble est-il si difficile ?

Il y a encore un siècle, « vivre ensemble » signifiait essentiellement « vivre en couple » ou « vivre en famille ». Progressivement, à ces modèles de base s'en sont greffés d'autres, marginaux au départ, mais qui occupent aujourd'hui une place de plus en plus importante dans le paysage urbain, particulièrement depuis les années 70. Parmi eux, on note : la colocation, les familles recomposées et les couples non cohabitants.

www.casediscute.com

Comprendre

❶ Cherche coloc désespérément.

1 Lisez le document ci-dessus et dites laquelle des deux phrases résume le mieux l'idée formulée.

a Le couple et la famille traditionnels sont en train de disparaître au profit de nouveaux modèles, plus libres. **b** À côté des modèles traditionnels, que sont la famille et le couple, de nouveaux modes de vie se sont développés, principalement en ville.

2 Associez chacun des personnages à l'un des trois modèles cités.

a Gilles, 58 ans. Il aime son indépendance et ne partage pas le même appartement que sa compagne, Amalia. **b** Marianne, 45 ans. Elle vit avec Pierre, 48 ans, et ses deux filles, Lou et Emma, dont elle a la garde. **c** Virginie, 34 ans. Elle partage un appartement avec deux copains, Luc et Alex.

1 la colocation **2** les familles recomposées **3** les couples non cohabitants

3 Lisez les documents 1 et 2 et relevez :

a le profil des personnes intéressées par la colocation ; **b** les raisons de ce choix de vie ; **c** les moyens existants pour trouver des colocataires ; **d** les arguments qui montrent le succès actuel de ce mode de vie.

❷ Un toit pour toi et moi… pourquoi ?

1 Écoutez l'enregistrement et relevez : 🎧

a les raisons pour lesquelles les personnes interrogées préfèrent vivre en colocation ; **b** les conditions nécessaires pour réussir une vie en communauté.

2 Voici des commentaires d'internautes trouvés sur le site Colocation.fr.

a Lisez-les et complétez la liste des raisons évoquées précédemment.

b Repérez les énoncés qui présentent ces raisons et indiquez les moyens utilisés pour exprimer cela.

c Connaissez-vous d'autres moyens d'expression de la cause ?

S'entraîner

❸ Vivre ensemble…

Transformez les phrases pour exprimer la cause.

1 *(comme)* J'ai choisi de vivre en colocation : je ne connaissais personne à Paris. **2** *(à cause de)* Ça posait un problème : nous avions tous des horaires différents. **3** *(le gérondif)* Je partage mon appart avec deux potes, alors je suis devenu plus tolérant. **4** *(car)* On est restés seulement deux mois ensemble ; on ne s'entendait pas du tout. **5** *(puisque)* Les loyers ont beaucoup augmenté, ça me semblait être la meilleure solution.

❹ … ou séparément ?

Un journaliste réalise une enquête sur les couples non cohabitants et vous interroge à ce sujet. Donnez-lui quatre raisons pour lesquelles vous avez choisi de ne pas partager votre appartement avec votre ami(e). Utilisez à chaque fois une expression de la cause différente.

1 « La colocation permet d'économiser de 10 à 20 % sur le prix du loyer, et 20 % supplémentaires sur son budget mensuel », estime Frédéric de Bourguet, fondateur du site Colocation.fr. Courante chez les étudiants, la colocation se répand dans les tranches d'âge supérieures. « On misait sur les 18-34 ans, et on voit arriver des colocataires âgés de 35 à 49 ans ; des personnes qui redeviennent célibataires après une rupture, ou des provinciaux qui travaillent à Paris pendant la semaine », poursuit Frédéric de Bourguet.

Le Monde, 18 septembre 2002.

GRAMMAIRE

L'expression de la cause

- **Parce que, car**
  J'ai choisi la coloc car j'en avais ras le bol de la solitude.

- **Comme** s'emploie toujours en début de phrase :
  Comme il y a une crise du logement, ça a modifié les comportements.

- **Grâce à** exprime une cause avec un résultat positif, **à cause de** un résultat négatif :
  Nous, en fait, on s'est rencontrés grâce aux Jeudis de la Colocation.

- **Puisque** indique que la cause est évidente :
  Puisque les loyers sont souvent hors de prix à Paris, la colocation représente une solution intéressante.

- Le **gérondif** a le même sujet que le verbe principal :
  En choisissant ce mode de vie, je me suis rendu compte que les autres m'apportaient beaucoup.

Parler

5 **Témoignage.**

1 Choisissez un des deux personnages suivants et préparez-vous à l'interview.

a Vous êtes l'animateur de l'émission *Ça se discute* et vous souhaitez interviewer une personne qui vit en colocation. Préparez vos questions en vue de l'interview. **b** Vous êtes colocataire depuis deux ans et vous allez être interviewé(e) dans *Ça se discute*. Imaginez à quels types de questions vous allez devoir répondre et préparez vos réponses.

2 Jouez la scène avec un(e) étudiant(e) qui a choisi un autre personnage que vous.

> **Forum :**
> ### Pourquoi avez-vous choisi la coloc ?

Virginie Re : Pourquoi avez-vous choisi la coloc ? (20/12/03)

Parce que je suis une fan de *Friends*. Non, en fait, comme je n'aime pas trop la solitude, la colocation me permet de parler de ma journée, de me confier.

Lili Re : Pourquoi avez-vous choisi la coloc ? (21/12/03)

J'en avais ras le bol de vivre seule en appartement. Grâce à ce mode de fonctionnement, je trouve qu'on s'enrichit humainement.

Seb Re : Pourquoi avez-vous choisi la coloc ? (21/12/03)

En se mariant, mes potes ont complètement changé leurs habitudes : plus question d'aller prendre un verre ensemble à l'improviste sur le coup des 23 heures. Alors forcément, on cherche de nouvelles relations.

2 Pour trouver la personne idéale qui partagera avec vous l'appart de vos rêves, Le Jeudi de la Colocation organise… une « foire aux colocataires ». Pour sa troisième rentrée consécutive, l'événement créé et animé par Colocation.fr et *Kel-Koloc* aura lieu ce soir à Paris, comme tous les premiers jeudis de chaque mois depuis deux ans. « En deux ans, nous sommes passés de 100 personnes à plus de 400 personnes par soirée », note Frédéric de Bourguet, fondateur du site Internet Colocation.fr. La crise du logement mais aussi le modèle de vie en communauté véhiculé par la série *Friends* et repris récemment par le film *L'Auberge espagnole* n'y sont pas étrangers. « Au début, nous avions essentiellement des 18-34 ans. Aujourd'hui, environ 30 % des participants au Jeudi de la Colocation sont des 35-49 ans », poursuit Frédéric de Bourguet. Et de préciser : « Pour cette tranche d'âge généralement à l'aise financièrement, c'est un vrai choix de vie. » Les colocataires occuperaient en France entre 6 et 10 % du marché. Forts de ce succès, Les Jeudis de la Colocation, limités pour l'instant à Paris et Marseille, envisagent sérieusement d'étendre leurs « foires » à Lyon, Grenoble, Strasbourg et Rennes.

France-Soir, 5 septembre 2002.

Drôle d'époque !

Comprendre

① Évolutions.

1 Observez le tableau et, avec votre voisin(e), expliquez quelles sont, selon vous, les évolutions auxquelles l'auteur fait allusion.

Vingt ans après *Principales évolutions des modes de vie et des systèmes de valeur*	
Dominantes années 80	Dominantes années 2000
Collectivité	Individu
Famille	Tribu
Changer *la* vie	Changer *sa* vie
Stabilité	Mobilité
Raisonner	Résonner
Accumulation	Saturation

2 Lisez l'article et dites si les affirmations suivantes sont vraies ou fausses.

a Le grand nombre de publications actuelles sur le thème du bonheur met en évidence un mal-être général. **b** Les pays industrialisés valorisent le « toujours plus » et la nouveauté. **c** Dans une société où l'individu prime avant tout, on assiste quand même à d'énormes manifestations collectives dans un but politique ou humanitaire. **d** Les moyens modernes de communication entretiennent des rapports étranges entre individus, permettant même à ceux-ci de se créer plusieurs identités.

3 a Relevez, dans l'article, des illustrations des quelques évolutions citées précédemment.

b Repérez les termes qui évoquent l'idée de *collectivité* et ceux qui sont associés à l'*individu*.

② Trop top !

1 Lisez à nouveau l'article et relevez les termes ou expressions qui caractérisent :

a la société contemporaine ; **b** l'individu actuel.

2 a Repérez, parmi vos réponses, celles qui expriment une exagération ou donnent une valeur de superlatif.

b Sur le même modèle, désignez de deux manières différentes une « personne faisant preuve d'une trop grande nervosité ».

Ballet Maurice Béjart, Lausanne, 1996.

S'entraîner

③ Le point de vue du sociologue.

Remplacez les expressions soulignées par un terme précédé du préfixe *sur-*, *super-* ou *hyper-*.

Prenez l'exemple des capitales de toutes les <u>grandes puissances</u> mondiales ! Il y a une <u>population bien trop importante</u>, la plupart des gens sont <u>extrêmement nerveux</u>, <u>très tendus</u> par leur rythme de vie et une <u>charge</u> de travail <u>de plus en plus lourde</u>. Pas étonnant, dans ce cas, que ces personnes développent en parallèle un <u>excès d'émotivité</u> aux conséquences dramatiques !

④ Y a qu'à... 🎧

1 Écoutez l'enregistrement et repérez pour chaque proposition la formulation la plus familière.

2 Réécoutez l'enregistrement et notez les modifications qui interviennent entre français standard et français familier.

3 Écoutez à nouveau et répétez les phrases.

Parler

⑤ Et le bonheur dans tout ça ?

Choisissez, parmi les actions suivantes, celles que vous associez le plus au mot *bonheur*. Puis, avec votre voisin(e), comparez vos réponses en les justifiant.

consommer / offrir / gagner / changer / communiquer / raisonner / résonner / bouger / travailler / se rassembler / s'isoler / construire

Le bien-être est-il dans l'excès ?

Dans une société individualiste, marquée par l'urgence et l'intensité, la quête du bonheur devient un exercice complexe.

Peut-on apprendre à être heureux ? (Albin Michel), *Travailler pour être heureux ?* (Fayard), *S'épanouir en couple et en famille* (InterÉditions), *Et si le bonheur dépendait de moi ?* (Le Courrier du livre)… Rarement le monde de l'édition a à ce point exploité le concept de bien-être, de développement personnel et, plus généralement, de bonheur.

On peut, bien sûr, objecter que le bonheur ne se cache pas dans un livre de recettes. Mais ces ouvrages se vendent, et se vendent bien. Dans une société en pleine mutation, marquée par l'instabilité et l'individualisme, leur succès est révélateur d'un malaise. Malaise dont ont longuement débattu les sociologues et autres spécialistes des sciences humaines participant au colloque sur « L'individu hypermoderne », qui s'est tenu à Paris, du 8 au 11 septembre.

L'individu hypermoderne ? Autrement dit : nous tous, habitants de pays riches, dans une société qui se caractérise avant tout par l'excès. Excès de consommation, excès de sensations, excès d'activité… Excès de changement, également. « *Il ne s'agit plus de vénérer des figures anciennes mais d'admirer celui qui apporte du nouveau* », remarque Jean-Paul Dumond, docteur en gestion, pour qui le changement « *est devenu une valeur* ».

Conséquences pour tout un chacun ? Dans l'entreprise, l'individu doit être en perpétuel mouvement. Dans la sphère privée également les bouleversements s'accumulent. De nouveaux comportements collectifs apparaissent, dont le but, souvent, ne semble pas dépasser la sensation d'être ensemble : immenses rassemblements de rollers ou attroupements éclairs *(flashmobs)*, ces étranges rituels urbains, entre canular et spectacle, se multiplient actuellement dans les grandes villes. Les projets collectifs, en revanche, se font rares, et restent le plus souvent ponctuels.

Dans le même temps se sont répandus des moyens de communication faisant apparaître de nouvelles façons de composer avec les autres. Messagerie électronique, répondeurs, portables : les technologies de communication instantanée permettent désormais de choisir le moment et l'endroit où nous contactons les autres. Et que dire d'Internet, qui permet, en dialoguant sur ses réseaux de chat, de prendre des visages multiples, et, par là même, de cacher sa véritable identité ? Si l'on ajoute à cela la multiplication de ses existences réelles (parcours professionnel, recompositions conjugales et familiales), on admettra que l'hypermodernité puisse engendrer une certaine instabilité… et une légère perte de sens.

Catherine Vincent,
Le Monde, 1er octobre 2003.

VOCABULAIRE

Les préfixes à valeur de superlatif

Pour exprimer une exagération, un excès ou donner une valeur de superlatif à un terme, on utilise souvent les **préfixes** :

● **sur-**
*La **surconsommation** ! Voilà la caractéristique de la société moderne !*

● **super-**
*Cette année a été marquée par deux **superproductions** cinématographiques sur le thème du bonheur…*

● **hyper-**
*La plupart des individus vivent aujourd'hui de manière **hyperactive**.*

Super et **hyper** s'utilisent également de manière familière :
*Moi, je trouve toutes ces évolutions **superintéressantes** !*
*La quête du bonheur est devenue **hyperimportante**. C'est fou, non ?*

Écrire

6 Réactions.
Le journal *Courrier international* a sélectionné plusieurs dessins de presse représentatifs, selon eux, des évolutions du monde moderne. Chacun des dessins sera accompagné de réactions exprimées par les lecteurs du journal. Rédigez un texte de 100 à 120 mots dans lequel vous ferez part de vos commentaires autour du dessin ci-dessous.

ATELIER
LEÇON
8

Parlez-moi de moi

1

2

	TF1	France 2	France 3	M6
À voir (?)	• *Y a que la vérité qui compte*, lundi, 23 h 00. • *Vis ma vie*, un mardi sur deux, 22 h 25. • *Confessions intimes*, un mardi sur deux, 23 h 25.	• *Ça se discute*, mercredi, 22 h 40.	• *Vie privée, vie publique*, deux mercredis par mois, 20 h 55. • *C'est mon choix*, du lundi au vendredi, 13 h 50.	• *Affaires de famille*, mardi, 20 h 50.

Télérama n° 2811, 26 novembre 2003.

VIS MA VIE
Deux mardis par mois à 22 h 25, sur TF1
Présenté par Laurence Ferrari

Cette émission propose à des anonymes de partager durant quelques jours la vie d'une personne aux antipodes de leur style de vie ou de leur mode de pensée. Vous voulez **participer à l'émission**, témoigner et vivre une expérience inoubliable ; inscrivez-vous sur le site de *Vis ma vie*…

Appel à témoins

Vous avez autour de la trentaine et vous êtes heureux de vivre encore chez vos parents.

N'hésitez pas à nous joindre sur notre répondeur au 01 53 84 30 04 sans oublier d'indiquer : vos coordonnées téléphoniques, vos nom et prénom, en quoi votre profil peut nous intéresser, les moments où vous êtes joignable.

Réservoir Prod 2003.

Repérer

❶ Histoire d'*ego*.

1 a Lisez le document 1 et dites quel est le point commun entre toutes ces émissions.

b Expliquez pourquoi le magazine a mis un point d'interrogation après le titre *À voir*.

2 Lisez les documents 2 à 4 et précisez :
a le principe de toutes ces émissions ; **b** leur périodicité ; **c** leur horaire de diffusion ; **d** la chaîne sur laquelle chacune d'elles est diffusée.

❷ Après le bip.

Vous correspondez au profil des personnes recherchées pour la prochaine émission *Vis ma vie*. Après avoir repéré dans le document les informations qui vous sont demandées, téléphonez au numéro indiqué et laissez un message sur le répondeur de l'émission.

❸ Paroles de téléspectateurs.

Lisez le courriel ci-contre.

1 Dites à quelle émission il correspond.

2 Repérez dans quelle partie du document le téléspectateur :

a exprime une demande et son motif ; **b** indique les coordonnées de l'expéditeur ; **c** formule une proposition en l'argumentant ; **d** rappelle à quoi il fait référence ; **e** résume le motif du courriel ; **f** prend congé.

Si vous souhaitez obtenir des informations concernant l'une de nos émissions ou suggérer un sujet, n'oubliez pas de nous laisser une adresse e-mail valide pour que nous puissions vous joindre facilement.

Nom, prénom : Lançon Bruno

Adresse e-mail : brunolançon@fit.fr

Objet de votre message : demande d'informations

Votre message :

Monsieur,
C'est avec beaucoup d'intérêt que j'ai suivi votre émission de cette semaine, « Chirurgie esthétique, jusqu'où peut-on transformer son corps ? », car j'ai moi-même et depuis longtemps de gros complexes liés à mon physique.
Durant cette émission, l'une des invitées a parlé du chirurgien qui l'a opérée et j'ai vraiment trouvé que le résultat de cette opération était remarquable. Comme je suis actuellement à la recherche d'une personne compétente dans ce domaine, je vous serais reconnaissant de bien vouloir m'adresser les coordonnées de ce chirurgien.
Je profite également de ce courriel pour vous faire une petite suggestion. Pourriez-vous consacrer l'une de vos prochaines émissions aux célibataires ? Comme on en dénombre près de 14 millions (dont je fais partie) en France, beaucoup de téléspectateurs sont concernés par ce sujet.
Meilleures salutations. Merci d'avance.
Bruno Lançon

🔵 Ouvre la page précédente.

ÇA SE DISCUTE

c'est le mercredi vers 22 h 30 sur France 2. Un magazine hebdomadaire traitant des tendances et des comportements de notre société.

Présenté par Jean-Luc Delarue

■ Appel à témoins

Participez à nos émissions et venez livrer, à votre tour, vos témoignages en consultant nos appels à témoins :

– Peut-on rester toute sa vie chez ses parents ?

– L'amour est-il plus fort que tout ?

– Couples : faut-il tout se dire ?

– Chirurgie esthétique : jusqu'où peut-on transformer son corps ?

■ Suggérer un sujet d'émission

Suggérer un **sujet d'émission** ou témoigner sur un sujet qui vous tient à cœur : **allez sur le site Internet.**

Réservoir Prod 2003.

C'EST MON CHOIX

Du lundi au vendredi à 13 h 50.

Présenté par Évelyne Thomas

Mardi 16 décembre sur France 3.
Une femme peut-elle réussir sa vie professionnelle avec des enfants ?

Parmi nos invités d'aujourd'hui, Catherine pense que oui. Elle regrette d'ailleurs d'avoir sacrifié sa carrière pour ses enfants. Alexia au contraire pense que non. Elle a fait le choix de régresser professionnellement pour s'occuper de ses enfants.

Sur notre plateau, deux femmes suivront avec attention la discussion d'aujourd'hui. Il s'agit de Christelle et de sa mère Isabelle. Isabelle est venue aujourd'hui demander à Christelle de faire un choix sur notre plateau.

Réservoir Prod 2003.

Mireille Dumas, *Vie privée, vie publique.*

Réaliser

④ L'esprit de controverse.

La chaîne Canal + organise un débat autour de la télé-réalité. Choisissez un point de vue très net (pour ou contre), préparez vos arguments et défendez votre point de vue devant les autres participants.

⑤ Je passe à la télé !

Vous êtes l'un des invités de l'émission *Ça se discute* consacrée à la question : Peut-on rester toute sa vie chez ses parents ?

1 Choisissez une identité parmi celles proposées ci-dessous.

Antoine, 34 ans, barman dans une discothèque. Il vit encore chez sa mère, divorcée.

Isabelle, 44 ans, présidente d'un mouvement féministe. Elle vient de mettre son fils de 25 ans à la porte de chez elle.

L'animateur de l'émission pose des questions aux invités et les fait réagir sur ce que disent les autres.

2 Préparez :

a votre témoignage (si vous choisissez un rôle d'invité) ; **b** vos questions (si vous choisissez le rôle d'animateur).

3 Jouez la scène.

a Présentez votre témoignage.

b Réagissez aux propos des autres invités.

⑥ **www.cestmonchoix@france3.com.**

Vous avez regardé l'émission *C'est mon choix* le 16 décembre, sur France 3. À la manière du courriel de Bruno Lançon, envoyez un message sur le site de l'émission pour demander des informations et suggérer un sujet.

① Regrets.

Faites des phrases en mettant le verbe à l'infinitif.

▶ *Exemple : Il ne peut pas aller à ce rendez-vous. Il en est désolé.*
→ *Il est désolé de **ne pas pouvoir aller** à ce rendez-vous.*

1 Je ne peux plus fréquenter ce club. Je le regrette vraiment.

2 Il ne t'a jamais revu après ce premier rendez-vous. Il en est triste.

3 Nous ne connaissons rien ici ! Nous sommes désespérés.

4 Ils ne trouvaient pas de colocation. Ils étaient découragés.

5 Elle ne rencontre personne dans cette ville. Elle est malheureuse.

② Trop solo.

Complétez ce courriel et expliquez ce qui a changé dans le comportement d'Achille.

> Pièces jointes : *Aucune*
> Police par défaut   ▾ Taille du texte ▾ | *G I S T* | ≣ ≣ ≣ | ≣ ≣ ≣ ≣
>
> Bonjour Carole,
> Tu sais, Achille m'inquiète, il a beaucoup changé. Avant, il sortait souvent, il voyait beaucoup de monde, il faisait plein de choses, il me parlait au téléphone, il allait souvent au club de gym, bref, il vivait normalement. Ça fait un mois qu'il n'est plus sorti, qu'il …
> …
> Qu'est-ce qui s'est passé ? Es-tu au courant ?
> Philippe

③ Mélanges.

Mettez les mots dans l'ordre pour former une phrase. N'oubliez pas la ponctuation.

1 sont – des – personne – aucun – contact – ce – solos – tous – avec – sans

2 changé – vie – ils – n' – regretté – ont – rien – et – leur – ils – mode – de – jamais – ont

3 expérience – plus – non – lui – cette – le – elle – revoir – n' – jamais – a – cherché – à – depuis

4 personne – tu – c' – rien – comprends – ce – est – que – de – ne – plus – partager – avec – pas – ne

④ À cause de quoi ?

Complétez les phrases avec une expression de la cause : *à cause de, grâce à, comme, parce que* et *puisque*.

1 … j'en avais vraiment marre de ne voir personne, j'ai pris un colocataire.

2 Je n'habite pas avec mon mari … je suis très indépendante.

3 Nous avons lié connaissance … un forum sur la solitude.

4 Je partage mon appartement … l'augmentation des prix du loyer.

5 … tu ne veux pas m'écouter, je vais aller habiter ailleurs.

⑤ Cohabitation.

Transformez les phrases pour exprimer la cause.

1 Il y avait une annonce sur Internet. J'ai pu trouver un logement en colocation. (*grâce à*)

2 Il n'a pas pu emménager. La chambre n'était pas encore libre. (*puisque*)

3 Nous avions des goûts différents. Nous n'avons pas pu cohabiter. (*à cause de*)

4 Il ne supporte pas les chiens. Il ne pourra pas venir vivre avec nous. (*comme*)

5 On partage cet appartement. On se rend compte que la cohabitation est difficile. (*gérondif*)

⑥ Devinettes.

Remplacez les expressions soulignées par un mot précédé du préfixe *sur-, super-* ou *hyper-*.

1 Attention ! Il est vraiment <u>épuisé</u>, <u>déprimé</u>, il travaille trop tard.

2 Vous pourrez trouver ça dans <u>ce très grand magasin</u>, on y trouve de tout.

3 Il faut une énergie <u>au-dessus de mes forces</u> pour pouvoir vivre avec vous !

4 Ton colocataire est <u>quelqu'un qui s'énerve trop vite</u>, comment tu fais ?

5 Il a réalisé des <u>profits très importants</u> avec ce club de rencontres.

Unité 3

Jean qui rit,
Jean qui pleure

Contenus thématiques

■ Portrait contrasté des Français

■ Fêtes traditionnelles et nouvelle convivialité

■ Le droit de grève en question

Objectifs et savoir-faire communicatifs

■ Comparer des attitudes et des comportements

■ Exprimer son accord ou son désaccord

■ Donner des informations pratiques
  (coordonnées, horaires, tarifs, conditions…)

Objectifs linguistiques

■ Les suffixes nominaux *-ité* et *-age*

■ L'expression de la comparaison

■ La place des doubles pronoms

Comprendre

❶ Opinions contrastées.

1 a Lisez le titre et la source de l'article puis répondez aux questions.

1 D'où provient ce document ? 2 Qui sont les personnes interrogées ? 3 À votre avis, quels sujets vont être abordés ?

b Lisez l'article et classez les opinions selon les trois critères suivants. Justifiez vos réponses.

1 opinion négative 2 opinion nuancée 3 opinion positive

c Observez les photos et associez-les à une ou plusieurs opinions exprimées dans l'article. Justifiez votre choix.

2 a Retrouvez dans l'article les énoncés qui évoquent les mêmes idées que celles du tableau ci-contre.

b Indiquez quelle photo résume le mieux l'idée exprimée dans chaque colonne du tableau.

3 a Écoutez la chanson et repérez : 🎧

1 le mot employé pour remplacer *les Français* ;
2 la formule qui évoque la devise *Liberté, égalité, fraternité*.

b Écoutez à nouveau la chanson et complétez le tableau à l'aide des exemples qui illustrent les sujets déjà répertoriés. 🎧

	On est libres de s'exprimer.	Les gens et les cultures sont divers et variés.	Les Français ne sont pas passifs.
article			
photo			
chanson			

❷ C'est ma devise.

1 Relevez, dans la partie *article* du tableau, un ou plusieurs mots qui résument l'idée principale de chaque colonne.

2 a Observez les mots relevés et dites comment ils sont construits.

b Relevez dans l'article d'autres mots formés sur le même modèle.

c Choisissez la bonne réponse.

Les noms qui se terminent en :

1 *-ité* **/** *-age* désignent une notion abstraite ;
2 *-ité* **/** *-age* indiquent une action ou son résultat.

Le **positif**, le **négatif** :
des journalistes étrangers jugent la France d'aujourd'hui

La France est, dans le domaine des libertés, plus libérale que d'autres démocraties. On peut tout y dire, tout y entendre, y défendre toutes les opinions, même les plus extrêmes. Mais cela peut, parfois, déboucher sur des blocages.

Laila Hafez, *Al-Ahram*, Égypte.

Les Français ne sont ouverts qu'en apparence. En fait, ils sont individualistes et un peu paresseux. En quelques années, la France a beaucoup changé : la situation sociale s'est dégradée, les grèves sont de plus en plus sauvages, le chômage a augmenté.

Fang Wang, *Le Quotidien du peuple*, Chine.

J'adore votre pays, son métissage total, sa créativité culturelle, sa pluralité, l'extraordinaire variété de ses représentations.

Maria Piedad Gomez, *El País*, Colombie.

Un art de vivre, une qualité de vie extraordinaire. Une formidable diversité culturelle… et culinaire. Mais aussi : une mentalité de l'affrontement, comme en témoigne la multiplication des grèves sauvages.

Andras Desi, correspondant de *Nepszabadsag*, Hongrie.

L'énergie. L'absence de passivité. Une capacité à s'émouvoir, à se mobiliser, à réagir, même par l'ironie et la dérision.

Ana Navarro Pedre, *Publico*, Portugal.

Marianne, 15 au 21 décembre 2003.

S'entraîner

❸ Un peu caméléons.
Lisez les commentaires de résidents étrangers en France. Puis reformulez-les.

▶ **Exemple** : *Je trouve que les Français ne sont pas très généreux !*
→ *Je trouve que les Français manquent de* **générosité** *!*

1 Ce que j'aime, c'est leur côté authentique : jamais contents mais toujours prêts à faire la fête ! **2** Je suis un peu choquée qu'en France plein de jeunes vivent ensemble avant de se marier. **3** Être solidaire, ici, ça ne veut pas dire grand-chose ! C'est chacun pour soi ! **4** On a sans cesse l'impression que les gens ici sont surmenés alors que vous travaillez moins que nous ! **5** Les Français sont extrêmement spontanés : c'est une chose qui me séduit énormément chez eux.

VOCABULAIRE

Les suffixes nominaux *-ité* et *-age*

Associés à un adjectif ou à un verbe, ces suffixes donnent un sens particulier aux noms qu'ils composent.

● *-ité* désigne une notion abstraite, une disposition à faire quelque chose.
Les noms terminés en *-ité* sont féminins :
divers → la **diversité**
vital → la **vitalité**

● *-age* indique une action ou son résultat.
Les noms terminés en *-age* sont masculins :
bloquer → le **blocage**
métisser → le **métissage**

---

❹ Du vin dans les bidons !

1 Écoutez les énoncés suivants et indiquez combien de fois vous entendez les sons [ɛ̃], [ɔ̃] et [ɑ̃]. ☎

2 Lisez la transcription de la chanson, p. 150, et retrouvez les mots entendus. Classez-les avec chaque son.

3 a Observez comment s'écrit le son [ɛ̃] et relevez le nombre de graphies possibles.
b Faites la même chose avec le son [ɑ̃].

Parler

❺ Liberté, égalité, fraternité.
Avec votre voisin(e), répondez aux questions.
1 Quelle est la devise de votre pays ? **2** Quelles sont, selon vous, les valeurs auxquelles tous les pays devraient s'associer ? **3** Êtes-vous pour ou contre une totale liberté d'expression ? Donnez des exemples.

Écrire

❻ Pays de contrastes.
À votre retour de France, vous écrivez un article pour la rubrique *France* du journal des étudiants de votre université afin de présenter les particularités des Français. Évoquez ce qui vous étonne dans leur attitude et leur façon de vivre.

Gens qui rient

Parler

1 **Faire la fête.**
Avec votre voisin(e), répondez aux questions.
1 Qu'évoque pour vous l'expression *faire la fête* ?
2 Quelle est votre fête préférée ? Pourquoi ?
3 Préférez-vous les fêtes traditionnelles ou les fêtes improvisées ? **4** Selon vous, quelle est la recette d'une fête réussie ?

Comprendre

2 **Fête traditionnelle ou nouvelle convivialité ?**
1 a Lisez les paragraphes de l'article extrait du site www.fetes.org et remettez-les dans l'ordre.
b Trouvez un titre pour le texte.

2 Lisez à nouveau l'article et relevez les actions associées à l'idée de *faire la fête*.
▶ *Exemple* : *rencontrer des gens*.

3 **Le bal des pompiers.**
1 Lisez l'article de *Ça m'intéresse*.
a Répondez aux questions.
1 À quoi correspond le 14 juillet en France ?
2 Quelles festivités propose-t-on à cette occasion ? **3** Quel rapport y a-t-il entre cette fête et les pompiers ?

a Bruxelles a vu naître le « dîner nomade ». Il s'agit d'une soirée en quatre étapes, avec chaque fois de nouveaux convives à rencontrer : apéro chez l'un, entrée chez l'autre, et ainsi de suite jusqu'à la quatrième destination, où tout le monde se retrouve pour le dessert et finir la soirée.

b Le monde a-t-il tellement changé ? Non, nous sommes restés les mêmes, avec nos qualités (de plus en plus nombreuses) et nos défauts (de moins en moins nombreux). Mais ce qui a changé, c'est l'approche des autres. Avant, on ne se connaissait pas. Et quand on ne connaît pas, c'est humain, on se méfie. Maintenant, on va vers l'autre, on le découvre, et on se fait de nouveaux amis. Les voisins sont devenus sympa. Et très sympa même, puisqu'on s'invite et qu'on fait la fête ensemble. Du repas de quartier au « dîner nomade », voici quelques exemples de nouvelle convivialité.

c D'autres manifestations se multiplient : brocantes, fêtes diverses, concerts… Les habitants redécouvrent leur quartier, les rues s'animent, les rencontres se font plus aisément, on se met à tailler une bavette[1], et, pourquoi pas, à partager des merguez[2] avec quelqu'un que, pendant dix ans, on avait à peine salué d'un signe de tête.

d Ceci montre combien, face à l'anonymat des grandes villes, on a envie de créer des liens nouveaux, de se faire des amis, de s'entraider. Pour contrer la violence, qui naît du « chacun pour soi », on réplique en réapprenant à faire la fête ensemble.

e À Toulouse, dans le quartier de la place des Tiercerettes, les « repas de quartier » ont vu le jour. Chacun amène un plat à partager, on discute et on rencontre des gens. Paris a lancé, en 1999, l'opération « Immeubles en fête ». Cette manifestation a fait école, puisque, le 27 mai 2003, on a vu plus de 3 millions de voisins prendre un verre ensemble. De Bruxelles à Thessalonique, en passant par Genève, Naples, Barcelone… en tout une quinzaine de villes européennes ont suivi l'exemple.

---

1. Parler ensemble. 2. Saucisses épicées.　　　　Site Internet www.fetes.org.

GRAMMAIRE

L'expression de la comparaison

- Pour **comparer une quantité ou une qualité**, il y a trois degrés de comparaison :
  - *plus/aussi/moins* + adjectif *(que)*
  *Le feu d'artifice est **moins** amusant **que** le bal.*
  - verbe + *plus/aussi/moins* (que)
  *Les gens se rencontrent **plus** aujourd'hui.*
  - *plus de/autant de/moins de* + nom *(que)*
  *Il y a **autant d'**invités **que** l'année dernière.*

> Pour exprimer la similitude, on peut utiliser comme :
> *Elles font la fête **comme** avant.*
> On peut également employer l'adjectif comparatif
> *supérieur à/semblable à/inférieur à* + nom.

- Pour **nuancer une comparaison**, on peut employer
  un peu/bien/nettement/beaucoup + *plus/moins (que)* :
  *Ils s'amusaient **bien plus que** les autres.*

- Pour **exprimer une évolution**, on utilise :
  - verbe + *de plus en plus/de moins en moins*
  *Les gens sortent **de plus en plus**.*

  - *de plus en plus/de moins en moins*
  + adjectif/*de* + nom
  *C'est **de moins en moins** sympa.*

- Pour **indiquer un classement**, on emploie :
  - verbe + *le plus/le moins*

  - *le plus/le moins* + adjectif/*de* + nom
  *C'étaient les passants qui dansaient **le plus**.*

Pourquoi danse-t-on chez les pompiers le 14 juillet ?

Les pompiers sont-ils plus fêtards que les autres ? Ils dansent dans leurs casernes depuis le 6 juillet 1880, date à laquelle le 14 juillet est devenu fête nationale de la République. Le calendrier des festivités prévoit une retraite aux flambeaux[1] le 13 au soir, un défilé militaire le 14 au matin, un bal et un feu d'artifice le 14 au soir. Dès 1880, les pompiers ont organisé des festivités « en interne »[2] les soirs de 14 juillet. [...] mais le quidam[3] n'y avait pas accès. Tout a changé en juillet 1937, à la caserne de Montmartre, rue Carpeaux. Selon l'adjudant-chef Havard, responsable du musée des Pompiers de Paris, ce soir-là, les pompiers s'amusaient bien plus que les autres. Des passants attirés par l'ambiance se sont invités. De plus en plus de gens y sont retournés l'année suivante et, comme les pompiers, ils se sont mis à danser. À tel point qu'après quelques années, toutes les casernes faisaient la fête et c'étaient les pompiers qui travaillaient le moins ce jour-là ! Aujourd'hui, une caserne sur deux seulement ouvre ses portes le soir du 14 juillet, nombre bien inférieur à celui d'autrefois !

Ça m'intéresse, juillet 2003.

1. Défilé avec des lampions. 2. Réservées aux pompiers.
3. Quelqu'un qui n'est pas pompier.

---

b Relevez les actions associées à l'idée de *faire la fête* qui ne sont pas évoquées dans l'article précédent.

2 Relevez dans l'article :

1 quatre comparaisons portant sur l'attitude des pompiers et de ceux qui participent à la fête ;
2 une formule marquant une progression dans la fréquentation des bals de pompiers ; 3 une comparaison portant sur la fréquentation.

S'entraîner

4 Fêtard ou pantouflard ?
Lisez les portraits ci-dessous puis établissez des comparaisons entre les deux personnes.

> J'ai de la chance : Yves sort rarement. Il ne va jamais boire un pot avec ses copains, après le boulot. Ce n'est pas le genre à dépenser de l'argent inutilement dans les bars. S'il dépense 20 euros par mois, c'est le grand maximum ! En plus, il pense que les excès, ce n'est pas bon pour la santé. Il préfère rester sur son canapé et regarder tranquillement la télé ou bien alors faire du sport. Je sais que son meilleur ami, Christian, aimerait bien sortir plus souvent avec lui mais c'est comme ça…
>
> Maryse, sa femme

> Jean-Jacques ? Oh ! Celui-là, c'est un sacré fêtard ! Il dépense presque tout son argent à faire la fête et dans les restos. 300 à 400 euros par mois, quoi ! Pour lui, la fête, c'est devenu une vraie philosophie de vie. Vivre sans plaisir, ce n'est pas vivre. Le seul inconvénient, c'est qu'en cinq ans, il a pris 30 kilos à cause de tous ses excès. J'ai parfois du mal à supporter son goût immodéré pour les soirées entre copains.
>
> Olivia, sa mère

5 Crise d'adolescence.
Complétez le dialogue avec les expressions suivantes : *plus que, de plus en plus, bien moins que, comme, le plus* et *autant que*.

– Vraiment, Nicolas, il faut qu'on parle. Ça ne peut pas continuer comme ça ! Tu sors … !

– Mais arrête ! Je ne sors pas … mes copains. Et puis c'est normal à notre âge, quoi !

– J'ai rencontré la mère d'Aline au supermarché et on a discuté. Elle est raisonnable, elle ! Elle sort … toi !

– Aline ? Tu rigoles ! Elle fait … tout le monde ! Elle sort … moi. De toute façon, ce n'est pas moi qui sors … !

Bal des pompiers.

En grève

> **Forum** : serviceminimum.com

Donnez votre avis sur le service minimum, faites-nous part de votre expérience, racontez comment les grèves dans les transports en commun bouleversent votre vie quotidienne… Nous publierons des extraits de vos témoignages sur cette page.

Écrivez-nous à : temoignages@serviceminimum.com

Philippe M.

Mercredi 14 : arrivé à l'aéroport d'Orly à 11 h 50 (avion annulé le mardi à 14 h 30 à Séville sans indemnité ni compensation, ni logement à l'hôtel, perte de deux jours de travail pour « grève »). Je dois aller jusqu'à la gare de Lyon prendre un train (une réunion que je dois animer à Annecy à 15 heures).

> 1 Un kilomètre de queue aux taxis : la honte devant les étrangers qui ne comprennent rien et se croient dans un pays de fous !

> 2 « Foire » aux bus Air France !

> 3 Les employés d'Air France signalent le fonctionnement partiel de la ligne 7 du métro au départ de Villejuif.

> 4 Un bus curieusement non chargé nous y conduit : pas de métro !

> 5 Du stop sur la RN 7 : on avance moins vite qu'à pied (merci à ce monsieur portugais de m'avoir pris sur 800 m).

> 6 Je descends et je vais à la gare de Lyon à pied (porte d'Italie, place d'Italie, gare de Lyon traînant ma valise à roulettes).

> 7 Le train pour Annecy de 14 h 30 part à 15 h 15 (seul bénéfice de la grève : je peux y monter en arrivant vers 15 heures à la gare de Lyon : merci la grève !). Je m'aperçois que j'ai perdu un dossier.

> 8 J'annule la réunion et ma journée est perdue.

C'était un lendemain de grève !

Comprendre

❶ Service minimum.

1 Lisez le document ci-dessus et répondez aux questions.

a Quel est l'objectif du forum Internet ? **b** Quelle est la cause des problèmes évoqués ? **c** Quels sont les différents moyens de transport utilisés par l'auteur du témoignage ? **d** Est-il arrivé à son but ? Pourquoi ? **e** Quels préjudices a-t-il subis ?

2 Écoutez l'enregistrement et indiquez le thème du micro-trottoir. 🎧

3 Réécoutez l'enregistrement et relevez : 🎧
a le point de vue des personnes interrogées : pour ou contre ? **b** les arguments apportés par ces personnes pour justifier leur point de vue ; **c** les propositions faites par les personnes favorables au projet évoqué.

❷ Rien ne se perd !

1 Lisez le message et indiquez :
a le destinataire et l'auteur de ce message ; **b** l'objet du message et la proposition qui est faite.

Manuel S.

Message pour Philippe M.

Je réponds tout de suite à votre témoignage sur le site serviceminimum.com car mercredi dernier, pendant la grève, j'étais dans ma voiture, coincé dans un embouteillage sur la nationale 7. Et ça n'avançait pas… Vous l'avez deviné, le monsieur portugais, c'est moi et l'auto-stoppeur, c'est vous ! Quand je vous ai pris en stop, vous aviez une valise et un dossier à la main. Vous êtes parti très vite avec la valise, mais votre dossier, vous me l'avez laissé ! Je dois pouvoir vous l'envoyer. Mais pour cela, j'ai besoin de votre adresse postale. Donnez-la-moi sur Internet à : manuels@wanadoo.fr. Je vous l'envoie dès que possible.

Cordialement

PS : Si vous connaissez Philippe M. et que vous lisez ce message, pouvez-vous le lui transmettre ? Merci.

④ Jours de grève.
Imaginez les réponses aux questions.

▶ *Exemple : Pardon, madame, vous ne m'avez pas donné les numéros des lignes qui circulent ?*
→ *Ah si, monsieur, je viens de **vous les** donner.*

1 Voulez-vous les horaires des trains qui sont maintenus, madame ? **2** Tu as demandé à ton père de te prêter sa voiture pour aller à la fac ? **3** Ils ont conseillé aux usagers de rester chez eux demain, non ? **4** Est-ce que la SNCF vous a communiqué la durée de la grève ? **5** Tu pourras me laisser le numéro d'une société de taxis ?

Parler

⑤ Débat.

1 Vous êtes l'un des invités de l'émission *On refait le monde*. Choisissez l'un des personnages et préparez vos arguments.
Gérard Legoff, 35 ans, conducteur de métro, délégué syndical, opposé au service minimum.
Patrice Leroy, 29 ans, usager du métro, militant en faveur du service minimum.

2 Jouez la scène avec un(e) étudiant(e) qui a choisi un autre personnage que vous.

2 Lisez à nouveau le message de Manuel et relevez les parties du texte où :

a il précise ce qu'est devenu le dossier ; **b** il formule une proposition ; **c** il demande les coordonnées de Philippe ; **d** il invite les lecteurs à faire passer son message à l'intéressé.

3 Observez les énoncés relevés et repérez la place des pronoms. Puis, complétez les phrases suivantes.

a Les pronoms COD et COI se placent toujours … , sauf … . **b** À la 3e personne du singulier et du pluriel, il faut … l'ordre des pronoms.

S'entraîner

❸ Râleurs en rollers.
Complétez avec un ou deux pronoms.

– C'est ce soir la manif contre le racisme. Tu viens, on … va ?

– Ah, ça ne va pas être possible pour moi. Désolé, j'ai oublié de … … dire ?

– Comment ça ? Mais on devait … aller ensemble. Tu … … avais promis.

– Oui, mais tu sais où elle commence, cette manif ? À République ! Et il y a une grève des transports ! Alors, comment je fais, moi, pour … … rejoindre ? J'… vais à pied ? Hein, je … … demande !

– Tu viens en rollers. Tu … … souviens ? Ma paire de rollers. Je … … ai prêtée il y a trois mois. Tu … as oubliée au fond d'un placard ?

GRAMMAIRE

La place des doubles pronoms

Pronoms sujets	Pronoms COI	Pronoms COD		
je tu il/elle/on nous vous ils/elles	me te nous vous	le la l' les	en y	Verbe
	Pronoms COD le la les	**Pronoms COI** lui leur		

*Philippe a oublié son dossier, vous pouvez **le lui** donner ?*
*Comme tu n'utilises pas ta voiture demain, est-ce que tu peux **me la** prêter ?*

▌À l'impératif affirmatif, les pronoms se placent après le verbe et sont reliés par un trait d'union.
▌Verbe + *m', t', nous, vous, lui, leur* + *en*
▌Verbe + *le, la, les* + *moi, lui, nous, leur*
▌*Donnez-la-moi !*

• À l'oral, on remplace souvent le COD par *ça* :
Répétez-moi ça ! au lieu de *Répétez-le-moi !*

Système D

@ Page d'accueil   @ Apple   @ iTools   @ Assistance Apple   @ Apple Store   @ Produits destinés

Favoris   Historique   Recherche   Album   Garde-pa

Transports :
votre
e-guide antigrève

Usagers, un jeudi noir se prépare à Paris. L'internaute vous suggère quelques moyens de transports alternatifs pour survoler les grèves. Comparez et choisissez ! N'oubliez pas de nous faire part de vos expériences. Courage !

→ Pensez covoiturage

L'intérêt de ce système n'a plus à être démontré : pratique, économique, solidaire… Que vous possédiez une voiture et souhaitiez la partager avec d'autres ou que vous soyez « à pied », le site ecotrajet.com vous permet de chercher des partenaires. Inscrivez-vous, c'est gratuit.

→ Le nez dans le guidon

Le vélo a l'avantage de se faufiler dans les rues entre les voitures, de traverser les bouchons routiers les plus denses. Si vous n'en possédez pas, vous pouvez en louer un. Rendez-vous sur le site deux-roues.com pour en savoir plus.

Location de vélos

Deux roues

15, rue Rouelle – 75015 Paris
Tél. : 01 56 43 12 01

Tarifs location de vélos	
journée	demi-journée
12,60 euros	9,50 euros
Caution de 150 euros obligatoire	

Location de rollers

Balades

37, bd de Rochechouart – 75009 Paris
Tél. : 01 45 54 08 00

Tarifs location de rollers	
journée	demi-journée (14 h-19 h)
10 euros	5 euros
Caution de 180 euros obligatoire en chèque	

Repérer

❶ On se débrouille comment ?

1 Lisez le titre et le chapeau du guide et répondez aux questions.

a De quel type de guide s'agit-il ? **b** À quelle occasion a-t-il été élaboré ? **c** Que propose ce guide à ses lecteurs ?

2 Lisez la suite du guide et associez les énoncés suivants à l'une des parties du document.

a titres des rubriques suggérées par l'internaute **b** informations sur les moyens de transport et les sites associés **c** publicités pour des magasins **d** coordonnées des magasins **e** tarifs et conditions pour une journée de location

3 Vous habitez à Paris et vous devez vous déplacer malgré la grève. À partir des informations du e-guide, faites la liste des avantages et des inconvénients de chaque solution proposée. Laquelle choisissez-vous ? Avec votre voisin(e), comparez et justifiez votre réponse.

❷ Inscrivez-vous.

Vous êtes touriste en France et devez rentrer dans votre pays jeudi. Remplissez la fiche passager du site ecotrajet.com avec les éléments ci-contre.

FICHE PASSAGER

VOTRE TRAJET PONCTUEL

	Pays	Ville	Département
DEPART	France		?
ARRIVEE	France		?

VOS PASSAGERS

Combien de place souhaitez vous

VOS DATES

Indiquez la date de votre départ 6 Mai 2004
Indiquez l'heure de votre départ

AUTRES INFORMATIONS

Si vous avez d'autres informations à communiquer, par exemple votre trajet, si vous prenez l'autoroute…

Valider

→ En avant les rollers

Les rollers permettent de se déplacer très rapidement et de rester en forme. Bien sûr, il est plus prudent de se munir de protections et de circuler sur les trottoirs. Pour en louer, faites vite. Réservez *via* le site de location de balades.com.

Location de vélos et rollers

Bicyclette verte

25, rue de Bagnolet – 75020 Paris
Métro Alexandre Dumas, ligne 2
Tél. : 01 40 58 26 41
Mél : info@bicyclette.com

Tarifs location de vélos	
journée	15 euros
demi-journée	10 euros
2 heures	5 euros
Prévoir un chèque de caution et une pièce d'identité.	

Tarifs location de rollers	
journée	12 euros
demi-journée	8 euros
2 heures	1,5 euro
Prévoir un chèque de caution et une pièce d'identité.	

Départ: gare de Lyon (Paris 75) à 14 heures.
Aéroport CDG (Roissy 95) à 16 heures.

Ne pas oublier: deux (énormes !) valises.
Mettre le chat dans une caisse spéciale pour l'avion.

Préciser: allergie à la fumée de cigarette.

Réaliser

③ Interview.

1 Choisissez un des deux personnages ci-dessous et préparez-vous à l'interview.

a Vous êtes journaliste, à la radio, et vous souhaitez interviewer le concepteur ou la conceptrice du e-guide antigrève. Préparez vos questions en vue de l'interview. **b** Vous êtes le concepteur/la conceptrice du e-guide antigrève et vous allez être interviewé(e) à la radio. Imaginez à quels types de questions vous allez devoir répondre et préparez vos réponses.

2 Jouez la scène avec un(e) étudiant(e) qui a choisi un autre personnage que vous.

④ Guide de la fête.

Votre école ou votre université publie chaque trimestre un e-guide pour ses étudiants. Vous êtes chargé(e)s, à plusieurs, de préparer la page *Faire la fête*. Sur le modèle du e-guide, proposez des idées de sortie, des conseils, des liens Internet. N'oubliez pas les publicités avec les coordonnées et les tarifs de chaque endroit.

⑤ Comité de rédaction.

Le comité de rédaction du e-guide se réunit. Les groupes présentent leur page *Faire la fête*. Vous défendez votre projet en expliquant en quoi il est plus intéressant que les autres.

① Particularités.

Voici des phrases dites par des touristes pendant leur séjour en France. Indiquez quelle notion ou quelle action elles évoquent.

▶ *Exemple : Dans ce quartier, les populations sont vraiment mélangées.*
   → *le métissage*

1 Chez eux, on se sent très bien, l'atmosphère est très détendue.

2 Ils parlent sans arrêt et pas toujours pour dire des choses intéressantes.

3 Cette aptitude à concevoir, à imaginer me surprend toujours !

4 Les hommes et les femmes sont à part égale sur les listes électorales ?

5 Tout le monde amène quelque chose à manger et on redistribue tout.

② Réjouissances.

Comparez les éléments donnés comme dans l'exemple.

▶ *Exemple : une fête traditionnelle – une fête spontanée* (drôle)
   → *Une fête traditionnelle est **moins** drôle **qu'**une fête spontanée.*

1 Le cocktail à la mairie – ton anniversaire (*animé*)

2 La Fête de la musique – le Printemps des poètes (*les participants*)

3 Un dîner nomade – un festival de danse folklorique (*ennuyeux*)

4 Un repas de quartier – un repas de famille (*amusant*)

5 Au Star Club – au bal du quartier (*l'ambiance*)

③ Vous en pensez quoi ?

Dites si les phrases suivantes expriment une comparaison ou une évolution.

1 C'est de plus en plus agaçant, cette histoire de grève.

2 Il y a moins de gens dans la rue que la semaine dernière.

3 C'est encore ceux qui travaillent le plus qui rouspètent le moins.

4 Les gens supportent de moins en moins ces actions.

5 Les débats politiques, on les regarde de moins en moins.

④ C'est plus la joie.

Faites des phrases pour comparer les changements dans la vie de cet ex-fêtard.

	Avant	Maintenant
Boire un verre avec des collègues	quatre fois par semaine	une fois par mois
Prendre l'apéro avant le repas	tous les jours	de temps en temps
Participer à une fête de quartier	trois ou quatre fois par an	presque jamais
Partager un repas avec sa famille	deux fois par an	minimum une fois par mois
Retrouver des amis pour sortir	presque tous les soirs	rarement

⑤ Dis-le-nous !

Répondez aux questions comme dans l'exemple.

▶ *Exemple : Je vous envoie <u>une invitation</u> ?*
   → *Oui, **envoie-la-nous** !*

1 Tu veux que je t'écrive <u>l'adresse</u> ?

2 Vous avez besoin que je vous dessine <u>le plan</u> ?

3 Il faut que je leur donne <u>le code</u> pour entrer ?

4 Je vous laisse <u>le numéro de téléphone</u> ?

5 On demande à Paule <u>de partir avec nous</u> ?

⑥ Ils vont nous le faire !

Complétez les phrases avec les doubles pronoms qui conviennent.

1 C'est vraiment injuste cette loi ! Ils ne devraient pas pouvoir … … imposer.

2 Ma carte d'électeur, je crois que je vais … … renvoyer.

3 Mais tu ne crois pas qu'on devrait pouvoir … … empêcher ?

4 C'est impossible. Ils ont la majorité. Nous ne pouvons pas … … interdire.

5 Mon avis de citoyen, ils ne … … ont jamais demandé.

ÉVALUATION

1 **Désir d'Orient.** DELF

Écoutez l'enregistrement. 🎧

1 Choisissez la ou les bonne(s) réponse(s).

a Comment l'homme interrogé explique-t-il son attirance pour l'Asie ?
  1 Sa grand-mère maternelle est née à Tokyo.
  2 Au collège, il a eu une petite idylle avec une Japonaise.
  3 Il ne connaît pas la raison de cette attirance.

b De quelle manière a-t-il appris le japonais ?
  1 dans une école à Paris
  2 grâce à une méthode d'auto-apprentissage
  3 à son arrivée, au Japon

c Quels moyens a-t-il mis en œuvre pour préparer son installation au Japon ?
  1 Il s'est documenté au service culturel de l'ambassade du Japon, à Paris.
  2 Il a suivi une formation.
  3 Il a pris contact avec des personnes installées là-bas.
  4 Il est parti en n'ayant absolument aucune connaissance sur ce pays.

d Où a-t-il logé à son arrivée à Tokyo ?
  1 chez une Japonaise dont on lui avait donné les coordonnées
  2 chez une collègue américaine
  3 chez une personne rencontrée lors d'un séjour à l'étranger

e Quels sont, parmi les éléments suivants, ceux qui lui ont causé des difficultés, au début ?
  1 la nourriture
  2 l'immensité de la ville
  3 le métro
  4 les codes vestimentaires
  5 les horaires de travail
  6 la langue

2 Dites pourquoi le Japon apparaît comme un pays extrêmement sécurisant aux yeux d'un Européen. Citez trois exemples.

2 **Un aller pour l'Asie.**

Attiré(e) par le Japon, vous aimeriez y travailler mais, avant de partir, vous demandez à la personne interrogée dans l'interview précédente de vous donner quelques conseils et de comparer les modes de vie français et japonais. Jouez la scène avec votre voisin(e).

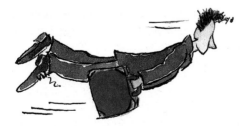

③ **Photo souvenir.**

1 Observez la photo ci-dessus et dites ce que vous voyez.

2 Imaginez que cette photo fait partie de l'un de vos albums personnels.
Indiquez à votre voisin(e) :
a qui sont les personnes sur la photo ;
b où et à quelle occasion celle-ci a été prise.

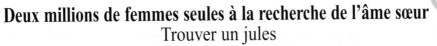
Deux millions de femmes seules à la recherche de l'âme sœur
Trouver un jules

« Mais où sont donc passés les hommes ? » Air connu, qui renvoie à un troublant mystère de la statistique : il y a autant d'hommes que de femmes ; mais, passé 35 ou 40 ans, au moment de refaire sa vie, on compte près de deux femmes pour un homme. Pourquoi un tel décalage ? Où dénicher l'oiseau rare ? Et faut-il, pour échapper à la solitude, renoncer à une liberté si chèrement gagnée ? Une enquête dirigée par Ursula Gauthier.

Au commencement résonnent les trompettes de la liberté. Enfin seule ! À nous la belle vie ! On va pouvoir s'étaler en travers du lit, sauter des repas, négliger la vaisselle… Et, ô délice, aller au hammam avec les copines.

Hélas, il faut vite se rendre à l'évidence : la glorieuse traversée en solitaire ne
5 débouche souvent que sur le désert des Tartares. On a beau sortir tous les soirs, accepter toutes les invitations, écumer les boîtes de nuit, les clubs de sport, les associations de quartier, on ne voit rien venir. Et on rentre fourbue[1], découragée, furieuse d'avoir gâché[2] tant d'heures à guetter[3] le joli cœur. Mais où sont-ils donc passés, ces hommes différents que notre nouvelle jeunesse devait, croyait-on, attirer
10 comme un aimant ?

Décidément, tout se passe comme si solos mâles et solos femelles venaient de galaxies différentes et ne parlaient pas la même langue. Ce dialogue de sourds a des causes objectives. *« La population des solos n'est pas socialement homogène,* explique Guy Desplanques, de l'Insee. *Les femmes seules se concentrent surtout en haut de*
15 *l'échelle, les hommes seuls surtout en bas. »* Difficile, dans ces conditions, de tisser des affinités électives.

« Le décalage le plus grave entre les sexes, c'est peut-être celui des attentes vis-à-vis du couple, explique le sociologue Jean-Claude Kaufmann. *Elles sont en quête d'un partenaire capable de communication intime. Eux recherchent plutôt une réponse à*
20 *leurs besoins sexuels et à leurs problèmes ménagers. »* Entre la triste perspective d'une famille à la papa et leur grisante autonomie, elles n'hésitent pas : plutôt solo que bobonne. Même si les statistiques laissent mal augurer de l'avenir. 40 ans, c'est l'âge pivot où les singles hommes et femmes s'équilibrent. Avant, c'est eux qui sont les plus nombreux. Après, c'est elles.

25 Conseil pour cœurs en peine depuis dix-huit ans, Odile Lamourère est psychothérapeute de formation et conseillère conjugale. À celles qui n'osent toujours pas se lancer dans un café philo ou un bar salsa, Odile conseille les petites annonces. Une méthode extrêmement efficace, à condition de savoir s'en servir… Paru en juin 2001, *Trouver un jules à Paris* est une mine d'idées judicieuses et amusantes et
30 d'adresses indispensables. *« Paris est le paradis des célibataires,* remarque l'auteur, Valérie Appert. *Un appartement sur deux est occupé par un solo. Et pourtant chacun est enfermé dans son circuit. Comment se croiser ? »*

Valérie déconseille les clubs de loisirs : *« En plus d'une cotisation élevée, les deux tiers des activités sont payantes. »* Méfiance aussi avec les agences matrimoniales.
35 *« Pour deux sérieuses que j'ai trouvées, il y avait des tas de boîtes à fric malhonnêtes. »* Pour Valérie, on fait des rencontres aussi *« intéressantes »,* et beaucoup moins chères, en piochant[4] dans la rubrique « Sortir » des magazines. *« Et pour celles qui craignent de se tromper, essayez les lieux avec danse, genre resto-bar, où la soirée est précédée par un cours de salsa. La musique n'y est pas assourdissante[5], elle permet la*
40 *conversation. On y rencontre des gens cultivés et sympa. »*

Le « couple pour la vie » a du plomb dans l'aile[6]. Mais ce n'est pas ça ou rien. Nous sommes entrés dans l'ère du couple en pointillés. Entre mariages et divorces, rencontres et ruptures, les séquences en solo se multiplient et se banalisent. *« Une révolution majeure s'accomplit sous nos yeux,* affirme Jean-Claude Kaufmann. *La famille, élément de base de*
45 *la société, est fondée sur le dévouement féminin. Remplacer le dévouement par l'autonomie, comme le font les solos, c'est ébranler[7] l'édifice entier. »*

Ursula Gauthier, *Le Nouvel Observateur,* n° 1919, 16/08/2001.

---

1. Fatiguée. **2.** Perdu. **3.** Chercher. **4.** En prenant. **5.** Bruyante. **6.** Est remis en question. **7.** Toucher, affaiblir.

❶ Solo mais pas trop. DELF

1 Lisez l'article et précisez sur quelle partie de la population porte l'enquête d'Ursula Gauthier.

a les jeunes filles qui recherchent un mari

b l'ensemble des célibataires en France

c les femmes séparées de leur ami ou de leur mari

d les solos qui refusent de se marier

2 a Expliquez ce que signifient les phrases ou expressions suivantes.

1 *la glorieuse traversée en solitaire ne débouche souvent que sur le désert des Tartares* (l. 4-5)

2 *On a beau sortir tous les soirs, […] on ne voit rien venir.* (l. 5-7)

3 *une famille à la papa* (l. 21)

4 *plutôt solo que bobonne* (l. 21-22)

5 *Nous sommes entrés dans l'ère du couple en pointillés.* (l. 41-42)

b Trouvez quatre mots ou expressions désignant un amant, un compagnon ou un mari.

3 Lisez à nouveau l'article.

a Retrouvez les deux raisons pour lesquelles les femmes ont du mal à retrouver un compagnon après quarante ans.

1 En France, le nombre de femmes est supérieur à celui des hommes.

2 La proportion de solos hommes et femmes n'est pas la même selon les catégories sociales.

3 Hommes et femmes n'envisagent pas la vie à deux de la même manière.

4 Après quarante ans, les hommes célibataires recherchent surtout la compagnie de femmes plus jeunes qu'eux.

b Dites quels sont les moyens recommandés par Odile Lamourère et Valérie Appert pour rencontrer un homme célibataire.

❷ Le courrier des lecteurs. DELF

Le magazine *Le Nouvel Observateur* propose à ses lecteurs de réagir chaque semaine à l'un des articles qui les ont marqués. Écrivez un texte de 200 mots environ dans lequel vous ferez part de vos réactions sur l'affirmation suivante : *Le « couple pour la vie » a du plomb dans l'aile. […] Nous sommes entrés dans l'ère du couple en pointillés.*

Unité 4

Si jeunesse savait, si vieillesse pouvait

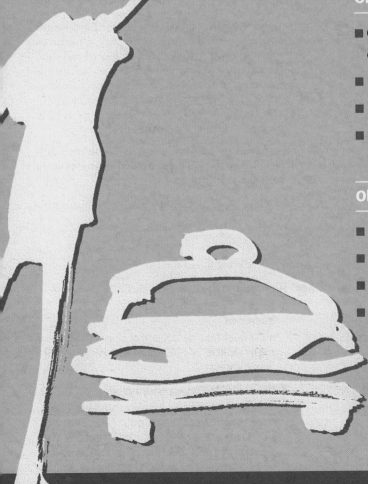

Contenus thématiques

■ Les conséquences du vieillissement
  de la population en France

■ Le culte de la jeunesse

■ Être jeune aujourd'hui : entre rêves et réalité

Objectifs et savoir-faire communicatifs

■ Caractériser des personnes
  et des comportements

■ Formuler un regret, un reproche

■ Développer une hypothèse

■ Exprimer une demande polie, un souhait
  ou un conseil

Objectifs linguistiques

■ Les pronoms relatifs simples et composés

■ Les termes « socialement corrects »

■ Les suffixes -isme et -ir

■ L'usage du conditionnel

Génération seniors

1 **SENIORSTRATEGIC** Pendant les quinze prochaines années, le nombre de seniors va augmenter de plus de 50 % alors que la population des moins de cinquante ans va être presque stable. Les raisons sont diverses : le pic de naissances des baby-boomers* a fortement modifié les pyramides des âges des pays occidentaux, la natalité a baissé ces dernières années (si l'on excepte l'année 2000) et l'espérance de vie a progressé.

La clientèle senior va devenir très rapidement incontournable pour votre marché. Cette clientèle plus riche est très hétérogène aussi bien dans ses attentes que dans ses besoins.

SeniorStrategic a sélectionné toute une série d'études sur le marché des seniors et des baby-boomers.

Ces études sont réalisées par nos experts ou par des partenaires à travers le monde.

FRÉDÉRIC SERRIÈRE
Fondateur du réseau SeniorStrategic

www.leMarchedesSeniors.com
Renseignements au 01 46 36 53 27

---

*Le guide professionnel
du marché des Seniors*
120 pages – 25 € TTC

L'explosion de la clientèle senior est inéluctable et ce sont les politiques stratégiques, marketing et commerciales des entreprises qui vont être revues. Les ressources humaines vont devoir faire face à des difficultés importantes : la sortie massive des papy-boomers de la vie active, dès 2005, l'allongement prévisible de la durée du travail, les possibilités de conflits entre les générations de salariés…

Ce guide a pour objectif de donner une image plus claire des impacts et des enjeux du vieillissement de la population de l'entreprise.

* Personnes nées entre 1946 et 1964.

2

JÉRÔME PELLISSIER

La nuit, tous les vieux sont gris

La société contre
la vieillesse

Bibliophane
DANIEL RADFORD

Portrait d'une société où les vieux se confondent

La nuit, tous les vieux sont gris. C'est dire bien entendu qu'ils ne le sont pas, que c'est notre regard qui nous les fait voir identiques. Les vieux représentent un quart de la population française que l'on ne voit jamais. Ils ne sont ni dans le monde du travail, ni dans les médias. Tant que les individus consomment, ce sont des « seniors » ; ensuite, ils disparaissent. On les dit dépendants, réactionnaires, radins et radoteurs, marqués par l'« Alzheimer », cette maladie étrange dont on maîtrise mal le diagnostic et dont on ne connaît pas les causes.

La nuit, tous les vieux sont gris est un livre dans lequel Jérôme Pélissier explique avec émotion comment on en est arrivé là.

Comprendre

❶ **Une clientèle bien particulière.**

1 Lisez le document 1 et répondez aux questions.

a De quel type de document s'agit-il ? b À qui est-il destiné ? c Quelle est l'activité de SeniorStrategic ?

2 Relisez le document 1 et indiquez :

a la différence entre les papy-boomers et les baby-boomers ; b les raisons pour lesquelles on s'intéresse aux seniors ; c les causes du vieillissement de la population ; d les conséquences de ce phénomène pour les entreprises.

GRAMMAIRE

Les pronoms relatifs simples et composés

• **Les pronoms relatifs simples**

– ***Qui*** est le sujet du verbe :
*C'est la génération **qui** a marqué la société.*

– ***Que*** est le complément d'objet du verbe :
*Ils représentent la plus grosse génération **que** la France connaît.*

– ***Où*** est complément de lieu ou de temps :
*Nous vivons dans une société **où** la clientèle âgée devient incontournable.*

– ***Dont*** remplace un complément du nom, du verbe ou de l'adjectif introduit par *de* :
*C'est un guide **dont** les entreprises ont besoin.*

• **Les pronoms relatifs composés**

– ***Lequel, laquelle, lesquels, lesquelles*** après les prépositions *dans, sur, avec, chez…*
*Ce sont des années **pendant lesquelles** le nombre de seniors va augmenter.*

> À l'exception du féminin singulier, il y a contraction entre le pronom relatif et les prépositions :
> – *à* → ***auquel, à laquelle, auxquels, auxquelles***
> – *de (à côté, à partir...)*
> → ***duquel, de laquelle, desquels, desquelles***

– Pour les personnes, on peut utiliser ***qui*** :
*Les experts **avec qui** travaille SeniorStrategic viennent du monde entier.*

3 Écoutez l'enregistrement.

a Repérez :

1 les raisons pour lesquelles les entreprises cherchent à cibler les seniors à l'aide d'Internet ;
2 les différences de goûts et de comportements entre les internautes âgés et les plus jeunes.

b Relevez les thèmes qui intéressent les seniors, selon le journaliste.

❷ Un autre regard.
1 Lisez le titre du livre du document 2.

a Répondez aux questions.

1 Quel est le mot que l'on trouve dans le proverbe *La nuit, tous les … sont gris* ?
murs / chats / rêves

2 Quel est le sens de ce proverbe ?

b Imaginez ce que l'auteur du livre a voulu dire, en choisissant ce titre.

2 Lisez la présentation de l'éditeur et dites ce que signifie le titre du livre.

3 Relevez les similitudes et les différences entre le point de vue de l'écrivain et celui du fondateur du réseau SeniorStrategic.

4 a Beaucoup de précisions sont données dans ce texte, à l'aide de propositions relatives. Sélectionnez-les.

b Dites sur quoi/qui porte chaque précision.

c Justifiez l'usage du pronom relatif utilisé.

▶ *Exemple* : *C'est notre **regard** <u>qui nous les fait voir identiques</u>.*
→ ***Qui** est le sujet du verbe.*

S'entraîner

❸ Pub.
Complétez avec un pronom relatif. Faites la contraction si nécessaire.

**Vous vivez une période …
le temps vous appartient librement.**

Atout Seniors

vous invite à en profiter pleinement en vous offrant :
des activités …
vous permettront d'occuper vos moments libres ;
des services grâce …
vous gagnerez du temps ;
l'assistance …
vous avez besoin au quotidien.

**Vous pourrez ainsi vous consacrer
sereinement aux occupations … vous préférez.**

Atout Seniors,
Le réseau sur … vous pouvez compter !

❹ Paroles de consommateurs.
La société de distribution allemande Adeg vient d'ouvrir son troisième supermarché adapté aux seniors. Lisez les commentaires des clients et transformez-les.

▶ *Exemple* : *Je suis tout à fait d'accord avec ce nouveau principe de magasins !*
→ *C'est un nouveau principe de magasins **avec lequel** je suis tout à fait d'accord !*

1 On ne risque pas de glisser sur le sol : il est antidérapant ! **2** J'aime bien aller dans ce supermarché parce que les étiquettes sont plus grandes et plus faciles à lire. **3** On circule plus facilement au milieu des allées, elles sont plus larges… **4** C'est bien parce qu'on peut demander de l'aide aux vendeurs !

Parler

❺ L'art de convaincre.
Vous travaillez pour SeniorStrategic et vous êtes chargé(e) de rencontrer des chefs d'entreprise pour les convaincre d'acheter votre guide professionnel sur le marché des seniors. Jouez la scène avec votre voisin(e).

Les mots de l'âge et

Comprendre

❶ Faire jeune à tout prix.

1 a Observez les deux personnes, sur l'affiche publicitaire, et imaginez quel lien les unit.

b Lisez le texte de l'affiche et indiquez :

1 le lien de parenté entre ces personnes ; 2 de quel type de publicité il s'agit ; 3 le phénomène de société sur lequel s'appuie la marque.

2 a Lisez le document 1 et relevez le paragraphe qui décrit le phénomène de société illustré sur l'affiche publicitaire.

b Lisez à nouveau le document 1 et dites si ces affirmations sont vraies ou fausses.

1 Grâce à l'accroissement de la durée de vie, l'image que l'on se fait de la vieillesse a évolué positivement. **2** Il est devenu extrêmement important de soigner son apparence, pour avoir l'air jeune. **3** La raison majeure de ce phénomène est liée à un sentiment de nostalgie vis-à-vis de sa propre jeunesse.

❷ Le pouvoir des mots.

1 Lisez le document 2 et repérez :

a un argument déjà évoqué dans le document 1 ; b la raison pour laquelle on se demande comment nommer les personnes âgées ; c le terme le plus couramment utilisé par les Français.

2 a Lisez à nouveau les documents 1 et 2 et relevez les noms et les adjectifs correspondant aux verbes *rajeunir* et *vieillir*.

b Observez les termes relevés et repérez :

1 un mot désignant une attitude ; 2 deux mots désignant un processus.

c Indiquez comment ces mots sont construits.

S'entraîner

❸ Les dossiers de l'écran.

Voici des phrases entendues lors d'un débat télévisé. Dites quelle attitude elles évoquent.

▶ *Exemple :* « *Moi, j'en ai marre des vieux en politique. Place aux jeunes, quoi !* »
(Barbara, 20 ans) → *Le jeunisme.*

1 Moi, quand je me suis retrouvé à la retraite, mes petits problèmes avec l'alcool se sont accentués… (Jean, 65 ans) **2** Non seulement on sélectionne de préférence les jeunes mais, en plus, on fait des discriminations sexuelles ! (Yvonne, 52 ans) **3** Non mais, arrêtez ! À vous entendre, face aux jeunes, c'est la défaite assurée ! Ne partez

---

VOCABULAIRE

Les termes « socialement corrects »

Du fait de leur connotation négative, certains mots sont souvent remplacés par des termes ou expressions plus « positifs » :
Des mesures ont été prises pour les **demandeurs d'emploi** *de plus de cinquante ans.* (remplace *les* **chômeurs**)

Le suffixe *-isme*

Associé le plus souvent à un adjectif ou à un nom, il sert à former des noms masculins désignant une attitude morale ou politique, une activité ou une doctrine :
Les vieux sont de plus en plus victimes d'une certaine forme de **racisme***, c'est évident !*

Le suffixe *-ir*

Associé à un adjectif, il permet très souvent de construire un verbe désignant un processus évolutif :
Avec l'âge, ses capacités mentales commencent malheureusement à **faiblir***.*

! Cette construction nécessite parfois :
– l'ajout d'un préfixe : *rajeunir*, *enrichir*, *embellir*…
– une finale en *-cir* : *durcir*, *noircir*…

---

pas perdants comme ça ! (Salomé, 25 ans) **4** S'il faut choisir entre un jeune et un moins jeune lors d'un entretien d'embauche, c'est toujours pareil : le jeune part favori. (Jacques, 48 ans)

❹ Revue de presse.

Remplacez les expressions soulignées, comme dans l'exemple.

▶ *Exemple : Les manifestations pour la défense des retraites se sont <u>renforcées</u>.* (dur)
→ *Les manifestations pour la défense des retraites* **se sont durcies.**

1 La loi votée cette nuit à l'Assemblée est venue <u>gonfler</u> le rang des mécontents, principalement chez les seniors. *(gros)* **2** Le gouvernement a décidé <u>de développer</u> les services d'aide aux personnes âgées. *(large)* **3** Il est essentiel de <u>pousser</u> la réflexion sur ce sujet. *(mûr)* **4** Étant donné les vagues de protestations, les députés de la majorité ont dû <u>réduire</u> le texte de loi. *(court)*

l'âge des mots

Corinne et sa fille Margaux
dans la rue du Poirier
à Marseille

COMPTOIR DES
COTONNIERS
www.meresetfilles.com

2

Dans une société qui a plutôt le culte de la jeunesse et qui pratique le « socialement correct », il n'est pas facile de parler des personnes âgées. Peut-être à cause de la chanson de Brel, le mot « vieux » est empreint de tristesse. Le terme « ancien » présente l'inconvénient d'être opposé dans l'inconscient collectif à « moderne ». L'expression « troisième âge » est tout aussi confuse.

C'est pourquoi les publicitaires, les entreprises et les médias tentent depuis quelques années de populariser le terme « senior ». Pourtant, seuls 6 % des Français disent utiliser ce terme, en dehors de celui, beaucoup plus habituel, de « personne âgée ».

*Les Mots de l'âge
et l'Âge des mots*
© TNS Sofres, 2001.

Adresse: http://www.strasmag.com

Page d'accueil | Apple | iTools | Assistance Apple | Apple Store | Microsoft Oi

LE DOSSIER
>Couverture
>Sommaire
>Edito
>L'âge de ses artères
>Les senior lovers
>L'âge peut-il être jugé?
>Rebuts et refus
>La valeur des années
>Culture et vieillesse
>Jeunisme

Favoris | Historique | Recherche | Album | Garde-pages

Toute l'information au féminin

TYRANNIE DU JEUNISME

1

L'augmentation de l'espérance de vie a modifié l'idée que l'on se faisait de la vieillesse et, paradoxalement, plus l'espérance de vie progresse, plus on sacralise la jeunesse et moins les vieux ont la cote, à un point tel que l'on va jusqu'à culpabiliser et rejeter l'individu qui vieillit. À cause de cette pression du jeunisme, le devoir de paraître jeune à tout âge n'a jamais été aussi clairement affiché.

Les mères de quarante ans suivent la même mode que leur fille et adoptent le même look et lorsqu'elles sortent ensemble, elles aiment entendre dire : « Qui est la mère ? Qui est la fille ? » ou encore « Tiens, voilà deux sœurs »…

Il y a dans ce souci d'être jeune à tout prix la recherche d'une jeunesse enfuie mais aussi aujourd'hui plus que jamais le désir de soigner son image, pour soi certes, mais surtout pour les autres, qui vous jugent sur les apparences.

Parler

5 **À vous.**

Avec votre voisin(e), répondez aux questions, puis comparez vos réponses avec celles des Français, p. 160.

1 À partir de quel âge avez-vous le sentiment qu'une personne est âgée ?

2 Qu'est-ce qui caractérise, selon vous, la vieillesse ?
la cessation de l'activité professionnelle / la dépendance physique / la solitude / la diminution des capacités intellectuelles / la dégradation de la santé / la dépendance financière vis-à-vis de ses enfants

3 Observe-t-on également dans votre pays un phénomène de jeunisme ?

4 Que pensez-vous des parents qui s'habillent comme leurs enfants ?

Entre rêves et réalit[é]

Parler

❶ Échanges.

Avec votre voisin(e), répondez aux questions.

1 Si vous aviez le pouvoir de changer le monde, que changeriez-vous ? 2 Concrètement, qu'avez-vous déjà fait pour cela ?

Comprendre

❷ Des espoirs ou désespoir.

1 Lisez le titre et le chapeau de l'article. Puis, indiquez :

a la raison pour laquelle la jeune génération n'a pas le droit à l'erreur ; b la réputation qu'on lui attribue, en général ; c son état d'esprit sur les problèmes mondiaux ; d l'attitude qu'elle adopte par rapport à ces problèmes.

2 a Écoutez l'enregistrement et indiquez la devise qui correspond le mieux à la personne interrogée. 🎧

1 Consacrer sa vie aux autres : voilà la clé du bonheur. 2 Comment peut-on changer le monde quand on est pessimiste ? 3 Répartissons les richesses dans le monde ! 4 Réapprendre à vivre ensemble. 5 Arrêtons de nous intéresser à tout ce qui est superficiel !

b Réécoutez l'enregistrement et dites quels sont les thèmes évoqués. 🎧

le rôle des médias / les disparités entre riches et pauvres / le civisme / l'égoïsme / la générosité / la solidarité

c Lisez les témoignages des personnes dans l'article et répondez à nouveau aux deux questions précédentes pour chacune d'elles.

❸ Entre désirs et regrets.

1 Lisez à nouveau les témoignages et repérez les énoncés qui répondent aux questions.

a Quelle suggestion Leslie fait-elle pour changer le monde ? b De manière réaliste, que souhaite-t-elle pour elle-même ? c À supposer que Pascal et Françoise puissent changer quelque chose, que feraient-ils ? d Quel regret Christel exprime-t-elle à l'écoute des précisions apportées par le journaliste ?

2 Pour chaque énoncé sélectionné, observez quel mode et quel temps sont utilisés pour suggérer, souhaiter, imaginer et regretter.

S'entraîner

❹ Paroles de jeunes.

Conjuguez les verbes aux modes et aux temps qui conviennent.

1 On … (devoir) tous se mobiliser ! Pour moi, ça … (représenter) vraiment une priorité. 2 J' … (vivre) longtemps dans des pays défavorisés : si on … (commencer) à les aider à se développer, ce … (être) déjà pas mal ! 3 Nous, on … (aimer) un monde meilleur pour nos enfants. Mais pour ça, il y … (avoir) beaucoup de choses à faire ! 4 Quand j' … (être) un peu plus jeune, si mes parents … (accepter), je … (partir) à l'étranger pour aider les autres. Mais, ils n' … pas … (vouloir) ! 5 Nos parents … (devoir) se battre plus pour changer le monde. Mais, après Mai 68, ils … (s'endormir).

Les **20-30 ans** ont-ils envie de changer le monde ?

Certains de leurs parents ont fait Mai 68 et révolutionné la société. Alors eux, représentants de la nouvelle génération, sont attendus au tournant. Sont-ils aussi blasés qu'on le dit ? Pas vraiment. Mais, s'ils analysent les maux du monde avec pertinence et se disent concernés par l'avenir de la planète, ils agissent peu. Ces rêveurs réalistes nous ont livré leurs espoirs pour un avenir meilleur…

Avez-vous envie de changer le monde ?

■ Avant de changer quoi que ce soit, il faudrait commencer par changer les mentalités. Aujourd'hui, c'est chacun pour soi. Il y a des gens qui n'ont rien et d'autres qui gagnent des millions trop facilement, avec des jeux télévisés idiots, par exemple. Toute la société est basée sur le rêve, l'image, le superflu, le paraître. Ça marche même avec moi… J'aimerais trouver ce qui me permettra de m'en sortir, de m'intégrer. Et j'ai aussi envie de me payer des supervacances, un jet privé, un gros bateau.

(Leslie, 27 ans, demandeuse d'emploi)

❺ Coup de sang. 🎧

1 Écoutez l'enregistrement et dites si les phrases sont à l'imparfait ou au conditionnel présent.

2 Écoutez à nouveau l'enregistrement et répétez les phrases.

3 Écoutez l'enregistrement et, à l'aide de l'intonation, trouvez ce que chaque phrase exprime.

regret / suggestion forte / désir / hypothèse / reproche / souhait / suggestion atténuée

▶ *Exemple : suggestion forte : a.*

Les Innocents,
film de Bernardo Bertolucci, 2002.

▦ Il y aurait tellement de choses à faire… Par où commencer ? Je garde l'espoir qu'un jour les gens s'intéressent un peu plus aux autres, donnent sans rien attendre en retour. Plusieurs fois, j'ai même voulu faire de l'humanitaire avec Kiné sans frontières, par exemple. Mais les missions sont de six mois. Je ne tiendrais pas le coup. Si, par miracle, j'avais le pouvoir de changer quelque chose, je ferais en sorte que chacun ait de l'eau potable et des sanitaires, que chacun mange à sa faim.

(Pascal, 29 ans, kinésithérapeute)

▦ J'aimerais changer le monde, mais je me fais peu d'illusions. Si j'avais le pouvoir de changer quelque chose, je commencerais à la base. J'essaierais d'éveiller les consciences individuelles en réintroduisant les cours d'éducation civique à l'école. Ça peut paraître réac, mais tant pis. Savoir lire en quittant l'école, c'est évident pour tout le monde. Savoir vivre en société, ça devrait l'être aussi.

(Françoise, 30 ans, gestionnaire de collège)

▦ C'est l'image de la France que je voudrais changer. Les médias peuvent jouer un rôle en soutenant les actions gouvernementales, ou en rendant l'info plus séduisante, quitte à la biaiser un peu. Par exemple, j'ai entendu à la radio que le chômage avait diminué de 0,9 % cet été. Formidable. Mais, dans la foulée, le journaliste expliquait que cette baisse était due au fait que l'ANPE avait supprimé de ses fichiers certaines catégories. On aurait pu se passer de cette précision. Ça aurait été mieux pour le moral de tous.

(Christel, 24 ans, chargée de clientèle dans une banque)

Tous, n° 1, décembre 2003-janvier 2004.

Écrire

❻ Ça va mieux en le disant.
Vous avez lu l'article paru dans le magazine *Tous* et vous aimeriez réagir sur certains points évoqués par les personnes interrogées. Envoyez une lettre au courrier des lecteurs pour exprimer vos réactions.

GRAMMAIRE

L'usage du conditionnel

Le mode conditionnel permet d'exprimer :

• **un désir, un souhait**
*J'aimerais changer le monde
mais je me fais peu d'illusions.*

• **une atténuation** (dans l'expression d'une suggestion, d'une demande polie)
*Vous qui êtes médecin, vous **devriez** faire de l'humanitaire.*

• **un regret** ou **un reproche**
*J'aurais aimé partir en mission mais je n'ai pas eu le courage.
On n'aurait pas dû supprimer les cours d'éducation civique à l'école.*

• **une hypothèse non réalisable** (avec *si* + imparfait) ou **non réalisée** (avec *si* + plus-que-parfait)
*Si j'avais le pouvoir de changer le monde, je changerais les mentalités.
Si on m'avait proposé de partir ailleurs pour aider les autres, je l'aurais fait sans hésitation.*

Intergénérations

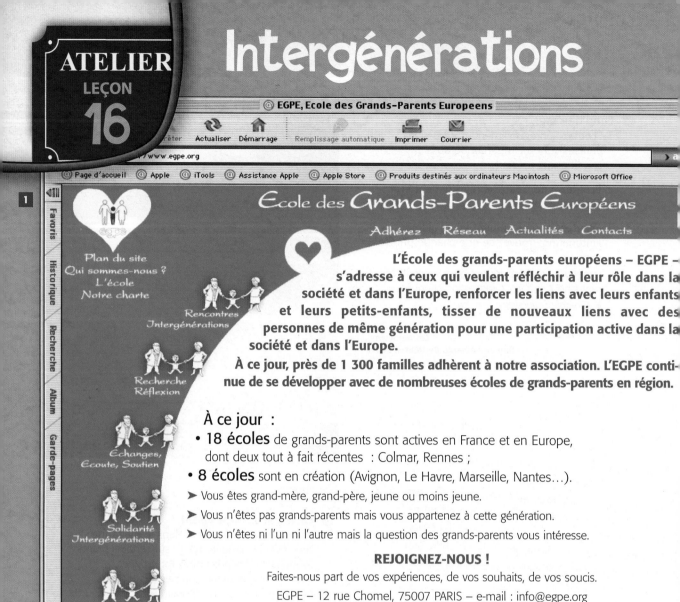

EGPE, Ecole des Grands-Parents Europeens

Ecole des Grands-Parents Européens

Adhérez   Réseau   Actualités   Contacts

Plan du site
Qui sommes-nous ?
L'école
Notre charte

Rencontres
Intergénérations

Recherche
Réflexion

Échanges,
Écoute, Soutien

Solidarité
Intergénérations

Observatoire
Témoignages

L'École des grands-parents européens – EGPE – s'adresse à ceux qui veulent réfléchir à leur rôle dans la société et dans l'Europe, renforcer les liens avec leurs enfants et leurs petits-enfants, tisser de nouveaux liens avec des personnes de même génération pour une participation active dans la société et dans l'Europe.

À ce jour, près de 1 300 familles adhèrent à notre association. L'EGPE continue de se développer avec de nombreuses écoles de grands-parents en région.

À ce jour :
- **18 écoles** de grands-parents sont actives en France et en Europe, dont deux tout à fait récentes : Colmar, Rennes ;
- **8 écoles** sont en création (Avignon, Le Havre, Marseille, Nantes…).

➤ Vous êtes grand-mère, grand-père, jeune ou moins jeune.

➤ Vous n'êtes pas grands-parents mais vous appartenez à cette génération.

➤ Vous n'êtes ni l'un ni l'autre mais la question des grands-parents vous intéresse.

REJOIGNEZ-NOUS !

Faites-nous part de vos expériences, de vos souhaits, de vos soucis.

EGPE – 12 rue Chomel, 75007 PARIS – e-mail : info@egpe.org

téléphone : 01 45 44 34 93 – fax : 01 45 44 33 87

du lundi au vendredi, de 9 h 30 à 12 h 30

Zone Internet

Repérer

❶ Drôle d'école !

1 Lisez le document 1.

a Relevez :

1 la forme juridique de l'EGPE ; **2** les objectifs de cette école ; **3** le nombre d'adhérents ; **4** le nombre actuel d'écoles.

b Observez la carte de France et localisez les écoles, actuelles ou à venir, qui manquent.

2 Vous êtes chargé(e) de l'accueil téléphonique à l'EGPE. À l'aide du document 1 et de la carte, répondez aux questions suivantes.

a Je suis encore un peu trop jeune pour avoir des petits-enfants mais je voudrais savoir s'il est quand même possible d'adhérer à l'association. **b** Depuis que je suis à la retraite, j'ai tendance à déprimer et ça me ferait du bien d'en parler à d'autres personnes qui ont connu ce sentiment. Est-ce que vous pourriez m'aider ? **c** J'ai un projet à vous soumettre. Où est-ce que je pourrais vous l'envoyer ? **d** J'habite à Perpignan et j'aimerais savoir s'il existe une école des grands-parents à côté de chez moi. **e** Je ne comprends pas ! Je vous appelle tous les après-midis depuis une semaine et ça ne répond jamais ! Vous étiez en vacances ?

❷ Quand les papys s'en mêlent…

1 Lisez le document 2 et, en vous appuyant sur la fin du document 1, indiquez l'objectif de cette lettre.

2 Lisez à nouveau la lettre et dites dans quel paragraphe la personne :

a expose son projet ; **b** établit un constat ; **c** se présente et annonce l'objet de sa lettre ; **d** prend congé avec une formule de politesse ; **e** propose une rencontre ; **f** évoque des conséquences positives.

Rencontres intergénérations
avec l'EGPE

Petits Toqués, Grands Gourmets

L'idée de *Petits Toqués, Grands Gourmets* vient d'un « papy » affichant une soixantaine plutôt alerte et proche de ses petits-enfants : Jean-Jacques Guiraud, membre de l'École des grands-parents européens (EGPE). Voici la lettre qu'il nous a un jour adressée.

Madame, Monsieur,

Âgé aujourd'hui de soixante-deux ans, j'ai la chance d'être cinq fois grand-père. Comme j'aime cuisiner et que je prends plaisir à table, notamment avec mes petits-enfants, il m'est venu une idée que j'aimerais vous suggérer.

Vous le savez sans doute, le goût s'éduque très tôt, dès le plus jeune âge. Pourtant, très peu d'actions sont entreprises pour éveiller la curiosité des enfants à l'égard des aliments. De plus, nous vivons aujourd'hui dans une société où le rythme de vie de la famille ne permet plus vraiment de se retrouver, ensemble, dans ce lieu particulier qu'est la cuisine.

C'est pourquoi j'ai pensé qu'il serait intéressant de mettre en place, au sein de l'association, des ateliers de découvertes culinaires.

Ces rencontres culinaires permettraient non seulement la transmission de recettes mais inciteraient également les grands-parents à léguer à leurs petits-enfants l'histoire de la recette choisie, les souvenirs et les émotions qui l'accompagnent. Apprendre à faire la cuisine à ses petits-enfants, n'est-ce pas là une des facettes les plus pertinentes de la transmission entre générations ?

Je serais particulièrement heureux de participer à l'élaboration d'un tel projet et vous propose donc de nous rencontrer pour en parler plus longuement.

Dans cette attente, je vous prie de croire, Madame, Monsieur, en l'expression de mes sentiments les meilleurs.

Jean-Jacques Guiraud

Comme ce merveilleux « papy », envoyez-nous vos projets
EGPE – 12, rue Chomel, 75007 PARIS – e-mail : info@egpe.org

2

Réaliser

❸ De Bruxelles…
Voici quelques exemples de rencontres intergénérations mises en place à l'EGPE de Bruxelles.

1 Avec votre voisin(e), choisissez un thème parmi ceux ci-dessous.

Lire et faire lire / Les cinq sens / Au fil des saisons / Photos souvenirs / Les métiers / À vos plumes / L'informatique, c'est pratique ! / Ciné-discussion / En avant la musique !

2 Imaginez :
a les modalités pratiques de cette rencontre : de quoi il s'agit exactement, le moment et le lieu, les personnes à qui elle s'adresse en priorité, le matériel nécessaire ; **b** l'intérêt qu'elle présente par rapport aux objectifs de l'association ; **c** le principe sur lequel elle repose : les raisons d'un tel choix, les conséquences positives pour les participants.

❹ … à Paris.
Vous aimeriez mettre en place le thème de rencontre choisi dans l'exercice 3 à l'EGPE de Paris. À la manière du document 2, rédigez un courrier dans lequel vous exposerez votre projet.

❺ Présentation publique.
L'EGPE de Paris a accepté de mettre en place votre projet. Avec votre voisin(e), vous êtes chargé(e) de faire la présentation de cette nouvelle rencontre (modalités pratiques, intérêt, principe) auprès des adhérents de l'association.
Jouez la scène devant la classe.

cinquante-trois ● 53

❶ Générations complices.
Retrouvez ce que dit Ferdinand sur son grand-père. Faites une seule phrase avec des pronoms relatifs.

1 C'est l'homme aux cheveux blancs. Il est à droite sur la photo.
2 Il a habité toute sa vie dans ce petit village. Il y est né.
3 Là, c'est l'école primaire. Il dirigeait cette école.
4 C'était une époque difficile. Il m'en parlait souvent.
5 J'aimais bien mon grand-père. Il m'a transmis beaucoup de choses.

❷ Réflexions.
Votre première journée à SeniorStrategic vous a inspiré quelques réflexions. Complétez vos notes avec des pronoms relatifs.

> Dimanche matin
> La réunion à … j'ai participé a débuté en retard. Ça commençait mal ! En effet, la personne à côté de … j'étais assise était très bavarde. Une vraie pie ! En plus, les sujets sur … nous avons échangé n'étaient pas très intéressants.
>
> Dimanche après-midi
> C'était mieux. L'atelier dans … je suis allé ensuite était utile : on a travaillé notre mémoire. C'est un problème … je dois penser sérieusement.

❸ Senior city.
Choisissez la bonne réponse.

1 C'est un lieu particulier à propos (dont/duquel) je ne sais vraiment pas quoi penser.
2 Ça ressemble à un village autour (dont/duquel) on aurait construit un mur de protection.
3 Le but est de regrouper les seniors (dont/duquel) les ressources sont suffisantes pour vivre ici.
4 Réservé aux retraités, l'endroit (dont/duquel) je te parle est strictement réglementé et sécurisé.

❹ Dans quel sens ?
Dites si ces phrases expriment un reproche, un désir, un regret ou une suggestion.

1 Vous qui connaissez bien le problème de ces jeunes, vous auriez dû leur parler.
2 J'aurais bien voulu voyager, mais c'est trop tard.
3 Elle souhaiterait juste un peu moins d'égoïsme et un peu plus d'honnêteté.
4 Si on m'avait dit ça avant, je ne me serais pas fatiguée pour rien !
5 Là, tu n'aurais pas dû dire ce que tu pensais des jeunes !

❺ Tout et son contraire.
a Remplacez les expressions soulignées par un terme contenant les suffixes *-isme* ou *-ir*. Rajoutez un préfixe si nécessaire.

▶ *Exemple : Il ne faut pas voir la situation toujours en noir.*
→ *Il ne faut pas noircir la situation.*

1 Les gens aujourd'hui se regroupent souvent par communauté, ça les rassure.
2 Est-ce que vous pouvez rendre ce phénomène plus compréhensible ?
3 Peu de personnes voient la vieillesse avec enthousiasme.
4 Il faudrait développer votre vocabulaire, on dit « senior » aujourd'hui.
5 Elle paraît quinze ans de moins, qu'est-ce qu'elle a fait ?

b Trouvez un contraire pour chaque mot.

❻ Se faire mal tout seul.
Imaginez les regrets et les souhaits que pourraient avoir les personnes suivantes.
1 Un adolescent qui a fait une bêtise.

2 Une personne dont la fin de la vie approche.
3 Une dame qui n'a vécu que pour sa famille.
4 Un homme politique qui fait le bilan de son action.
5 Un médecin qui n'est pas sûr d'avoir pris la bonne décision.

Unité 5

De l'utile
à l'agréable

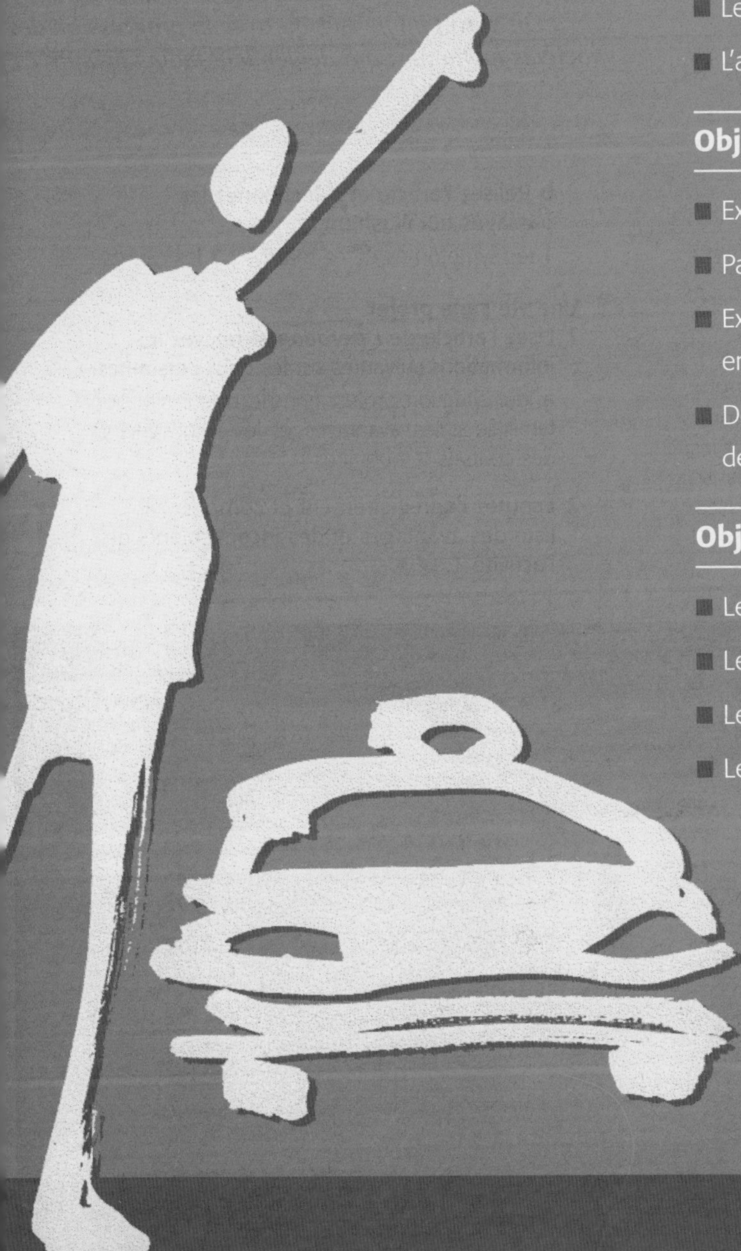

Contenus thématiques

■ Les grandes mutations du monde du travail

■ Les nouvelles façons de travailler

■ L'accroissement du temps consacré aux loisirs

Objectifs et savoir-faire communicatifs

■ Exprimer une opinion de manière nuancée

■ Parler de son travail et de ses loisirs

■ Exprimer des rapports temporels
entre deux actions

■ Demander des renseignements en vue
de l'organisation d'un séjour

Objectifs linguistiques

■ Les sigles et les abréviations

■ Les valeurs du subjonctif

■ Le subjonctif présent et passé

■ Les propositions temporelles

Le travail, c'est la

AVANT, J'AVAIS PEUR
DE PERDRE MON BOULOT.
AUJOURD'HUI, J'AI PEUR
D'Y ALLER.

C'EST PAS INCOMPATIBLE.

PESSIN

Parler

❶ **Parlons boulot.**
Écrivez cinq mots que le mot *travail* vous évoque puis comparez avec votre voisin(e).

Comprendre

❷ **La loi de la jungle.**
1 a Lisez le titre de l'article du *Monde* et faites des hypothèses sur le problème évoqué.
b Observez le dessin et complétez les hypothèses formulées précédemment.

2 a Lisez l'article et répondez en quelques mots.

1 Quel est le diagnostic des psys après auscultation de l'entreprise ? 2 Quelles sont les personnes concernées ? 3 Comment cela se manifeste-t-il ? 4 Quelles sont les causes, l'origine de cet état de fait ? 5 Quelle est l'évolution qui se dessine ?

Quand les psys auscultent l'entreprise

« L'entreprise ressemble à une grande jungle, affirme d'emblée Franck Azaïs, psychiatre et consultant dans les entreprises. Elle rassemble des hommes aux objectifs plus ou moins convergents, aux désirs pas toujours compatibles, et qui doivent, malgré tout, prendre le même chemin. De cela résultent beaucoup de tensions qu'il faut cacher, beaucoup de contradictions qui sont refoulées ou masquées. » […]

La situation apparaît aujourd'hui préoccupante : trois cadres[1] sur quatre se disent stressés par leur travail, près de la moitié souhaitant même quitter leur poste pour cette raison […].

« On aurait pu penser qu'avec la progression des sociétés humaines, qui deviennent moins primitives,

b Relisez l'article et sélectionnez les passages qui illustrent :
1 les symptômes de ce malaise ; 2 les causes.

❸ **Une vie sans projet.**
1 Lisez l'article de *Libération* et relevez les informations suivantes sur les deux personnes.
a leur situation professionnelle **b** leur situation familiale **c** les avantages et les inconvénients des contrats temporaires

2 Écoutez l'enregistrement et complétez la liste des avantages et des inconvénients de l'activité 1. ☎

santé ?

le travail serait une façon de se réaliser, il n'en est pas question, explique Patrick Légeron, psychiatre et fondateur du cabinet Stimulus. *La compétitivité accrue et la recherche du profit ont fait passer les valeurs humaines au second plan. La reconnaissance du travail, par exemple, reste très faible : la structure met la barre toujours plus haut.* » […]

L'attitude plus distanciée de la jeune génération intéresse les spécialistes. « *Certains jeunes, actuellement, ne font pas le choix de leurs aînés, c'est-à-dire la rémunération et la carrière* », remarque M. Légeron. […] La dureté du monde économique est apparue au grand jour. « *Même si de nombreuses personnes jouent encore le jeu, la plupart savent désormais que l'entreprise ne sera pas reconnaissante de leur loyauté[2] et de leur dévouement[3].* »

Laure Belot, *Le Monde*, 22/10/2002.

_____
1. Personnes responsables. 2. Fidélité. 3. Fait de s'occuper complètement de quelque chose ou de quelqu'un.

« *Pour vivre co...*
Raymond a 56 ans. Dep... contrats à durée déterminée... chômage. « *La vie de couple quand... revenus fixes, c'est impossible. Soit votre... est en CDI et il ne comprend pas vos difficult... Soit il est dans la même précarité que vous et... c'est l'enfer.* »

Florian a 23 ans. Depuis son bac, il travaille dans l'intérim, toutes missions, tous métiers (ambulancier, chauffeur livreur, manutention…). Il ne cherche pas à signer un contrat à durée indéterminée. « *Le CDD, pour le moment, c'est un choix, dit-il. Je ne sais pas encore ce que je veux faire. L'intérim me permet de trouver ma voie. Je suis seul à m'assumer, j'ai la Sécu, ça ne me gêne pas. Mais si j'ai un enfant, si je trouve le métier qui me plaît, il me faudra un CDI.* » C'est le grand écart croissant : la précarité ne cesse de progresser dans le monde du travail alors que la société reste pensée pour le CDI. En 2004, les bonnes vieilles valeurs ont toujours la cote[1] : la famille et les enfants sont aux yeux des Français le plus important d'une vie […] mais pour avoir des projets, vivre en couple, avoir des enfants ou acheter un pavillon, il faut un salaire tous les mois. « *Quand vous êtes en contrat précaire, que vous êtes un intérimaire, vous ne pouvez faire aucun projet, même dans l'avenir proche* », explique Raymond.

D'après « Une vie sans projet »,
Cécile Daumas, *Libération*, 2004.

_____
1. Avoir la cote : être apprécié.

3 a Relevez dans l'article de *Libération* des mots ou des expressions correspondant à :
un contrat à durée déterminée / un contrat à durée indéterminée / la Sécurité sociale / un travail intérimaire / le baccalauréat

b Observez-les et indiquez les deux procédés utilisés.

c Complétez la liste avec des mots ou des expressions similaires lus dans l'article du *Monde*, entendus dans l'interview ou que vous connaissez déjà.

S'entraîner

4 C'est pas la joie !
Voici quelques paroles entendues lors d'un débat sur la précarité et le stress au travail. Complétez avec un sigle ou une abréviation.
1 Moi, j'en ai marre des … ! C'est toujours pareil. Vous travaillez six mois, et après, on vous dit qu'on n'a plus besoin de vous. C'est pas normal. **2** Faire venir des … dans l'entreprise, c'est une bonne idée. Mais est-ce qu'on va ensuite tenir compte de leurs conseils ? Je n'y crois pas ! **3** Ça fait trois mois que je suis en arrêt maladie pour dépression et je n'ai encore rien reçu de la … ! **4** L'… ? J'y vais régulièrement, mais franchement, jusqu'à maintenant, ils ne m'ont jamais rien proposé d'intéressant !

5 Heureux au boulot ? 🎧
Écoutez les phrases et dites si elles expriment la déception ou l'indifférence.

Écrire

6 Le courrier des lecteurs.
Vous venez de lire l'article de *Libération* et vous vous reconnaissez dans le témoignage de Raymond ou de Florian. Envoyez une lettre au courrier des lecteurs du journal pour raconter votre témoignage et exprimer vos sentiments sur votre situation de précarité.

VOCABULAIRE

Les sigles et les abréviations
Pour s'exprimer de façon plus condensée, on utilise souvent des sigles ou des abréviations.

● Un **sigle** est une suite de lettres majuscules, initiales d'un groupe de mots. En général, pour prononcer ces mots, on les épelle :
*l'**ANPE** = l'Agence nationale pour l'emploi*

● Une **abréviation** est un mot dont on ne garde que la première ou les deux premières syllabes. Le mot tronqué appartient le plus souvent au registre familier :
***sympa** = sympathique ; **manif** = manifestation ; **perso** = personnel*

UNITÉ 5

1 Lisez ... s Province.

a Répondez ... questions suivantes.

1 Quels changements professionnels et privés la personne voulait-elle effectuer ? **2** Quelle solution a-t-elle trouvée ? **3** Qu'est-ce qui a rendu possible ce changement ? **4** Quelle est la conclusion des personnes qui ont choisi le même mode de vie ? **5** Quels sont les avantages procurés par cette façon de travailler ?

b Écoutez la première interview et trouvez le point commun avec l'article précédent. 🎧

c Réécoutez et notez les informations concernant : 🎧

1 les lieux de travail ; **2** les outils de travail ; **3** les avantages.

2 Écoutez le deuxième enregistrement et indiquez quel énoncé le résume. 🎧

a On a longtemps pensé que les Français n'allaient plus se déplacer au bureau pour travailler. En fait, ils y vont toujours et préfèrent séparer complètement leur vie privée de leur vie professionnelle. **b** Contrairement aux prévisions, les gens ne travaillent pas uniquement à leur domicile. En revanche, les limites entre la vie privée et la vie professionnelle se sont modifiées.

2 Pourquoi pas vous ?

1 Lisez les deux témoignages ci-dessous sur ce nouveau mode de vie. Repérez pour chacun :
a les raisons du choix ; **b** ce qui a rendu possible ce changement ; **c** l'impact de ce changement sur leur vie.

Paris province

À l'approche de la trentaine, Rudy Spiessert attendait son premier enfant. Une bonne occasion pour quitter Paris. Mais ce directeur artistique [...] n'avait aucune envie de lâcher[1] son poste, ses collègues et ses budgets stratégiques. Insoluble ? Loin de là. Rudy a proposé à son manager de continuer à travailler deux jours par semaine à l'agence et le reste du temps en Bretagne, où il comptait émigrer, grâce au télétravail et à Internet. [...] Son manager a accepté, mais lui a imposé une période de test de trois mois. Pour voir. [...]

À l'image de Rudy Spiessert, ceux qui ont répondu à « l'appel de la luzerne[2] » ne sont pas prêts à faire marche arrière. Pour la grande majorité d'entre eux, le bilan est positif. Tous évoquent avec des étoiles dans les yeux leur qualité de vie, le bonheur des enfants, les loisirs plus accessibles, les prix de l'immobilier moins élevés, la proximité de la nature. Cerise sur le gâteau[3] : un niveau de stress bien moindre.

L'Express, 8 janvier 2004.

1. Quitter. 2. Plante cultivée à la campagne.
3. Avantage supplémentaire.

2 Pour les informations a et c, identifiez les sentiments et les réactions exprimés à cette occasion.

3 Observez les modes et les temps utilisés pour exprimer ces sentiments. Justifiez leur usage.

Page d'accueil   Apple   iTools   Assistance Apple   Apple Store   Produits destinés aux ordinateurs Macintosh   Microsoft Office   Internet Explorer

Favoris | Historique | Recherche | Album

> Forum : **Travailler à la maison ? Travailler sans devoir aller au bureau chaque matin ? Est-ce le choix de vie idéal ? Des réactions mitigées.**

Cécile C., Dijon

Depuis la naissance de mon troisième enfant l'année dernière, j'avais beaucoup de mal à concilier mon travail de traductrice et ma vie familiale. J'avais peur que mes enfants soient frustrés. J'ai donc demandé à mon employeur de travailler quelques jours par semaine à la maison. Et, à présent, je suis la plus heureuse des femmes.

Ahmed B., Bayonne

Depuis un certain temps, je souhaitais changer de rythme de vie et, dernièrement, ma boîte m'a proposé de travailler moitié au bureau moitié à la maison. J'ai bien sûr sauté sur l'occasion ; mais voilà, je ne suis pas sûr que ce choix ait été le bon. En effet, mon employeur exige que je fournisse plus de travail et je suis de plus en plus stressé.

Illustration Works.

GRAMMAIRE

Les valeurs du subjonctif

On utilise le mode subjonctif quand on exprime :

• **une obligation, une nécessité**
*Il fallait absolument que nous **choisissions** un autre mode de travail.*

• **un souhait, un désir**
*Il aimerait bien que vous **fassiez** tout ça chez vous ce week-end.*

• **un doute**
*Je ne pense pas qu'il **puisse** travailler de cette façon.*

• **une crainte**
*Elle avait peur que ce **soit** difficile à gérer.*

▌ Au subjonctif, les deux sujets de la phrase doivent être différents.

Le subjonctif passé

• **Formation**
Le subjonctif passé se forme avec l'auxiliaire *avoir* ou *être* au présent + le participe passé du verbe :
*Je suis content que tu **aies obtenu** ce poste.*

• **Emploi**
Le subjonctif passé exprime une valeur d'accompli et s'utilise pour une action accomplie dans le passé ou dans l'avenir :
*Il faut que vous **ayez terminé** avant ce soir !*
*Je crains que ce choix n'**ait** pas **été** le bon.*

❹ Des messages en pagaille.
À partir des notes ci-dessous, faites des phrases, comme dans l'exemple.

▶ *Exemple : Bravo ! Je suis vraiment content que tu aies eu ce travail !*

Le plombier passera demain.
→ mais pas sûr

Bravo pour ton nouveau travail !

Appeler M. Leduc avant 17 heures.

STP, peux-tu ranger la maison ?
→ Mon chef vient dîner.

☺ Mélissa et Luc ont eu une petite fille !!

S'entraîner

❸ Entre nous.
Mettez les verbes du dialogue aux temps et aux modes qui conviennent.

– Alors, tu es heureux qu'ils te … (faire) cette proposition ?

– Ben, je ne sais pas encore. Je ne suis pas sûr que ce type de travail me … (convenir).

– Mais si, tu vas voir, je suis sûre que ça te … (plaire) !

– Oui, mais maintenant, il va falloir que nous … (s'organiser) différemment.

– En tout cas, je suis persuadée qu'on … (être) moins stressés quand on aura quitté Paris.

– Hum, hum. Mais j'ai peur que nous … (perdre) le contact avec nos amis.

– Oh ! là, là ! Quel pessimiste ! Il suffira juste qu'on les … (voir) le week-end. Ça peut les intéresser, un week-end à la campagne, non ?

Parler

❺ Hésitations.
Vous êtes salarié(e) dans une entreprise et vous souhaiteriez changer de rythme de travail. Vous n'êtes pas encore complètement convaincu(e) par les avantages du télétravail. Vous téléphonez à un(e) ami(e) qui travaille ainsi depuis quelques mois. Jouez la scène avec votre voisin(e).

J'ai vu ce matin une jolie
         rue dont j'ai oublié le nom
Neuve et propre du soleil elle était le clairon[1]
Les directeurs les ouvriers
         et les belles sténodactylographes
Du lundi matin au samedi soir
         quatre fois par jour y passent
Le matin par trois fois la sirène y gémit
Une cloche rageuse y aboie vers midi
Les inscriptions des enseignes et des murailles
Les plaques les avis à la façon
         des perroquets criaillent
J'aime la grâce[2] de cette rue industrielle
Située à Paris entre la rue Aumont-Thieville
         et l'avenue des Ternes

Guillaume Apollinaire, extrait de « Zone »,
© Alcools, Gallimard, 1913.

1. Instrument de musique. 2. Le charme.

GRAMMAIRE

Les propositions temporelles

• Pour exprimer **l'antériorité** de l'action par rapport à une autre, on utilise
avant de + infinitif ou avant que + subjonctif :
Nous en avons beaucoup parlé avant que je ne prenne une décision.

• Pour exprimer **la simultanéité** entre deux actions, on utilise pendant que/quand + indicatif :
Pendant que vous serez là-bas, tout est prévu pour vous venir en aide.

• Pour exprimer **la postériorité** de l'action par rapport à une autre, on utilise après + infinitif passé ou après que + passé composé de l'indicatif :
Après avoir terminé ma journée de travail, j'ai le temps de faire des activités.

❗ On utilise de plus en plus le subjonctif avec après que bien qu'il s'agisse d'un fait réel.

❗ En cas de sujet identique, avant et après sont suivis d'un infinitif.

• Pour indiquer **l'origine ou la limite** d'une action dans le temps, on utilise :

– depuis que/dès que + indicatif
Depuis que je travaille moins, je vais mieux.

– jusqu'à ce que + subjonctif présent ou passé
J'ai toujours été habitué à travailler jusqu'à ce que je prenne la décision de tout arrêter.

Voyagez autrement • Voyagez autrement • Voyagez autrement

Apple Store   Produits destinés aux ordinateurs Macintosh   Microsoft Office   Internet Explorer

Vous rêvez de prendre une année sabbatique, de quitter provisoirement votre boulot, d'allier l'utile à l'agréable ?

Alors lisez ce qui suit :

Voyagez autrement vous offre la possibilité d'occuper cette année de congé de façon rentable et solidaire, pour vous et pour les autres. Pour tous ceux qui veulent partir à l'étranger à moindres frais en mettant leurs compétences professionnelles au service de populations défavorisées, nous présentons ici les différentes étapes à suivre pour préparer ces voyages. Pour découvrir nos programmes, laissez-vous guider !

>> Avant de partir avant le départ

Tout d'abord, vous devez organiser votre voyage. Vous avez plusieurs démarches administratives à effectuer pour vous préparer à cette nouvelle expérience jusqu'à ce que, enfin, vous puissiez prendre le large ! Pour voir ce qui vous attend, cliquez sur... Plus >>

Pendant que vous voyagez >> durant le voyage

Enfin, ça y est ! Vous *voyagez autrement,* vous vivez une expérience fantastique, en contact direct avec la population et depuis que vous êtes parti, vous partagez des moments intenses. Voici les différentes composantes de votre programme à l'étranger. ... Plus >>

Après le retour << après être rentré

Après être rentré de votre périple, vous avez gardé des souvenirs fantastiques et des contacts avec vos nouveaux amis. Nous vous proposons de mettre à profit votre expérience avant que... vous ne repartiez avec nous. Plus >>

Comprendre

❶ Signes des temps.

1 Lisez le poème et indiquez :
   a le nom de l'auteur et la date de sa création ;
   b le lieu et le moment où se déroule la scène ;
   c l'idée du travail que se fait l'auteur.

2 Relisez le poème et notez toutes les informations qu'il apporte sur le rythme et la durée du travail à cette époque.

3 Lisez l'article de *Francoscopie*.

a Dites si les affirmations suivantes sont vraies ou fausses.

1 En 2001, environ un tiers des Français a consacré davantage de temps aux loisirs. **2** Globalement, les Français qui profitent de la RTT pratiquent les mêmes activités, mais plus sereinement. **3** Les journées de travail sont plus courtes et s'organisent différemment. **4** La diminution du temps de travail a permis de développer les activités touristiques de longue durée (une semaine).

b Rapprochez les dates de parution du poème et celles de l'article. Quelle a été l'évolution de la durée du temps de travail entre ces deux dates ?

L'EFFET 35 HEURES

Seuls 38 % des actifs (soit 10 millions de personnes) étaient soumis à la réduction du temps de travail à 35 heures en 2001. 32 % des Français estimaient en mars 2001 [...] qu'ils pourraient grâce à la RTT avoir plus de temps pour les loisirs [...].

Dans la pratique, on observe que la RTT n'a pas jusqu'à maintenant transformé véritablement la nature des activités pratiquées, ni la répartition des tâches au sein des foyers. Beaucoup de Français ont jusqu'ici surtout utilisé le temps gagné à des activités qu'ils pratiquaient déjà. Beaucoup ont fait les mêmes choses, mais plus lentement, dans le but d'en profiter davantage ou de ne pas subir le stress.

La RTT a cependant allongé certaines activités domestiques

(bricolage, jardinage, ménage...) et donné notamment aux femmes la possibilité de lire, d'écouter de la musique et de « s'occuper de soi ». Les hommes ont accru leur pratique sportive et celle des loisirs sur micro-ordinateur. [...] Sur le plan professionnel, les salariés ont tendance à contracter la journée de travail, avec des pauses réduites et un temps de déjeuner plus court. [...]

Enfin, les déplacements de loisirs ont été favorisés. C'est le cas notamment des voyages de court séjour (moins de quatre jours). La SNCF et les loueurs de voitures ont enregistré une forte croissance des réservations le jeudi soir.

Gérard Mermet, *Francoscopie 2003*,
© Larousse/VUEF 2002.

---

2 Larguez les amarres !

1 Lisez le document, p. 60, et répondez aux questions.

a De quel type de document s'agit-il ? b Quel est son but ? c Quelle formation propose-t-il ?

2 a Relisez les titres des trois paragraphes et choisissez pour chacun une expression de sens équivalent dans la liste suivante.

durant le voyage / après être rentré / de retour / dès le départ / avant le départ / avant que vous soyez arrivé

b Relisez les différentes parties du document.

1 Paragraphe 1 : Notez la phrase qui renseigne sur la durée des démarches. 2 Paragraphe 2 : Notez la phrase qui indique que l'aventure pleine de richesse a commencé aux premières heures du voyage. 3 Paragraphe 3 : Notez la phrase qui indique que l'expérience vécue peut être renouvelée.

3 À partir de la sélection faite, identifiez les constructions, les modes et les temps des verbes utilisés pour exprimer, par rapport à l'action principale :
la simultanéité / la postériorité / la limite / l'origine / l'antériorité.

S'entraîner

3 Congé sabbatique.
Patricia M. est partie avec *Voyagez autrement*. Une fois rentrée, un journaliste l'interroge sur son expérience. Complétez le dialogue avec des propositions temporelles.

– Vous êtes partie plusieurs mois en Afrique pendant votre congé sabbatique. Pouvez-vous nous raconter ?

– Oui, ... partir, j'ai dû adhérer à l'association et faire quelques vaccinations. Ils se sont occupés du reste.

– Et ensuite, que s'est-il passé ?

– ... je suis arrivée au Botswana, ils m'ont assistée. Et je dois dire qu'ils ont vraiment été présents ... je reparte.

– Est-ce que, ... vous étiez là-bas, vous avez, à un moment ou à un autre, regretté d'être partie ?

– Jamais ! ... avoir partagé une telle expérience, ce n'est pas possible.

– ... vous avez fait cette expérience, est-ce que votre vie a changé ?

– Je crois que oui. On ne peut pas être aussi indifférent aux autres ... avoir constaté à quel point nous sommes privilégiés ici !

– Pour conclure, que pourriez-vous dire ?

– ... je parte, ma vie était triste, maintenant, elle a changé. En mieux !

Parler

4 Le temps de savoir.
Avec votre voisin(e), répondez aux questions.

1 Dans votre pays, quelle est la durée hebdomadaire du temps de travail et celle des congés payés ? 2 Existe-t-il dans votre pays des mesures en vue de diminuer la durée hebdomadaire du temps du travail ? 3 Pensez-vous que la réduction du temps de travail soit souhaitable et pourquoi ? 4 Si vous aviez plus de temps libre, que feriez-vous ? 5 Si vous pouviez bénéficier d'une année sabbatique, à quoi emploieriez-vous ce temps ?

Office de tourisme de Pont-Aven
Place de l'Hôtel-de-ville
29930 Pont-Aven

Blois, le 23 octobre 20…

Objet : demande d'informations

Madame, Monsieur,

Grâce à un article paru le 2 octobre dernier sur le site comite-dentreprise.com dans la rubrique « Courts séjours », j'ai pu découvrir l'intérêt touristique de votre ville. Secrétaire du CE de mon entreprise, je suis chargé d'organiser un voyage de quatre jours pour une partie de notre personnel. Je m'adresse donc à vous pour obtenir des informations supplémentaires.

Le groupe qui va pouvoir bénéficier de cette opportunité est composé d'une vingtaine de personnes (dont un handicapé). Il s'agit pour ces collègues de pouvoir se détendre dans un cadre agréable. De plus, certains souhaitent profiter de cette pause pour mieux connaître les spécificités de Pont-Aven. Plusieurs membres de notre groupe sont des amateurs de peinture. Est-il possible de trouver un moyen pour qu'ils puissent pratiquer leur loisir favori ? Certains aimeraient également pouvoir visiter une entreprise qui fabrique les fameuses galettes de Pont-Aven. Pensez-vous que cela soit possible ? Pourriez-vous nous proposer quelques activités culturelles et gastronomiques ?

Nous avons aussi besoin d'un hébergement à l'hôtel en demi-pension pour trois nuits. Notre budget est de 250 € par personne pour les quatre jours. Existe-t-il dans votre ville des hôtels qui pourraient recevoir une vingtaine de personnes (les membres de notre groupe souhaitent rester ensemble) ? Pourriez-vous m'envoyer un dépliant ainsi qu'une lettre précisant les points ci-dessus ?

Dans l'attente de votre réponse, je vous prie, Madame, Monsieur, d'agréer mes salutations distinguées.

Le secrétaire du comité d'entreprise,
Paul Bonin

P. Bonin

BrillauxFrères

Comité d'entreprise
3, rue d'Alès – 41000 Blois
Tél. : 02 54 87 54 65

Repérer

❶ Informations.

1 Lisez la lettre et associez chaque élément à l'une des parties de ce courrier :

a la formule d'appel (à qui on s'adresse) ; **b** le corps de la lettre (le développement) ; **c** le nom et les coordonnées de l'expéditeur ; **d** la signature de l'expéditeur et son titre ; **e** le nom et les coordonnées du destinataire ; **f** la formule de politesse ; **g** le motif de la lettre ; **h** le lieu et la date d'expédition de la lettre.

2 Relevez dans la lettre :

a le document qui a inspiré ce courrier ; **b** le rôle de Paul Bonin ; **c** le type d'activités souhaitées par les participants ; **d** le nombre de repas qui seront pris à l'hôtel.

❷ Un petit coin de paradis.
Lisez le dépliant touristique et répondez aux questions suivantes.

1 Quel est le peintre qui a rendu célèbre Pont-Aven ? **2** Où les bénéficiaires du voyage pourront-ils exercer leurs talents artistiques ? **3** Dans quel hôtel pourront-ils séjourner ? Pourquoi ?

❸ La tête dans la lune.

1 M. Bonin a oublié des informations importantes sans lesquelles l'employé de l'office de tourisme ne peut lui répondre. Faites la liste des éléments manquants.

2 L'employé de l'office de tourisme téléphone à M. Bonin pour lui demander ces informations. Jouez la scène à deux.

Paul Gaugin, *Paysage à Pont-Aven* (1888)

L'art à Pont-Aven

Le musée de Pont-Aven
Place de l'Hôtel-de-ville
29930 Pont-Aven
Tél. : 02 98 06 14 43
Exposition *Kenavo
monsieur Gauguin*

Galerie ARCADEL
15, rue du Port
29930 Pont-Aven
Tél. : 02 98 06 17 66
Ouvert toute l'année,
tous les jours de 10 h 30
à 19 h 30.
Cours et stages toute
l'année, initiation et
perfectionnement – Formule
à la semaine, week-end,
journée et demi-journée.

Nos spécialités

Depuis des décennies,
les boulangers de Pont-Aven
fabriquent des galettes.
Deux fabricants sont établis
à Pont-Aven.

Les délices de Pont-Aven
Kergazuel,
29930 Pont-Aven
Tél. : 02 98 06 05 87
Visites possibles sur
rendez-vous.

Biscuiterie Traou Mad
Kergazuel
29930 Pont-Aven
Tél. : 02 98 06 01 03
Internet : www.traoumad.com

Les hôtels de Pont-Aven

Les Ajoncs d'Or **
1, place de l'Hôtel-de-ville
29930 Pont-Aven
Tél. : 02 98 06 02 06
Situé au centre-ville, l'hôtel a 20 chambres
confortables avec bains, un restaurant offrant
des menus à prix fixes ainsi qu'à la carte.
Fermeture annuelle : 10/01 au 02/02.
Fermé dimanche soir et lundi sauf sur
réservation. Parking public, terrasse,
salle de réunion, TV.

Le Roz Aven ***
11 quai Théodore-Botrel, 29930 Pont-Aven
Tél. : 02 98 06 03 89
Au bord de la rivière, 24 chambres avec
salles de bains ou de douche, accès
handicapés, bar, restauration, vue sur le
port, accueil groupes (30 personnes).

Réaliser

4 Précisions.
Vous êtes l'employé de l'office de tourisme qui
a parlé avec M. Bonin au téléphone. Vous lui
écrivez une lettre pour lui rappeler les
informations dont vous avez besoin pour
préparer le séjour.

5 Impressions.
Vous êtes allé(e) passer trois jours à Pont-
Aven avec votre entreprise. Vous écrivez une
carte postale collective à vos collègues qui ne
sont pas partis pour leur faire part de vos
impressions sur ce voyage.

6 L'heure du bilan.
Après le séjour à Pont-Aven, le comité
d'entreprise organise une réunion pour que
chacun puisse donner son avis. Choisissez un
rôle. Donnez votre opinion et proposez des
améliorations pour le prochain séjour.
Réagissez aux propos de vos collègues.

Paul Bonin, 35 ans, secrétaire du CE. Il pense qu'il
est plus facile de critiquer que d'organiser quelque
chose.

Mireille Moisain, 48 ans, trésorière. Elle trouve
que le séjour a coûté un peu cher cette année.

Félix Gardeau, 28 ans. Il a beaucoup à dire sur
l'organisation du voyage en général.

Théophile Marceau, 56 ans. Il a gardé un souvenir
inoubliable de cette escapade.

BILAN

① Crise en entreprise.
Dites si ces phrases expriment une nécessité, un doute, un désir ou une crainte.

1 Il tremble vraiment à l'idée que sa proposition soit rejetée par son employeur.
2 On doit pouvoir refuser de tels horaires de travail ?
3 Il faudrait vraiment que les salariés puissent faire des heures supplémentaires ce soir.
4 Les salariés doivent réussir à se mettre d'accord avec leur employeur.
5 Ce serait étonnant que des négociations s'engagent après de tels désordres.

② Ma boîte.
Transformez les phrases en utilisant le subjonctif présent ou l'infinitif présent.

▶ *Exemple : Passe au bureau. C'est plus pratique.*
→ *C'est plus pratique que tu passes au bureau.*

1 Dis-moi franchement ce que tu penses de cette boîte. Vraiment, il le faut.
2 Vous me mettez dans une situation impossible. J'ai très peur de ça.
3 Elle est arrivée en retard. Il le regrette.
4 Il n'est plus possible de changer de plan. Il en a peur.
5 L'audit des psys n'a vraiment rien changé. C'est dommage !

③ Bonnes nouvelles.
Remplacez le nom souligné par un verbe au subjonctif.

▶ *Exemple : Il a enfin obtenu une augmentation de salaire.*
→ *Il a obtenu que son salaire soit augmenté.*

1 Les vacataires ont attendu la signature de leur contrat.
2 Ils se sont battus pour la reconnaissance de leur travail.
3 Les jeunes exigent avant tout une bonne rémunération de leur travail.
4 Les syndicats ont demandé la titularisation des intérimaires.

④ Marche à suivre.
Complétez les paroles du conseiller de l'ANPE et mettez le verbe au mode qui convient.

1 Avant de (venir) au rendez-vous, assurez-vous d'avoir tous les documents nécessaires.
2 Vous devez venir ici régulièrement jusqu'à ce que vous (trouver) un nouvel emploi.
3 Nous vous aiderons pendant que vous (faire) vos recherches auprès des entreprises.
4 Après (remplir) les documents, vous allez passer une série de tests.
5 Avant que notre entretien (se terminer), avez-vous d'autres questions à me poser ?

⑤ Actions.
Reliez les deux actions par des propositions temporelles. Puis, faites des phrases comme dans l'exemple.

▶ *Exemple : Les employés/sortir du bureau – aller se détendre.*
→ *Après être sortis du bureau, les employés sont allés se détendre.*

1 Paul/quitter son emploi – partir faire le tour du monde.
2 Les chômeurs/manifester – obtenir une prime pour Noël.
3 Elles/aller souvent à l'ANPE – trouver un emploi.
4 Pascale/travailler moins – être moins stressée.
5 Les gens/partir en week-end – se sentir mieux.

⑥ Soyons bref.
Lisez le courriel et remplacez, quand c'est possible, les mots ou les expressions par un sigle ou une abréviation.

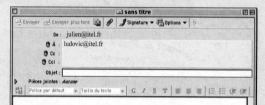

> Ludovic,
> Il faut que je te raconte quelque chose d'un peu personnel. Tu sais, depuis mon baccalauréat, j'ai toujours galéré entre les boulots en contrat à durée déterminée (genre livreur de pizzas) et le revenu minimum d'insertion. Je ne savais pas trop quoi faire de moi-même. J'en avais marre d'aller toutes les semaines à l'Agence nationale pour l'emploi pour rien. Eh bien, j'ai fini par aller voir un psychiatre très sympathique. Tu sais ce qu'il m'a dit ? « Vous n'êtes pas prêt pour le travail. Faites le tour du monde et après vous y verrez plus clair. » Qu'est-ce que tu en penses ? J'aimerais bien avoir ton avis.
> Julien

Unité 6

Le bonheur est dans le pré

Contenus thématiques

■ La dégradation de l'environnement urbain

■ Quelques expériences originales pour remédier
à ce phénomène

■ Le développement des attitudes « écocitoyennes »

Objectifs et savoir-faire communicatifs

■ Décrire un environnement

■ Demander des informations sur l'organisation
d'une manifestation, d'un programme de formation…

■ Évoquer des souvenirs

■ Défendre un projet

Objectifs linguistiques

■ Les figures de style

■ La place de l'adjectif

■ L'accord du participe passé des verbes pronominaux

LEÇON 21

Le blues du citadin

New York, États-Unis.

Parler

❶ Âme citadine ou esprit champêtre ?

1 a Écrivez dix mots que le mot *ville* vous évoque.

b Lisez les mots que votre voisin(e) a écrits et, devant la classe, faites son portrait.

▶ *Exemple :* Je crois que mon voisin est un vrai citadin car…

2 Avec votre voisin(e), répondez aux questions.

a Vivez-vous dans un village, une ville ou une mégalopole ? **b** Quels sont, selon vous, les avantages et les inconvénients du lieu où vous habitez ? **c** Pourriez-vous vivre dans un environnement radicalement opposé au vôtre ? **d** Comment envisagez-vous les mégalopoles de demain ?

Comprendre

❷ Enfer urbain.

1 Observez le dessin et décrivez-le. Selon vous, qu'est-ce que le dessinateur a voulu exprimer ?

2 Lisez les deux textes.

a Quel est leur point commun ?

CHAQUE JOUR, DES MILLIONS DE BIDONVILLIENS REJOIGNENT LEURS BUREAUX

PESSIN

b Relevez les sentiments ressentis par chacun des auteurs. Justifiez vos réponses.

l'enfermement / la vitalité / la solitude / le bonheur / l'insécurité / le mal-être / le manque d'humanité / le dégoût

3 Dites comment chacun des auteurs perçoit :
a la place qu'occupe la nature dans l'environnement urbain ; **b** la population de la ville.

4 Observez à nouveau le dessin et indiquez en quoi il résume les sentiments développés dans les textes.

La nature pèse si lourdement sur New York que la plus moderne des villes est aussi la plus sale. [...] Dès la fin de mai, la chaleur s'abat sur la ville comme une bombe atomique. C'est le Mal. Les gens s'abordent en se disant : « *It's a murder[1].* » Les trains emportent des millions de citadins. Ce n'est pas la ville qu'ils fuient, c'est la Nature. Jusque dans les profondeurs de mon appartement, je subis les assauts d'une nature hostile, sourde, mystérieuse. Je crois camper au cœur d'une jungle grouillante[2] d'insectes. Il y a le gémissement du vent, [...] il y a les cafards qui courent dans ma cuisine, les ascenseurs qui me donnent la nausée, la soif inextinguible[3] qui me brûle du matin au soir.

Jean-Paul Sartre, *Situations,* tome III, Gallimard 1949.

1. C'est épouvantable. 2. Remplie. 3. Impossible à éteindre.

Pluie sur New York. Elle coule inlassablement entre les hauts cubes de ciment. Bizarre sentiment d'éloignement dans le taxi dont les essuie-glaces rapides et monotones balaient une eau sans cesse renaissante. Impression d'être pris au piège de cette ville et que je pourrais me délivrer des blocs qui m'entourent et courir pendant des heures sans rien retrouver que des nouvelles prisons de ciment sans l'espoir d'une colline, d'un arbre vrai ou d'un visage bouleversé. [...]

Pluies de New York. Incessantes, balayant tout. Et dans la brume grise les gratte-ciel se dressent blanchâtres comme les immenses sépulcres[1] de cette ville habitée par les morts. [...]

Terrible sentiment d'abandon. Quand même je serrerais contre moi tous les êtres du monde, je ne serais défendu contre rien.

Albert Camus, *Journaux de voyage,* Gallimard, 1978.

1. Tombeaux.

❸ Le pouvoir des mots.
1 a Lisez à nouveau les textes et repérez les mots ou les expressions qui décrivent :
1 la chaleur ; 2 l'humidité.

b Indiquez de quelle manière les auteurs renforcent cette idée de chaleur ou d'humidité.

2 Relevez, dans le texte de Camus, les mots ou les expressions utilisés pour décrire les immeubles. Dites ce que chacun de ces mots ou expressions suggère.

3 Relevez dans les deux textes d'autres images de ce type et dites ce qu'elles évoquent.

4 Voici quelques évocations de la ville entendues à la radio.
a Écoutez-les et relevez les expressions imagées. 📞

b Indiquez si chacune de ces expressions suggère une idée :

1 de mouvement important ; 2 de petite quantité ; 3 d'accumulation ; 4 de chute en grosse quantité.

S'entraîner

❹ Paroles de citadins.
Remplacez les mots soulignés par l'un des termes suivants.

une montagne / une vague / un brin / une avalanche

1 Avec un peu d'idée, on peut rendre les villes plus humaines. C'est évident ! **2** Certains quartiers ont vu se développer un véritable mouvement de solidarité entre voisins. **3** Les élus n'ont rien fait pendant des années. Alors, maintenant, on se retrouve forcément devant un grand nombre de problèmes. **4** Quand j'ai décidé de fermer le centre-ville aux voitures, j'ai reçu une quantité incroyable de courriers de protestation.

❺ C'est un peu dur ! 📞
1 Écoutez les mots et dites s'ils sont identiques ou différents.

2 Écoutez les phrases et dites quel sentiment la personne exprime : nostalgie ou colère ?

VOCABULAIRE

Les figures de style

Pour illustrer ou renforcer une description, on utilise souvent des termes et des expressions imagés. Pour cela, on peut procéder :

● par **comparaison** ou selon un **rapport de ressemblance** :
*Mon appartement est **comme une prison**.*
*Ce jour-là, il tombait **des cordes** sur New York.*

● par **exagération** :
*Il avait, chaque jour, **cent mille** problèmes !*

● par **contraste** :
La plus moderne des villes est aussi la plus sale.

● par la répétition d'un terme ou d'une structure
***Toujours plus** sombres, **toujours plus** lourdes, **toujours plus** tristes, les journées n'en finissaient pas de s'étirer.*

▌ On peut combiner plusieurs procédés.

Jardins extraordinaire

Mauvaise Herbe !

Du 23 mai au 19 octobre 2003

Du festival au château, en passant par les jardin[...] permanents et les expositions temporaires, il y [...] beaucoup à faire à Chaumont-sur-Loire cette anné[...] Nombreux sont ceux qui passent ici une journé[...] entière. Voici quelques repères pour mieux prépare[...] votre visite.

Informations pratiques

Le 12e Festival international des jardins est ouvert tou[...] les jours de 9 h 30 à la tombée de la nuit, san[...] interruption, du 23 mai au 19 octobre 2003.
La visite du festival nécessite environ trois heures. Ma[...] vous pouvez toujours décider de tout voir au pas d[...] course… Vous pouvez aussi agrémenter votre parcour[...] d'une halte gastronomique aux restaurants du festiva[...] l'enrichir par la visite des jardins permanents, du châtea[...] ou du parc historique.

Quand visiter le festival ?

Le festival est constitué de jardins et évolue donc a[...] cours des cinq mois d'ouverture. Il n'a pas le mêm[...] aspect en début de saison et fin septembre. Nous vou[...] conseillons de venir le matin (il y a moins de monde) [...] en fin de journée (c'est alors que les odeurs sont le plu[...] pénétrantes).

École et jardins

Le service pédagogique du conservatoire a mis au poin[...] une série de visites et d'ateliers spécialement conçu[...] pour les enfants : découverte tactile du jardin, peti[...] marche rigolote pour pieds sensibles, promenade d'u[...] papillon en dix photos, jardin extraordinaire à imagine[...] De mai à octobre et de la maternelle au lycée, l[...] conservatoire ouvre aux classes les portes du jardi[...] pour apprendre, découvrir, réfléchir, partager, rêver…

Comprendre

❶ Mauvaise herbe !

1 Observez l'affiche publicitaire et répondez.
a Quel type de manifestation cette affiche présente-t-elle ? **b** Que sait-on sur cette manifestation ? **c** Quelles informations supplémentaires aimeriez-vous obtenir ?

2 a Écoutez l'enregistrement et indiquez qui sont les deux personnes, au téléphone. ☏
b Relevez les réponses aux questions que vous avez posées dans l'exercice 1c.

3 Pour ne rien oublier, Mme Plat a noté les questions suivantes avant de téléphoner au conservatoire.
Écoutez à nouveau l'enregistrement et répondez aux questions. ☏

- Fin du festival ?   - Comment réserver ?
- Horaires d'ouverture ?   - Tarifs ?
- Durée de la visite ?   - Visites guidées ?
- Possibilité de pique-niquer sur place ?

4 Lisez la brochure du festival. Quelles sont les deux rubriques qui contiennent le plus d'informations pour Mme Plat ?

❷ Le livre d'or du festival.

1 Lisez les commentaires p. 69.
Dites si les personnes sont assez satisfaites, satisfaites, très satisfaites. Justifiez votre choix.

2 a Pour exprimer leur opinion, ces trois personnes ont utilisé beaucoup d'adjectifs. Relevez-les et classez-les.
adjectifs placés avant le nom **/** après le nom
b Relevez les adjectifs employés dans la brochure du festival et complétez la liste.
c Choisissez la bonne réponse et complétez.
– En général, les adjectifs sont placés avant **/** après le nom.
– Certains adjectifs comme :
joli, … ≠ laid, … ≠ …, … ≠ …, … ≠ ancien, jeune ≠ vieux, sont placés avant **/** après le nom.

S'entraîner

❸ Revue de presse.
Mettez les adjectifs avant ou après les noms soulignés. Accordez si nécessaire.
1 (beau) Le festival de Chaumont a douze ans. Quelle <u>réussite</u> ! **2** (brésilien) Rencontre avec le <u>paysagiste</u> Roberto Burle-Marx. **3** (fantastique) Bienvenue dans le monde des <u>jardins</u> ! **4** (nouveau – prochain) Trente <u>artistes</u> participeront à l'<u>édition</u>, en 2004. **5** (réussi) Chronique d'un <u>festival</u>.

Le Festival International des Jardins de Chaumont-sur-Loire a 12 ans :

Mauvaise Herbe !

23 mai - 19 octobre 2003

Le paysage et la ville

Après le succès des formations sur le thème des fleurissements urbains, le centre de formation innove en 2003 avec un nouveau cycle de formations sur l'aménagement de la ville. Ces formations s'adressent aux chargés de mission, élus, décideurs ; elles permettent de mieux analyser les rapports entre le paysage et la ville.

Prix individuel : 8 € – Tarifs groupes et réduits : 6,50 €
Tarifs enfants (de 8 à 12 ans) : 3,20 € – Jusqu'à 8 ans : gratuit

Pour le programme détaillé de nos formations,
demandez le catalogue.
Tél. : 02 54 20 99 22
www.chaumont-jardins.com

GRAMMAIRE

La place de l'adjectif

- En général, l'adjectif est placé **après le nom** :
  *une journée **entière**, les informations **pratiques***

- L'adjectif est **toujours** placé **après le nom** quand il s'agit d'un participe passé utilisé comme adjectif, d'un adjectif de nationalité, de couleur ou d'un adjectif suivi d'un complément :
  *le programme **détaillé**, un jardin **anglais**, une plante **verte**, un endroit **agréable** à visiter*

- Certains adjectifs sont, en général, placés **avant le nom** :
  bon/mauvais, beau, joli/laid, petit/grand, jeune/vieux, nouveau/ancien, prochain/dernier
  sauf quand il s'agit d'une date :
  C'est l'année prochaine.

- L'adjectif peut changer de sens selon sa place, avant ou après le nom :
  ***un jeune artiste** = un artiste qui débute*
  ***un artiste jeune** = un artiste qui n'est pas très âgé*

Livre d'or

Extraordinaire ! Et quelle belle idée d'avoir choisi le thème des mauvaises herbes, cette année ! Nous avons tout particulièrement adoré le Petit Cabaret des oiseaux, un lieu plein de poésie. C'est sûr, nous reviendrons l'année prochaine.
Maurice et Olga D., 12/08/03

Visite intéressante. Nous avons passé un bon moment. Dommage qu'il n'y ait pas de tarif réduit pour les personnes âgées.
A. Manigand, 13/08/03

Ah ! Quel bonheur de quitter la ville, les embouteillages, la grisaille pour se retrouver dans cet endroit agréable à visiter ! Tous les paysagistes qui ont participé à ce festival sont vraiment dotés d'une bonne dose d'imagination. Merci à tous.
Louisa Tomasso (Paris), 13/08/03

Parler

4 **Demande d'informations.**
Choisissez un des trois personnages suivants. Repérez, dans la brochure du festival, les informations qui peuvent intéresser ce personnage. Puis, avec votre voisin(e), imaginez le dialogue entre cette personne et le/la responsable du service commercial du festival de Chaumont-sur-Loire.
1 Alice Simonnet, deux enfants (7 et 11 ans) – Nantes. Elle déteste la foule. **2** Xavier Guégan, 37 ans, professeur d'histoire dans un lycée – Tours. **3** Philippe Viala, 45 ans, adjoint au maire, chargé de l'aménagement de l'espace urbain – Nancy.

Écrire

5 **Formations.**
Vous vous intéressez au métier d'architecte-paysagiste. À la manière du courriel p. 28, écrivez aux organisateurs du festival de Chaumont-sur-Loire pour recevoir le programme des formations.

Sur les pavés, la plage

Parler

❶ Portrait : à la plage.
Relevez, dans la liste suivante,
les deux points qui évoquent le plus
la plage, pour vous. Justifiez votre choix.
se baigner / discuter / lire / se reposer /
draguer / avoir trop chaud / bronzer / écouter
de la musique / jouer / s'ennuyer

Comprendre

❷ Châteaux de sable ou guinguette ?

1 Observez les documents 1 et 2 et dites,
pour chacun d'entre eux, de quel type de
documents il s'agit.

2 Décrivez le document 1. Puis, indiquez :
a de quelle opération il s'agit ; **b** à quel moment
elle a lieu ; **c** qui en est l'organisateur.

3 Écoutez l'interview du maire et dites si les
affirmations sont vraies, fausses ou si on ne
sait pas. ☎
a L'interview a lieu juste après l'opération Paris-
plage 2003. **b** C'est la première année que
Paris-plage existe. **c** C'est une manifestation
réservée aux Parisiens. **d** Paris-plage est surtout
destiné aux gens qui ne peuvent pas partir en
vacances. **e** À cette occasion, on peut se baigner
dans la Seine.

4 Utilisez le document 2 pour associer les
activités et les lieux. Il y a parfois plusieurs
réponses possibles.
a se reposer, dormir, bronzer **b** faire du sport
c se rafraîchir **d** lire et écrire **e** écouter de la
musique **f** danser **g** boire **h** s'informer

1 kiosque, office de tourisme **2** guinguette
3 buvette, bar **4** jeux d'eau, brumisateur,
labyrinthe d'eau **5** scène flottante **6** plage de
sable, plage d'herbe, sieste **7** atelier d'écriture,
bibliothèque **8** tai chi, escalade, rollers, beach
volley, vélo

Paris, le 16 août 2003

Marc a enfin osé m'aborder. Depuis le [temps] que j'attendais ce moment…

À la fin du cours, il a attendu que je [sois] seule et m'a proposé d'aller pique-niquer sur les quais de la Seine, aujourd'hui. [J']ai trouvé ça hyper romantique comme [idée] ! Et je dois dire que ça m'a fait plaisir.

Nous nous sommes donc donné rendez-[v]ous devant l'entrée du métro Pont-Neuf [s]ur l'île de la Cité, aux environs de 11 [h]eures, ce matin. Puis, nous sommes allés [s]ur les quais. Avec Paris-plage, il y avait malheureusement pas mal de monde. Mais bon, j'étais avec Marc et rien d'autre ne comptait…

Faute d'endroit où boire un verre, nous nous sommes installés sur la plage de sable devant le pont Notre-Dame. Assis l'un à côté de l'autre, face à l'île Saint-Louis, nous nous sommes parlé comme jamais nous ne l'avions fait auparavant. Et quand Marc m'a avoué qu'il me trouvait craquante, j'ai eu l'impression de redevenir une adolescente de quinze ans.

Finalement, nous ne nous sommes pas quittés de la journée. Et nous avons décidé de partir ensemble au festival de Chaumont ce week-end.

GRAMMAIRE

L'accord du participe passé des verbes pronominaux

- En principe, on accorde le participe passé avec le sujet :
  *Elle s'est **endormie** sur la plage.*
- Dans le cas des verbes pronominaux réfléchis ou réciproques, si *se* n'est pas COD, on applique la règle d'accord des verbes conjugués avec *avoir* :
  *Ils se sont **souri** dans le batobus.*

❸ **On s'est bien amusés !**

1 Lisez le journal de bord d'Audrey et, à l'aide du document 2, relevez les trois énoncés contenant de fausses informations.

2 Observez les trois énoncés relevés et choisissez les bonnes réponses.

Le participe passé des verbes pronominaux :
a s'accorde toujours / en général avec le sujet ;
b ne s'accorde pas quand le verbe : se construit avec *à* / est précédé d'un complément d'objet direct / est suivi d'un complément d'objet direct.

S'entraîner

❹ **Entre travail et farniente.**
Voici l'emploi du temps de Nina Calot, adjointe au maire de Paris. Racontez sa journée en employant les verbes suivants :
s'inscrire – se promener – se réunir – se partager – se téléphoner – se rencontrer.

▶ *Exemple : Pierre Sabouraud et elle se sont retrouvés à 9 heures 30 devant la guinguette.*

Mardi 22 juillet	
9 h 30	Rendez-vous avec Pierre Sabouraud (Le Parisien) devant la guinguette.
11 h	Appeler Anne Beinchet (Le Monde) pour fixer un rendez-vous.
12 h 30	Promenade/Pique-nique avec Léo (plage de sable Pont-Neuf).
15 h	Réunion avec Bertrand Delanoë et Gilles Marcant.
17 h	Inscription au cours de tai chi (Pont des Arts).

❺ **Atelier d'écriture.**
Faites l'accord du participe passé si nécessaire.

L'étoile de mer s'est retrouvé… sur l'affiche de Paris-plage. Elle s'est demandé… comment elle avait fait… . Elle est sorti… de l'affiche et elle est tombé… . Elle s'est cassé… une branche. Un enfant s'est penché… et l'a ramassé… . Ils ne se sont plus quitté… . (Marie, 11 ans, Sarcelles)

❻ **Commérage.**

1 Lisez à haute voix : combien de fois prononcez-vous le son [s] et le son [z] ?

▌ – Tu as vu, ils ont l'air fatigué ce matin…
▌ – Évidemment… Ils ne se sont pas ennuyés ce week-end ! Je les ai vus à Paris-plage !
▌ – Ensemble ?
▌ – Oui, ensemble ! Ils faisaient la sieste !
▌ – C'est scandaleux, n'est-ce pas ?

2 Écoutez le dialogue pour vérifier votre réponse.

Paris autrement

Précédente   Suivante   Arrêter   Actualiser   Démarrage   Remplissage automatic

Adresse : @ http//www.concoursparis.fr

@ Page d'accueil   @ Apple   @ iTools   @ Assistance Apple   @ Apple Store

Participez au grand concours Des idées pour Par

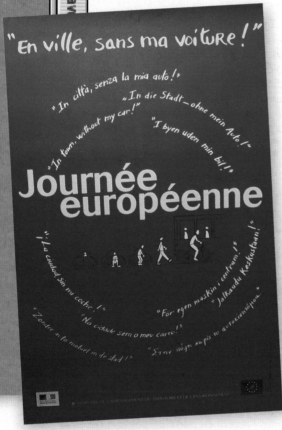

Vous avez des idées ?

L'association Bien vivre dans le 2e arrondissement
lance le concours Des idées pour Paris.
Il s'adresse à toute personne ayant des idées réalisables
et innovantes pour améliorer la qualité de vie des Parisien
Réalisables, innovantes ou simplement géniales,
ce sont peut-être vos idées qui feront le Paris de demain

**Ce concours s'attaque à un problème majeur de Par
la circulation.**

Les idées proposées doivent permettre de trouver
des moyens d'inciter les spectateurs de Paris et de banlieu
à se rendre au cinéma à Paris sans utiliser leur voiture individue

Toutes les idées sont recevables,

mais elles seront jugées en fonction des critères suivants
– originalité de l'idée,
– qualité de l'amélioration apportée,
– faisabilité de la solution.

**Les propositions doivent contenir au minimum une présenta
de l'idée, ses avantages et les conditions de sa mise en pla**

Repérer

❶ Un concours pour Paris.

1 Lisez le document puis répondez aux
questions.

a De quel type de document s'agit-il ? **b** Qui
propose cette opération ? **c** Qui peut participer ?
d Par quel moyen peut-on transmettre ses
idées et jusqu'à quelle date ?

2 Résumez le but du concours en une phrase.

3 Faites correspondre les titres suivants aux
différentes parties du document.

a informations pratiques **b** titre du concours
c critères de sélection des idées **d** but du
concours **e** appel à participer au concours

❷ On y va comment ?
Cinq personnes souhaitent se rendre au cinéma
Le Grand Rex dans le 2e arrondissement
(métro Bonne Nouvelle, lignes 8 et 9)
et demandent par téléphone à l'association
Paris-éco de leur conseiller un itinéraire sans
voiture. Observez le plan de métro et proposez
un itinéraire pour chacune des personnes.

▶ *Exemple : Laure – Pantin (Seine-Saint-Denis).*
*→ Je vous conseille de prendre le RER E jusqu'à
Magenta puis de changer pour la ligne 4 direction
Porte d'Orléans…*

1 Orel – Paris 9e – métro Pigalle (lignes 2 et 12).
2 Alexandra – RER B Antony (Hauts-de-Seine).
3 Sylvain – métro Mairie de Montreuil (ligne 9) (Seine-
Saint-Denis). **4** Martin – RER C Issy (Hauts-de-Seine).
5 Carla – Paris 15e – métro Charles Michels (ligne 10).

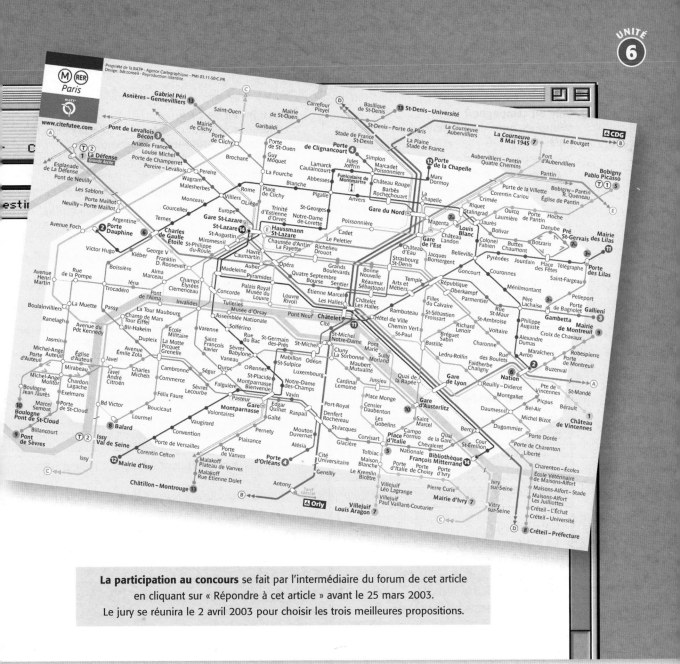

La participation au concours se fait par l'intermédiaire du forum de cet article
en cliquant sur « Répondre à cet article » avant le 25 mars 2003.
Le jury se réunira le 2 avril 2003 pour choisir les trois meilleures propositions.

Réaliser

❸ Des projets plein la tête.
Avec votre voisin(e), vous faites partie d'une association écocitoyenne. À la manière de l'association Bien vivre dans le 2e arrondissement, imaginez un concours pour améliorer votre cadre de vie. Puis, présentez votre projet à la classe.

❹ www.monprojet.com.
À la manière du document *Des idées pour Paris*, rédigez une page de présentation de votre concours sur Internet. Pour vous aider, reprenez les éléments de l'exercice 1.3.

❺ Moi, je suis pour !
Vous faites partie de l'association Bien vivre dans le 2e arrondissement. Vous vous êtes réunis pour choisir le thème de votre prochain concours. Faites la liste des thèmes possibles puis choisissez une identité. Défendez vos idées !

Mireille Jobert, 45 ans, présidente de l'association, mène les débats avec diplomatie.

Nicolas Marty 25 ans, responsable du site web de l'association, ne se déplace qu'en rollers.

Naema Bensaïd 35 ans, mère de trois enfants dont l'un est asthmatique.

Félix Blandel 30 ans, livreur chez Franprix.

Ernst Müller 65 ans, retraité suisse, compare tout avec son pays.

Le joker Imaginez votre identité et votre rôle !

Paul Bauffe 39 ans, commercial chez Citroën, ne peut pas imaginer la vie sans voiture.

BILAN

❶ Ville ou campagne ?
Mettez les mots dans l'ordre pour former une phrase.

1 moderne – me – moi – isolée – grande – je – sentir – ville – préfère – dans – habiter – pour – pas – une – ne

2 ils – de – dans – aimeraient – retapée – maison – campagne – une – vivre – vieille

3 aménager – plus – moins – il – pour – espaces – faut – verts – françaises – nombreux – rendre – tristes – les – des – villes

4 stressante – plus – ne – une – ils – pouvaient – urbaine – toujours – supporter – vie – plus

5 petit – paradis – l' – nous – campagnard – prochaine – dans – irons – un – de – année – habiter – joli – coin

❷ Coup de cœur.
Mettez les adjectifs avant ou après les noms ou expressions soulignés.

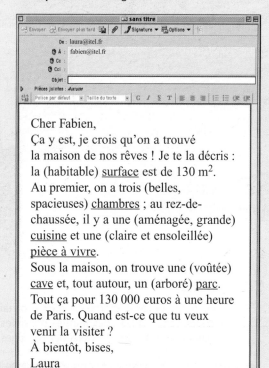

Cher Fabien,
Ça y est, je crois qu'on a trouvé la maison de nos rêves ! Je te la décris : la (habitable) <u>surface</u> est de 130 m^2. Au premier, on a trois (belles, spacieuses) <u>chambres</u> ; au rez-de-chaussée, il y a une (aménagée, grande) <u>cuisine</u> et une (claire et ensoleillée) <u>pièce à vivre</u>.
Sous la maison, on trouve une (voûtée) <u>cave</u> et, tout autour, un (arboré) <u>parc</u>.
Tout ça pour 130 000 euros à une heure de Paris. Quand est-ce que tu veux venir la visiter ?
À bientôt, bises,
Laura

❸ Le jardin de curé.
Retrouvez la bonne place des adjectifs dans la phrase. Accordez-les si nécessaire.

1 Conçu par les moines, c'est un jardin où l'on trouve des plantes. (*carré – varié*)

2 C'est aussi un endroit plein de saveurs et de parfums dans un décor. (*magique – coloré*)

3 La pierre y est souvent présente avec un puits ou un cadran. (*vieux – solaire*)

4 C'est le royaume des plantes et des abeilles. (*beau – travailleur*)

5 On y trouve aussi des plantes ou encore des roses. (*médicinal – ancien*)

❹ Un dimanche à la campagne.
Conjuguez les verbes au passé composé et accordez les participes passés si nécessaire.

1 Ils (se retrouver) à côté de la fontaine, sur la place du village.

2 Ils (se dire) qu'ils pouvaient aller au bord de la rivière.

3 Ils (se déshabiller) rapidement, puis ils (se jeter) à l'eau.

4 Ils (se baigner) pendant toute la matinée dans l'eau fraîche.

5 Ils (se sourire) puis, fatigués, ils (s'endormir) sous un arbre.

❺ Qu'est-ce qui s'est passé ?
À partir des éléments donnés, écrivez de courts articles pour raconter ce qui a changé.

1 Des citadins : se sentir mal en ville – se renseigner – se décider à partir.

2 Les villageois : s'ennuyer – se réunir – s'amuser.

3 Les visiteurs du jardin mystérieux : se poser des questions – s'y rendre – s'émerveiller.

4 Les amoureux de Paris-plage : se revoir – se disputer – se réconcilier.

5 Les éco citoyens : se plaindre – se rassembler – s'organiser.

❻ Quel tableau !
Voici le portrait du concierge de l'immeuble. Associez les éléments pour retrouver les phrases et vous comprendrez pourquoi les habitants veulent déménager !

1 Il est têtu   a comme un canard.
2 Il est bête   b comme un bouc.
3 Il pue   c comme une mule.
4 Il marche   d comme quatre.
5 Et il mange   e comme ses pieds.

ÉVALUATION

❶ Ô vieillesse ennemie ! 🔘 DELF

1 Écoutez l'enregistrement et relevez les sentiments évoqués par les personnes interrogées, à l'idée de vieillir.

a la crainte   d la nervosité   g la joie

b la colère   e l'obsession   h le bien-être

c la terreur   f le calme   i la tristesse

2 Écoutez à nouveau l'enregistrement.

a Associez chacune des devises suivantes à l'une des personnes interrogées.

1 Vieillir, c'est mourir un peu.

2 Ne plus faire partie de la population active, voilà sans doute la définition de la vieillesse.

3 Vivons l'instant présent sans penser à demain.

4 La vieillesse permet à la fois une ouverture sur soi et sur le monde.

b Indiquez dans le tableau ci-dessous ce qui caractérise la vieillesse selon ces personnes.

🙂	😐	🙁
– c'est un moment de découverte – …		

❷ Cinquante choses…

Manifestant un goût assez prononcé pour les inventaires en tous genres, l'écrivain français Georges Perec a écrit un livre intitulé *Cinquante choses que j'aimerais faire avant de mourir*, livre dans lequel il répertorie cinquante désirs ou rêves qu'il souhaiterait réaliser dans sa vie.

À votre tour, parlez avec votre voisin(e) des principaux souhaits que vous aimeriez réaliser avant de mourir. Justifiez vos réponses.

③ **Un monde en pleine mutation.**

1 Faites une description de l'image ci-dessous, sans lire le texte, et imaginez la signification de ce dessin.

2 Lisez le texte qui accompagne le dessin et répondez aux questions suivantes.

a Qu'est-ce que le dessinateur a voulu exprimer, selon vous ?

b Que pensez-vous du thème évoqué ?

c Des mesures sont-elles prises, dans votre pays, pour réduire le problème de pollution dans les grandes villes ?

d Quels sont les autres domaines dans lesquels le monde a considérablement changé entre la génération des seniors actuelle et celle de leurs petits-enfants ?

Espaces d'une vie
Ricardo Bofill[1]

Question de légitimité : si l'architecte a des propositions à faire, c'est d'abord sur la ville, son domaine d'intervention naturel, qu'il peut les formuler. D'autant qu'en la matière, l'étendue des dégâts est considérable. La ville, symbole de malaises sociaux, de phénomènes d'exclusion. Les mutations économiques ont laissé partout des plaies[2]
5 ouvertes, des friches[3] désespérantes, tandis que les crises démographiques des dernières décennies nous ont légué ces banlieues-dortoirs qui matérialisent, sur les cartes, ce qui reste de la notion de classe sociale.

C'est un comble[4] : nous avons été les premiers à pouvoir construire des villes – les ruines de Pompéi témoignent clairement de cette maîtrise – et ce savoir-faire nous a
10 échappé.

Plusieurs facteurs se sont conjugués pour ruiner ainsi notre patrimoine urbain : l'urgence des questions de logement, la spéculation, le manque de politique globale, mais aussi la haine que les architectes eux-mêmes ont vouée à la ville. Celle-ci s'est manifestée au milieu de ce siècle par le refus d'introduire une continuité urbaine.
15 Les rues, les places ont été abandonnées au profit d'unités d'habitation juxtaposées les unes aux autres.

On connaît le résultat : des barres de béton séparées par des espaces verts vite transformés en parking ou en terrains vagues. Comme l'activité commerciale se concentrait, dans le même temps, dans quelques centres hypertrophiés[5], le bas des
20 immeubles s'est trouvé déserté, sans boutiques ni magasins. La ville a cessé d'être un lieu de rencontre pour devenir le simple tracé de voies de communication. Les autoroutes ne se sont pas arrêtées à l'entrée des agglomérations, mais les ont traversées, déchirées.

Les architectes ayant renoncé à construire la ville, celle-ci s'est trouvée aux mains des
25 promoteurs, puis, après le lancement du programme des villes nouvelles, aux mains des urbanistes. Ces derniers ont alors raisonné en ingénieurs ; ils ont étudié les différentes fonctions de la ville (industries, logements, loisirs, commerce…), puis l'ont quadrillée en secteurs. Compte tenu du relief, des infrastructures routières et autoroutières, ils ont réparti les fonctions qu'ils avaient préalablement isolées.
30 Résultat : même lorsqu'on crée, à Cergy-Pontoise[6] par exemple, deux ou trois places, dont la situation a été rationnellement décidée, les gens ne se promènent pas, ne retrouvent pas de vie communautaire.

© Odile Jacob, 1989.

1. Architecte espagnol. **2.** Blessures. **3.** Lieux laissés à l'abandon. **4.** C'est incroyable.
5. Qui se sont développés de manière excessive. **6.** Ville nouvelle près de Paris.

① **Le déclin de l'empire urbain.** DELF

1 Lisez le texte.

a Choisissez le titre qui résume le mieux l'idée générale.

1 Les grands centres urbains, refuges de tous les exclus

2 **Ces villes qui attirent**

3 **Les agglomérations, entre surpopulation et pollution**

4 La ville : un lieu déshumanisé

b Repérez les paragraphes qui présentent :

1 un constat ;

2 les causes du problème évoqué ;

3 les conséquences de ce phénomène.

2 Lisez à nouveau le texte.

a Expliquez ce que signifient les phrases et les expressions suivantes :

1 *ces banlieues-dortoirs [...] qui matérialisent, sur les cartes, ce qui reste de la notion de classe sociale.* (l. 6-7)

2 *nous avons été les premiers à pouvoir construire des villes [...] et ce savoir-faire nous a échappé.* (l. 8-10)

3 *La ville a cessé d'être un lieu de rencontre pour devenir le simple tracé de voies de communication.* (l. 20-21)

b Indiquez quelle est, selon Ricardo Bofill, la profession la plus apte à définir un projet urbain. Dites pourquoi (donnez deux raisons).

c Précisez pourquoi :

1 *l'urgence des questions de logement* est l'un des facteurs qui a ruiné notre patrimoine urbain ;

2 le fait de quadriller les différentes fonctions de la ville en secteurs ne fonctionne pas.

3 Relevez, dans le texte, au moins trois illustrations du manque d'humanité des villes.

② **Dossier spécial.** DELF

Lisez le texte ci-dessous et rédigez vos commentaires ou vos réflexions (150 mots) sur les questions formulées par le magazine *Attitudes*.

Les grandes villes sont-elles, comme on se plaît à le répéter, symboles de malaises sociaux et de phénomènes d'exclusion ? Si oui, comment en est-on arrivé là ? Et comment expliquer alors que celles-ci bénéficient encore d'un pouvoir d'attraction important ?

Envoyez-nous vos commentaires ou vos réflexions sur ce sujet. Ils feront peut-être partie du vaste dossier que nous consacrerons prochainement aux grandes agglomérations de ce monde.

Attitudes.

Unité 7

Entre la poire et le fromage

Contenus thématiques

■ Le vin, symbole de fête et de convivialité

■ L'évolution des pratiques alimentaires des Français

■ La Semaine du Goût

Objectif et savoir-faire communicatifs

■ Construire un discours en hiérarchisant les faits, les idées

Objectifs linguistiques

■ Les procédés de substitution

■ Les articulateurs du discours

■ La modalisation par les adverbes

■ Les interjections

À la bonne franquette

Parler

❶ L'âme du vin.

Quels sont les trois mots que vous associez le plus au vin ? Avec votre voisin(e), comparez vos réponses en justifiant votre choix.

la terre **/** la fête **/** l'élégance **/** la convivialité **/** l'ivresse **/** la cuisine **/** l'authenticité **/** le plaisir **/** le dégoût **/** l'alcoolisme **/** la tradition **/** la culture

Comprendre

❷ Goûtons voir…

1 Observez la publicité.

a Associez les éléments de l'image ou du texte à des mots de l'exercice 1. Justifiez votre choix.

b Repérez l'appellation du vin.

2 a Écoutez l'enregistrement et indiquez : ☎

1 dans quelle ville et à quelle occasion cet enregistrement a été effectué ; 2 depuis quand l'événement évoqué existe ; 3 l'élément qui montre que cet événement est réglementé.

b Écoutez à nouveau l'enregistrement et relevez ce qui caractérise : ☎

1 l'arrivée du beaujolais nouveau ; 2 le vin lui-même.

❸ Maudit vin !

1 Lisez l'article et relevez :

a le jour de l'arrivée du beaujolais nouveau ;
b quels sont, parmi les mots de l'exercice 1, ceux qui résument le mieux l'opinion de l'auteur sur ce vin ;
c les termes ou les expressions que celui-ci utilise pour décrire : 1 sa couleur ; 2 son goût ; 3 sa composition ; 4 son caractère ; 5 son appartenance sociale ; 6 sa renommée.

2 Lisez à nouveau l'article et repérez les mots et les expressions qui désignent les ennemis du beaujolais ou qui y font référence. Puis, classez-les selon leur nature grammaticale.

3 Résumez oralement ce que l'auteur pense des ennemis du beaujolais et des critiques que ceux-ci formulent.

DÈS QU'ON LE VERSAIT, ON LE DEVINAIT FRANC ET FRUITÉ COMME UN JOUR DE FÊTE SUR LES PLACES DE SES VILLAGES.

Vous venez de découvrir un Beaujolais Villages 2000.

RETROUVEZ LES BEAUJOLAIS VILLAGES

BEAUJOLAIS - BEAUJOLAIS VILLAGES - BRO
CHÉNAS - CHIROUBLES - CÔTE DE BRO
FLEURIE - JULIÉNAS - MOULIN À V
MORGON - RÉGNIÉ - SAINT-AM

L'ABUS D'ALCOOL EST DANGEREUX POUR LA SANTÉ. CONSOMMEZ AVEC MODÉRA

© photo UIVB

GRAMMAIRE

Les procédés de substitution

Pour éviter les répétitions et permettre de maintenir le lien entre les différentes phrases d'un texte, il est nécessaire d'utiliser des termes de substitution :

• **Lexicaux**

On utilise alors un synonyme, un mot de sens plus général ou une métaphore :
*J'ai fait la tournée **des cafés** et j'en suis à mon troisième beaujolais nouveau : c'est dans **le bistrot** précédent que j'ai bu le meilleur.*

• **Grammaticaux**

Il existe pour cela différents moyens :

– **les pronoms personnels sujets ou compléments**
*Le Progrès a obtenu une dérogation. **Elle** est unique : ils **l'**ont d'ailleurs eue difficilement.*

LEÇON 26

À table !

« Tiens-toi bien à table ! »

Ce leitmotiv qui scandait les repas en famille serait-il en train de disparaître à cause du bouleversement des habitudes alimentaires des Français ? Pas si sûr.

Impossible d'y déroger. Quand Philippe était enfant, il y a une vingtaine d'années, la vie de famille s'organisait autour du repas. C'était un rendez-vous quotidien et immuable. Une institution. Il avait lieu à heure fixe, les enfants devaient se tenir droit sur leurs chaises, les plats suivaient un ordre précis, et personne ne commençait à manger avant la mère. Tradition transmise de génération en génération.

Cet héritage, Philippe, aujourd'hui âgé de 34 ans, chef d'entreprise à Paris et père de trois enfants, ne le conteste pas. Il garde même la nostalgie de ces « rendez-vous », comme il dit, autour de la table commune ; il est ravi, d'ailleurs, de les retrouver. À ses enfants il enseigne les manières que ses parents lui avaient apprises et qu'eux-mêmes tenaient de leurs

Comprendre

❶ Tout fout le camp…

1 Lisez le titre de l'article. Imaginez :

a à qui s'adresse cet ordre et par qui il est formulé ; **b** quel est le sujet de l'article.

2 Lisez l'article et repérez ce qui a changé entre la génération de Philippe et celle de ses parents concernant :

a les horaires et la durée des repas ; **b** les règles à respecter, à table ; **c** l'organisation des pièces dans la maison.

❷ … ou presque.

1 Écoutez l'enregistrement et dites si ces affirmations sont vraies ou fausses. 🎧

Aujourd'hui…

a Les restaurateurs doivent faire preuve face aux désirs des consommateurs **b** Les codes vestimentaires restent toujours aussi stricts, dans Les grands restaurants. **c** Les comportements varient selon le type de repas et le lieu où l'on se trouve. **d** L'appartenance sociale n'a plus aucune incidence sur l'alimentation. **e** Les horaires de repas sont le reflet de la hiérarchie sociale existante.

2 a Lisez la transcription de l'enregistrement, p. 154, et repérez les énoncés qui répondent aux questions suivantes.

1 La façon de se comporter à table est-elle toujours, même aujourd'hui, l'expression des grands principes d'une société ? **2** En matière d'alimentation, les différences sociales restent-elles aussi marquées que jadis ?

b Observez vos réponses et indiquez quels termes utilise le journaliste pour :

1 insister sur un élément de l'énoncé ; **2** exprimer un jugement par rapport à ce qu'il dit.

3 Lisez à nouveau la transcription.

a Relevez les mots ou les expressions qui structurent la chronique de manière logique.

b Classez-les selon qu'ils permettent :

1 de résumer une idée en quelques mots ; **2** d'ajouter un argument ; **3** d'exposer une conséquence ; **4** d'apporter une preuve ; **5** d'exprimer une idée opposée ; **6** de conclure.

GRAMMAIRE

Construire et nuancer un discours

- **Les articulateurs** permettent de hiérarchiser les faits et les idées, selon ce que l'on souhaite exprimer :

  – *en effet* ou *d'ailleurs* permettent d'apporter une preuve ou d'illustrer une idée ;

  – *de plus* ou *en outre* servent à apporter un argument supplémentaire ;

  – *alors* ou *donc* amènent une conséquence ;

  – *au contraire* permet d'exprimer une idée opposée ;

  – *bref* ou *en résumé* reprennent une idée en quelques mots ;

  – *finalement* ou *en définitive* servent à conclure.

- **Les adverbes de modalité** permettent de manifester le point de vue :

  – *évidemment*, *heureusement*, *bien sûr*, *hélas*, *naturellement*, *bizarrement*, *vraiment* permettent d'exprimer un jugement :
  *Le savoir-vivre n'est **hélas** plus ce qu'il était !*

  – *surtout*, *même*, *notamment*, *plutôt* servent à apporter une précision ou à insister sur un point particulier :
  *Les habitudes alimentaires ont beaucoup changé, **notamment** chez les jeunes.*

Félix Vallotton, *Le Dîner, effet de lampe (1899)*.

parents… Ne pas parler la bouche pleine. Ne pas mettre les coudes sur la table. Terminer son assiette. Bien tenir son couteau, etc. Mais l'eau a coulé sous les ponts[1]… Disons-le ainsi.

« Le repas n'est plus pour nous un moment à part, explique Philippe. *Nous vivons sur des rythmes différents. Les enfants sont encore petits, ils dînent tôt, je ne rentre jamais avant 22 heures. Avec Caroline, généralement, nous grignotons debout, en discutant, dans la cuisine. »* Cette évolution des mœurs, elle transparaît dans la toponymie même des lieux. Chez les parents de Philippe, la salle à manger occupe une position centrale. Dans l'appartement qu'il vient d'acheter, le jeune couple a rapatrié la cuisine d'une

petite pièce du fond au salon, en fabriquant un bar à l'américaine.

Jeunes cadres urbains tendance « bobo[2] », Philippe et Caroline sont des pionniers. Isolés ? Non. Certes, le baromètre du Credoc, l'observatoire des conditions de vie en France, sur les comportements alimentaires de 1988 à 1997 concluait que *« le repas traditionnel se porte encore bien »*. Mais demain ? La durée moyenne des repas était d'une heure trente-huit minutes il y a vingt ans, elle est de trente-huit minutes aujourd'hui, soit une heure de perdue. Et les habitudes changent vite. *« Les pratiques d'alimentation sont de moins en moins liées à la tradition, de plus en plus rationnelles et choisies,* observe le sociologue urbain François Ascher. *Avec le micro-ondes et le congélateur, en famille, désormais, chacun peut manger ce qu'il veut, où il veut, comme il veut. »*

Jérôme Cordelier © Le Point, n° 1545, 25/04/02.

---

1. Les temps ont changé. 2. **Bo**urgeois **boh**èmes.

S'entraîner

❸ Le bottin mondain.
Complétez le texte à l'aide des mots suivants :
en outre, bref, au contraire, en effet et *donc*.

Un dîner est en principe un moment agréable que la mauvaise tenue d'un invité peut transformer en spectacle d'horreur. Il est … indispensable de respecter un certain nombre de règles pour être agréable à ses voisins. Commencez par vous tenir bien droit sur votre chaise : …, le fait de se balancer ou de rester avachi est extrêmement impoli. …, il est essentiel d'attendre que la maîtresse de maison ait commencé à manger pour commencer soi-même.

Ne croyez pas ceux qui vous disent qu'il faut essuyer son assiette avec le pain, pour montrer que l'on a aimé le plat. … , cette attitude vous fera passer pour un convive d'une rare impolitesse.

… , n'oubliez jamais que votre comportement à table en dit beaucoup sur vous !

❹ Parole d'experts.
Vous êtes interviewé(e), à la radio, sur le comportement alimentaire des Français. Répondez aux questions qui vous sont posées en utilisant un adverbe de modalité.

▶*Exemple : Vous croyez que les habitudes alimentaires sont un révélateur social important ?*
*→ Oui, je crois **vraiment** que c'est le cas car on passe de treize à dix-sept ans de notre vie à table.*

1 Les comportements alimentaires ont-ils beaucoup changé en vingt ans ? **2** Est-ce qu'on observe ce phénomène dans toutes les classes sociales ? **3** Le dîner reste-t-il comme autrefois un rendez-vous quotidien important ? **4** Est-ce vrai que les horaires de repas varient selon les postes dans l'entreprise ?

Parler

❺ À vous !
Avec votre voisin(e), répondez aux questions.

1 Quelles sont, à table, les règles que vos parents vous ont inculquées ? Les avez-vous conservées ? **2** Avez-vous transmis ou transmettriez-vous les mêmes règles à vos enfants ? **3** Les repas étaient-ils ou sont-ils encore, dans votre famille, un moment privilégié ? **4** Quels sont, en général, vos horaires de repas ? Combien de temps consacrez-vous aux repas ? **5** Quel est pour vous le repas le plus important de la journée ? Pourquoi ? **6** Observe-t-on dans votre pays, comme en France, une évolution des pratiques alimentaires ?

Délices et dégoût

1

KELBOOK.COM

Accueil « Vie pratique » Cuisine

Cuisine de Maïté (La) : avis des internautes

Vive la bonne bouffe !		
★★★★★ Un avis sur **La cuisine de Maïté** de <u>Michmuche</u> (06/01/2004)		
Avantages	**Inconvénients**	Ce livre est vraiment génial et très accessible : en effet, pas besoin d'être cordon-bleu pour réussir les recettes de Maïté. En plus, si, comme moi, vous en avez ras le bol de la cuisine surgelée, ça permet de découvrir plein de petits plats mitonnés.
Superfacile…	Pas très diététique !	

MMMmhhhhhh…….. !!!!!!!!		
★★★★★ Un avis sur *La cuisine de Maïté* de <u>Gégé</u> (14/01/2004)		
Avantages	**Inconvénients**	Vous rêvez de réaliser vous-même des recettes de grand-mère ? Grâce à Maïté, c'est possible. Cassoulet, recettes à base de canard… Bref, toute la cuisine du Sud-Ouest est à vous. Bon d'accord, c'est pas vraiment *light* ! Mais une bonne carte de club de sport devrait réparer tout ça…
Des recettes apparemment complexes qui deviennent très faciles à réaliser.	Aïe ! aïe ! aïe ! les kilos !	

Comprendre

❶ Du rififi dans les cuisines.

1 Observez les trois documents et indiquez pour chacun d'eux de quel type de document il s'agit.

2 a Regardez, sans lire le texte, les images du document 3. Dites quels sont les deux lieux représentés. Comparez-les.

b Lisez le document 3 et relevez les critères de qualité que privilégie le responsable de la santé des consommateurs.

c Qu'est-ce que le dessinateur a voulu exprimer ?

❷ Mitonné ou surgelé ?

1 Lisez les documents 1 et 2.

a Associez chacun d'eux à l'une des deux formes de restauration évoquées dans le document 3.

b Repérez trois manières différentes de dire *en avoir assez*.

c Relevez les termes associés à la cuisine ou à l'alimentation. Puis, classez-les selon qu'ils évoquent une idée positive ou négative.

2 Lisez à nouveau les trois documents et relevez les interjections utilisées pour exprimer :

a un problème ou une douleur ; **b** un doute ou une réticence ; **c** un dégoût ; **d** une sensation agréable ; **e** une désapprobation.

3 Dites ce que ces documents suggèrent sur :

a l'alimentation actuelle des Français ; **b** le type de cuisine que ceux-ci affectionnent.

2

pour moi ce sera un double dioxin' burger sauce plexi et une maxi portion de beurk potatoe's... et toi qu'est ce qui te ferait plaisir ?

un 8 à Huit

Les magasins préférés de ceux qui préfèrent se régaler.

Vous en avez marre du poulet au goû polystyrène expansé ? Vous ne pouvez voir ces légumes tout frais cueillis du lab toire ? Chez 8 à Huit, nous nous somme une spécialité : vous proposer des alim de qualité. Petits plats du terroir, rec traditionnelles, fraîcheur exception produits testés et sélectionnés... avec 8 à Huit, vous êtes sûrs de vous ré

8 à HuiT
Au Cœur de la Vie.

Le français dans le monde, n° 315.

VOCABULAIRE

Les interjections

Utilisées seules ou associées à un énoncé, les interjections permettent d'exprimer des sentiments très divers :

– l'admiration : *Ouah !*

– une sensation agréable : *Mmmh !*

– l'interrogation ou la surprise : *Hein !*

– le soulagement : *Ouf !*

– l'indifférence : *Pff ! Bah ! Bof !*

– la douleur ou un problème : *Aïe ! Ouille !*

– le doute ou une réticence : *Hum, hum !*

– la désapprobation : *Houla !*

– le dégoût : *Beurk ! Berk ! Pouah !*

S'entraîner

3 Oh ! là, là ! 📞

1 a Écoutez l'enregistrement et dites si les personnes expriment :

1 un soulagement ; 2 un dégoût ; 3 une indifférence ; 4 une admiration ; 5 une surprise.

b Repérez les interjections utilisées.

2 Écoutez à nouveau l'enregistrement et répétez les phrases.

4 Ben répondez, quoi !

Répondez aux énoncés ci-dessous. Utilisez une interjection dans votre réponse.

1 Alors, vous le trouvez comment mon cassoulet ? 2 Tu as vu l'addition ? Il y a une erreur, non ? 3 Dis donc ! Anne a téléphoné. Le dîner de samedi est annulé. 4 D'accord. Vous préférez une eau plate ou une eau gazeuse ? 5 Ah oui, ses recettes sont superbonnes ! Mais j'ai pris dix kilos en un an !

Parler

5 C'est scandaleux !

Vous avez décidé de vous faire plaisir en allant dans un grand restaurant gastronomique. Malheureusement, vous êtes extrêmement déçu(e) par le manque de fraîcheur des produits, la froideur de l'accueil et l'attente entre chaque plat. Vous manifestez votre mécontentement auprès du serveur/de la serveuse.

Jouez la scène avec votre voisin(e).

Balade gourmande

@ Bienven

Arrêter   Actualiser   Démarrage   Remplissage automatique   Imprimer   Courrier

http://www.legout.com

@ Page d'accueil   @ Apple   @ iTools   @ Assistance Apple   @ Apple Store   @ Produits destinés aux ordinateurs Macintosh   @ Microsoft Offic

L'histoire de la Semaine du Goût

Favoris
Historique
Recherche
Album
Garde-pages

> **Le Club du Goût**

> **Contactez-nous**

Pub

Je souhaite recevoir de l'information sur la Semaine du Goût

Votre email   ok

êtes-vous prêt ?

> La course aux saveurs, le jeu

1990 Initiée par Jean-Luc Petitrenaud et la Collective du Sucre, la première Journée du Goût a eu lieu le lundi 15 octobre 1990, place du Trocadéro.
350 chefs donnent leurs premières Leçons de Goût aux élèves de CM1-CM2 des écoles parisiennes.

1992 La Journée du Goût devient Semaine du Goût.
1 200 chefs donnent leurs Leçons de Goût à 30 000 élèves. Près de 500 grands restaurants mettent le Goût à la Carte pour les étudiants.

2002 Le cap des 5 000 Leçons de Goût est dépassé. Les premiers Cafés Philo du Goût invitent à débattre sur les plaisirs du palais dans les grandes villes de France.

2003 La Semaine du Goût est devenue en 13 ans un événement national qui fédère les initiatives locales, régionales et nationales destinées au grand public autour du goût, du patrimoine culinaire et des métiers de bouche.

Les valeurs de la Semaine du Goût

- Développer l'éducation et l'apprentissage du consommateur, notamment du jeune consommateur.
- S'attacher à proposer goût et saveurs pour le plus grand nombre de consommateurs sous toutes les formes de consommations alimentaires.
- Produire et élaborer des aliments sûrs.
- Offrir une information transparente et pédagogique auprès du grand public sur l'origine des aliments concernés, de leurs modes de production et de leur qualité.
- Promouvoir des comportements alimentaires s'inscrivant dans le cadre d'un mode de vie équilibré.

www.legout.com

Zone Internet

Repérer

❶ Le club du goût.

1 Lisez le titre du document. Imaginez de quel type de manifestation il s'agit et quel est son objectif.

2 Lisez le document et relevez :
a la date de création de la Journée du Goût ; b le principe de départ de cet événement ; c le nom des initiateurs du projet ; d le public visé ; e les objectifs de cette manifestation ; f les évolutions qui ont eu lieu depuis la création ; g les éléments qui montrent le succès de cette initiative.

❷ Saveurs fruitées.

1 Lisez la recette de cuisine et associez aux numéros les titres des rubriques ci-dessous.
Préparation / Temps / Ingrédients / Ustensiles

2 Relevez les abréviations qui figurent dans la recette et indiquez ce qu'elles signifient.

3 Un(e) ami(e) organise un dîner et vous téléphone pour trouver une idée de dessert. Vous lui proposez la recette du gratin d'abricot. Votre ami(e) vous pose beaucoup de questions.
▶ *Exemple : C'est long à préparer ?*
Jouez la scène avec votre voisin(e).

legout.com

› aller à

Explorer

Dessert

Gratin d'abricot

Facile – Coût moyen
France – Languedoc-Roussillon

2

**Préparation : 20 min
Cuisson : 30 min**

3

1 couteau
1 fouet
1 grand plat en terre ou en porcelaine
1 saladier

4

1 kg d'abricots
40 g de beurre
125 g de brioche en tranches
Pour le gratin :
50 g de poudre d'amandes
80 g de cassonade
20 cl de crème fraîche
3 œufs
1 sachet de sucre vanillé
125 g de sucre en poudre

1

Beurrez abondamment un grand plat en terre ou en porcelaine. Tapissez le fond de tranches de brioche.

Lavez, essuyez, coupez en deux et dénoyautez les abricots. Disposez-les bien serrés sur la brioche. Saupoudrez de poudre d'amandes et de cassonade. Dans un saladier, battez les œufs, le sucre, la crème fraîche et le sucre vanillé.

Versez cette préparation sur les abricots. Laissez cuire à four chaud 200°C (th. 6) pendant 30 minutes environ. Servez froid.

Réaliser

❸ La chronique des gastronomes.
Une radio francophone vous demande de présenter une chronique d'une minute à une minute trente autour de la Semaine du Goût. À partir des informations que vous avez relevées et à la manière de la chronique p. 82, rédigez ce que vous souhaitez dire.

❹ Radio France Internationale.
1 Après avoir écrit votre chronique, il vous faut préparer votre passage à la radio. Répétez la lecture de votre texte en choisissant les mots ou les phrases sur lesquels vous souhaitez porter l'accent ou modifier l'intonation.

2 Le jour de la présentation de votre chronique à la radio est arrivé. Jouez la scène devant la classe.

❺ Saveurs d'ailleurs.
Avec votre voisin(e), vous avez gagné un concours qui vous offre la possibilité de participer à la Semaine du Goût en France. Lors de cette semaine, vous collaborez à une rencontre intitulée *Saveurs d'ailleurs*, dont le principe consiste à présenter des recettes du monde entier. Rédigez une recette de votre pays.

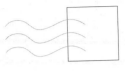

1 Consommer avec modération.
Lisez la carte postale et relevez tous les termes qui désignent le vin.

> Cher André,
> En me promenant avec Laure, je suis tombé sur un Prunellier. Elle m'a dit qu'on peut en faire une boisson alcoolisée nommée vin d'épine ou encore épinette. Est-ce que c'est ce qu'on appelle chez nous la troussepinette ? C'est cet apéritif un peu sucré dont il ne faut pas, comme de toutes les bonnes choses, abuser ? Dis-moi ce que tu en penses. Je te le ferai goûter en rentrant.
>
> Amitiés,
> Norbert

M. André PLAT

1, rue des Bois

79000 NIORT

2 C'est pas de la piquette !
Complétez les informations ci-dessous avec les mots suivants : *ce, l', que, le, lui, vin des malades* et *il.*

Le vin de paille … l'on trouve dans le Jura français exhale de doux arômes de fruits et de miel. Après … avoir bu, on a la bouche fraîche, onctueuse et bien équilibrée. … peut être servi à l'apéritif. Si néanmoins vous désirez absolument … marier, choisissez, par exemple, un foie gras, du fromage aux noix ou une tarte aux abricots. … vin de paille offre un grand potentiel de garde, pouvant aller bien au-delà de dix années. Sachez enfin que les anciens l'appelaient le « … » car on … prêtait alors certaines vertus médicinales propices au rétablissement des convalescents.

3 Phénomène social.
Transformez comme dans l'exemple avec l'articulateur ou l'adverbe qui convient.

> ▶ *Exemple :* Les gens passaient des heures à table – lors des banquets. (surtout/même)
> → *Les gens passaient des heures à table, surtout lors des banquets.*

1 On mange trop en général – il faut réduire les quantités. (*au contraire/alors*)
2 Le phénomène de l'obésité progresse – chez les jeunes. (*notamment/vraiment*)
3 Ici, on se retrouve souvent autour d'une table – on ne change pas vraiment. (*bref/en outre*)
4 Chez nous, on ne dîne jamais avant 21 heures – le week-end. (*plutôt/surtout*)
5 Faut-il vivre pour manger ou – manger pour vivre ? (*en résumé/au contraire*)

4 Crampes d'estomac.
Choisissez la bonne réponse.

1 Je n'ai pas le temps de faire la cuisine, (d'ailleurs/au contraire) je déteste ça.
2 On déjeune très rapidement, (alors/de plus) on a souvent mal à l'estomac.
3 C'est pratique, les surgelés, (donc/en outre) certains produits sont très bons.
4 Pour faire la cuisine, je me sers du micro-ondes, (de plus/alors) ça va plus vite.
5 On n'aime pas attendre au restaurant, (au contraire/donc) on va dans les fast-foods.

5 Habitudes alimentaires.
Imaginez la réponse aux questions. Utilisez : *vraiment, même, hélas, surtout* et *notamment.*

1 Vous avez encore le temps de mitonner des petits plats ?
2 Vous préférez dîner sur le pouce ou prendre votre temps ?
3 Au déjeuner, vous vous mettez à table ou vous mangez un sandwich dans la rue ?
4 Quand est-ce que vous mangez en famille ?
5 Qu'est-ce qui vous surprend le plus dans les habitudes alimentaires des Français ?

6 À table !
Associez les interjections et les phrases.
(Plusieurs réponses sont possibles.)

1 Beurk !   a Pour une fois, on échappe à la soupe !
2 Ouf !   b C'est vraiment trop salé !
3 Hein !   c Une omelette aux girolles !
4 Mmmh !   d C'est un resto où on peut apporter son vin ?
5 Houla !   e Il y a une bête dans le verre.

Unité 8

Fourmis ou cigales ?

Contenus thématiques

- Attitudes contrastées des Français face à l'argent
- Les pratiques culturelles liées à l'argent
- Consommer autrement : le commerce équitable

Objectifs et savoir-faire communicatifs

- Exprimer le degré de probabilité d'un fait ou d'un phénomène
- Mettre une information en relief
- Décrire des pratiques culturelles

Objectifs linguistiques

- Indicatif, conditionnel ou subjonctif ?
- La forme passive
- La forme pronominale de sens passif
- La focalisation
- La nominalisation

Les cordons de la

L'évolution du rapport des Français à l'argent

**D'après vous, au cours des dix dernières années,
qu'est-ce qui a le plus changé dans les rapports des Français avec l'argent ?**

(Réponses données à l'aide d'une liste)	Ensemble des Français	Hommes	Femmes
1 L'égoïsme envers les plus démunis	48	47	49
2 La plus grande indépendance financière des femmes	35	30	40
3 La découverte de la Bourse par de plus en plus de Français	29	34	23
4 Une plus grande solidarité familiale	21	18	24
5 L'affichage sans complexe de la richesse	19	23	16
6 Ne se prononcent pas	4	4	4

Total supérieur à 100, les interviewés ayant pu donner deux réponses.

CSA/*L'Expansion*, mai 2003.

Comprendre

❶ Question d'argent…

1 Observez le document ci-dessus et dites quelle est sa nature.

2 Associez les réponses données par les personnes interrogées à l'une des affirmations suivantes.
Aujourd'hui…

a On n'hésite pas à montrer sa fortune. **b** Les Français s'intéressent à de nouveaux placements. **c** Plus de femmes sont présentes dans la vie active. **d** Les Français deviennent indifférents à la pauvreté. **e** On compte davantage sur ses proches en cas de problème.

3 a Écoutez le premier témoignage et dites à quelle partie du sondage il correspond. Puis, dites si les affirmations suivantes sont vraies ou fausses. ☎

1 Les hommes politiques s'occupent régulièrement des SDF. **2** La population n'est pas intéressée par ce problème. **3** Les pauvres sont souvent mal vus par les autres citoyens. **4** Cette situation évoluera si tout le monde proteste.

b Écoutez le deuxième témoignage et relevez les deux raisons pour lesquelles la personne interrogée pense que rien ne va changer fondamentalement. ☎

❷ L'argent des ménages.

1 a Lisez l'article et repérez les arguments qui illustrent :

1 la plus grande indépendance financière des femmes, aujourd'hui, en France ; **2** les différences d'attitudes entre hommes et femmes concernant la Bourse.

GRAMMAIRE

Indicatif, conditionnel ou subjonctif ?

On peut nuancer le degré de probabilité d'un fait ou d'un phénomène en variant les modes.

- **L'indicatif** permet de présenter des faits très probables ou réels :
  *Qu'est-ce qui **a** le plus **changé** dans les rapports des Français à l'argent ?*
  = quelque chose a changé, c'est certain

- Le **subjonctif** et le **conditionnel** permettent de présenter des faits peu probables ou non vérifiés :
  *Il semble que ce phénomène **ait** des conséquences économiques graves.*
  = ce n'est pas sûr, il faut vérifier l'information
  *Les Français **seraient** prêts à gagner moins pour venir en aide aux plus défavorisés.*
  = ce n'est pas certain

b Expliquez, d'après le contexte, ce que signifient *cigales* et *fourmis*.

2 a Relevez, dans l'article, les formules qui contredisent ou nuancent ces affirmations.
Aujourd'hui…

1 Le comportement des hommes et des femmes vis-à-vis de l'argent est absolument identique. **2** Dans la majorité des couples, il semblerait que les hommes soient toujours en charge des finances quotidiennes. **3** Contrairement à ce que l'on pense, les femmes sont très économes.

Femmes fourmis,
hommes joueurs

Après deux ou trois décennies de discours sur la parité, il semble que les attitudes face à l'argent soient toujours « sexuées », selon une étude récente de l'Observatoire caisses d'épargne. L'étude confirme que, dans la plupart des couples, ce sont les femmes qui gèrent le budget quotidien et assurent les dépenses courantes. Leur indépendance financière (80 % des femmes de 25 à 49 ans travaillent) et leur aptitude à gérer le budget familial conféreraient même aujourd'hui à la femme « une véritable légitimité dans l'univers des placements et la constitution du patrimoine », notent les auteurs de l'étude.

Sécurité avant tout

Réputées cigales, elles seraient plutôt fourmis : 58 % d'entre elles estiment qu'il faut s'efforcer d'épargner, quelles que soient les circonstances. Les femmes vivant en couple assurent s'occuper tout autant que leur mari ou concubin des placements financiers. 28 % estiment même s'occuper davantage que leur conjoint de l'épargne-logement et 38 % des relations avec la banque. Elles ne concèdent aux hommes qu'un seul pré carré : les valeurs mobilières. En effet, si 40 % des hommes déclarent que « placer un peu sur des actions ou en Bourse, c'est attirant, c'est amusant », les femmes ne sont que 31 % à partager cet avis. Monsieur joue et Madame veille au grain.

Mieux vivre votre argent, janvier 2003.

b Observez les formules relevées. Quelles sont celles qui présentent les faits comme :
1 très probables ou réels ; **2** peu probables ou non vérifiés ?

c Choisissez la ou les bonne(s) réponse(s).
1 Pour présenter des faits très probables ou réels, on utilise le(s) mode(s) :
indicatif / conditionnel / subjonctif
2 Pour présenter des faits peu probables ou non vérifiés, on emploie le(s) mode(s) :
indicatif / conditionnel / subjonctif

S'entraîner

3 **Paroles de banquier.**
Voici quelques phrases dites par un banquier. Choisissez la ou le(s) forme(s) correcte(s).
1 Ce n'est pas sûr que nous (pouvons/puissions/pourrions) vous accorder le prêt. **2** D'après mes informations, les actions (aient augmenté/auraient augmenté/ont augmenté) de 10 % en un mois.

3 Excusez-moi, il se peut que ma collègue (se soit trompée/s'est trompée/se serait trompée) de numéro de compte. **4** Le taux d'intérêt (doit/doive/devrait) normalement baisser dans les mois à venir.

4 **Riches… et sans complexes.**
Imaginez comment ces informations seront présentées à la radio, sachant qu'elles n'ont pas pu être vérifiées.

▶ *Exemple : Nouveau contrat publicitaire d'une valeur de 120 000 € pour Zinedine Zidane.*
→ *Zinedine Zidane* **aurait signé** *un nouveau contrat publicitaire d'une valeur de 120 000 €.*

1 Un seul gagnant pour la supercagnotte du Loto de samedi. **2** Vente aux enchères : un sac à main ayant appartenu à Jackie Kennedy vendu 15 000 €. **3** La rémunération du président du groupe ABL a augmenté de 100 % en un an. **4** L'acteur français Gérard Depardieu achète le château de Tigné, en Anjou.

Parler

5 **Fortuné ou défavorisé ?**
Avec votre voisin(e), répondez aux questions.

1 Pour vous, qu'est-ce qu'être riche ? Donnez des exemples. **2** À votre avis, la France est-elle un pays pauvre ou riche ? **3** Êtes-vous choqué(e) par : l'affichage sans complexe de la richesse ? / l'égoïsme envers les plus démunis ?

La main au portefeuille

Parler

① Le pourboire, c'est obligatoire ?
Avec votre voisin(e), répondez aux questions.

1 Qu'évoque le mot *pourboire* pour vous ? 2 Dans votre pays, laisse-t-on des pourboires ? Si oui, à qui ? Et combien doit-on laisser ? 3 Êtes-vous pour ou contre la pratique du pourboire ?

Comprendre

② On laisse quelque chose ?

1 Écoutez l'émission de Radio Canada et notez quatre questions que les gens se posent à propos des pourboires.

2 Réécoutez l'enregistrement et relevez :
a la raison pour laquelle le pourboire existe ; **b** les personnes à qui il est nécessaire de donner un pourboire ; **c** celles à qui on ne laisse quelque chose qu'en fonction du service offert ; **d** le montant des pourboires, en général.

3 **a** Lisez le titre et le chapeau de l'article. Dites quel point commun et quelles différences il y a entre le pourboire et les étrennes.

b Lisez l'article et repérez le(s) corps de métier qui :

1 offrent un objet en échange des étrennes ; 2 reçoit des étrennes proportionnelles au travail effectué ; 3 n'a normalement pas l'autorisation de demander des étrennes ; 4 obtiennent des étrennes sans l'avoir sollicité.

c Indiquez pour quel(s) corps de métier cette pratique des étrennes vous paraît :

étonnante / normale / amusante / abusive.

③ Du café au resto.

1 **a** Lisez le document 1 et relevez les parties du texte qui répondent à ces questions.

1 Depuis quand le pourboire existe-t-il en France ? 2 Quelle est la situation actuelle ? 3 Le pourboire est-il la seule taxe que l'on paye au restaurant ?

b Observez les trois énoncés trouvés et dites s'ils mettent en avant :

1 l'agent de l'action ; 2 le résultat de l'action.

2 **a** Lisez le document 2 et relevez l'énoncé dans lequel Fataneh exprime son étonnement. Reformulez-le de façon plus simple.

b Indiquez quelle structure permet de mettre en relief l'opinion de Fataneh.

1

En France, le pourboire a été introduit au début du 19e siècle ; on s'en servait comme de nos jours pour remercier un employé pour la qualité de son service. Aujourd'hui, cette pratique s'est généralisée. Il est même presque devenu une obligation. Prenez une terrasse d'un grand bar parisien : non seulement le service a déjà été inclus dans votre note mais, si vous ne laissez pas de pourboire, vous aurez droit aux regards assassins des serveurs. Demandez aux touristes qui viennent en France ce qu'ils en pensent !

Muskadia, le portail des voyages.

2

Fataneh, 45 ans, Iranienne, tient un magasin à Paris depuis quinze ans. « Ce qui me frappe toujours, c'est le rapport très strict des Français avec l'argent. Exemple : au restaurant, ils partagent l'addition. En Iran, même si on est dix ou vingt, une seule personne paye pour tout le monde. C'est même à celui qui se précipitera pour aller à la caisse. »

Tous, n° 1, déc. 2003-janv. 2004.

Étrennes :
combien faut-il donner ?

La période des fêtes approche, avec sa cohorte de dépenses plus ou moins prévues. Et comme tous les ans à la même époque, une petite foule vient se presser à notre porte pour les incontournables étrennes. Pas question de jouer les radins et de se planquer derrière sa porte close. Ce n'est pas non plus une raison pour donner n'importe quoi à n'importe qui... Le MoneyMag.fr vous indique ce qui se fait d'ordinaire en matière d'étrennes. Les dons ont lieu en général entre fin novembre et fin janvier. À vous de juger en fonction des services rendus et du degré de sympathie que vous éprouvez pour tel ou tel corps de métier !

Les éboueurs

Un arrêté préfectoral de 1936 interdit aux agents des services municipaux de solliciter des étrennes auprès des particuliers. Est-ce une raison pour négliger ceux qui nous débarrassent de nos déchets quotidiens ? Non, bien sûr. On peut donc envisager de leur donner entre 4 et 8 €.

Pour être bien vu du Concierge
Cent sous éclairent mieux qu'un cierge

1er AVRIL

Fauvette
1304

Les pompiers

Autant réserver son meilleur accueil aux soldats du feu, sachant que pour la modique somme de 5 €, vous aurez droit à un splendide calendrier où toute la compagnie s'affiche en uniforme de parade.

Le facteur

Compter entre 5 et 8 € pour la personne qui se charge de vous remettre plis et colis. Pour ce prix, vous profiterez d'un calendrier avec d'adorables chatons ou des paysages exotiques. Il serait dommage de s'en priver, non ?

La femme de ménage

Tout dépend de la régularité et de la charge de son travail. Si elle travaille à plein temps, on peut prévoir des étrennes d'environ 45 €, à moins d'opter pour un cadeau plus personnel.

Les concierges

De nos jours, le savoir-vivre préconise de remettre une somme équivalant à environ 10 % du loyer mensuel dans une petite enveloppe. N'attendez pas que le concierge vienne vous rendre visite, il est plus correct de faire le premier pas.

© Moneymag magazine.

GRAMMAIRE

Mettre une information en relief

- **La forme passive**
Elle se forme avec l'auxiliaire *être* conjugué suivi du participe passé du verbe.
Le complément d'objet direct devient le sujet de la phrase. La forme passive met en évidence le résultat d'une action :
On a inclus la TVA dans l'addition.
→ **La TVA a été incluse dans l'addition.**

- **La forme pronominale de sens passif**
Elle ne s'applique généralement pas à des êtres animés.
L'agent est considéré comme peu important :
Cette situation s'est généralisée.

- **La focalisation : *ce qui/que… c'est/ce sont***
Elle permet de mettre un élément en relief, de lui donner de l'importance. Elle provoque un effet d'attente :
Ce qui m'étonne, c'est de laisser des étrennes aux éboueurs.
Ce que les Français n'aiment pas, c'est de payer l'addition pour tout le monde.

S'entraîner

4 **Histoires d'étrennes.**
Répondez en utilisant la forme passive ou la forme pronominale de sens passif.

▶ *Exemple : Il est plus joli, cette année, le calendrier des pompiers. Tu ne trouves pas ?*
→ *Si, c'est vrai qu'il **s'est amélioré**.*
→ *Tu m'étonnes ! Il **a été réalisé** par Pierre et Gilles !*

1 Je n'arrive pas à croiser la concierge pour ses étrennes. Qu'est-ce qu'il lui est arrivé ? **2** Mais enfin ! Où est passé l'argent que j'avais mis de côté pour les éboueurs ? **3** Quoi ! Ta femme de ménage n'a pas apprécié ton cadeau de fin d'année ? **4** Tiens ! Le facteur n'est pas passé nous vendre ses calendriers cette année ?

5 **C'est normal ?**
Voici des avis sur les comportements des Français. Transformez les phrases.

▶ *Exemple : Payer l'addition, c'est normal !*
→ ***Ce qui** est normal, **c'est** de payer l'addition.*
→ ***Ce que** je trouve normal, **c'est** de payer l'addition !*

1 Je trouve que le montant des pourboires en France est ridicule ! **2** Les attitudes des Français avec l'argent sont bizarres… **3** Toutes ces taxes, ça me surprend et ça m'énerve ! **4** C'est étrange, ces façons de faire au restaurant !

Grippe-sou ou panier

Comprendre

❶ Dépenser sans compter ?

1 Observez l'affiche.

a Faites des hypothèses sur le thème du film. Puis, comparez avec votre voisin(e).

b Associez chaque personnage à l'un des adjectifs suivants.

dépensier / avide / riche / fauché / désintéressé / avare

c Opposez les caractères des personnages deux par deux.

2 Écoutez la bande-annonce du film et imaginez quel personnage de l'activité 1 prononce chacune des phrases. 🎧

3 Indiquez quelle pourrait être la devise de chacun des personnages du film.

a Il n'y a pas de petites économies. **b** Quand on aime, on ne compte pas. **c** Tout travail mérite salaire. **d** Vivre d'amour et d'eau fraîche. **e** L'argent ne fait pas le bonheur.

❷ Moins c'est cher, plus on dépense !

1 Lisez le chapeau de l'article et imaginez de quel événement il est question.

---

2 Lisez l'article et dites quel personnage décrit dans l'activité ❶ 1 **b** résume le mieux le comportement des Français face aux soldes.

3 a Lisez à nouveau l'article et retrouvez dans la liste les titres utilisés pour résumer chaque paragraphe.

1 Lancement des soldes : plus que deux jours ! **2** Bousculade en perspective pour les cadeaux de fin d'année **3** Début des soldes d'hiver **4** Consommation : halte aux clichés ! **5** Soldes d'hiver : démarrage difficile **6** Baisse des prix égale augmentation des dépenses

b Retrouvez les verbes qui ont permis de former les noms dans les titres ci-dessus. Dites quel est le but de cette forme d'énoncé.

S'entraîner

❸ À la une.

Voici le début de plusieurs articles de presse. Imaginez un ou deux titres possibles.

▶ *Exemple : Les mentalités évoluent face aux chefs d'entreprise qui s'enrichissent considérablement.*
→ *Évolution des mentalités*
→ *Enrichissement des chefs d'entreprise : les mentalités évoluent*

1 Le commerce électronique change progressivement les habitudes de consommation, principalement chez les plus jeunes. **2** Depuis que la France est passée à l'euro, les prix ont augmenté dans presque tous les secteurs d'activité. **3** Le gouvernement signe cet après-midi un accord afin de revaloriser le salaire de base dans la fonction publique. **4** Le pouvoir d'achat de l'ensemble des Français a fortement diminué au cours des douze derniers mois.

❹ Interprétations.

Écoutez les phrases. D'après l'intonation, dites ce qu'elles signifient. 🎧

1 a Prêtez-moi cet argent, je vous le rendrai. **b** Tout se passera bien, c'est certain. **2 a** Ce n'est pas logique. **b** C'est une simple constatation. **3 a** C'est facile à dire ! **b** Je suis tout à fait d'accord avec vous. **4 a** C'est une utopie. **b** Bien sûr, que c'est possible ! **5 a** On n'aura jamais fini de préparer le magasin ! **b** Vivement que ça commence !

Parler

❺ À découvert.

Vous êtes chargé(e) de clientèle dans une banque et vous avez rendez-vous avec l'un(e) de vos client(e)s qui dépensent bien plus d'argent qu'il/elle n'en gagne. Jouez la scène avec votre voisin(e).

> ## VOCABULAIRE
>
> **La nominalisation**
>
> Pour condenser et mettre en valeur une information, notamment dans la presse, on utilise souvent des phrases nominales :
> *Lancement des soldes : plus que deux jours.*
>
> Dans ce cas, on nominalise le verbe afin de mettre en avant :
>
> ● **l'action du verbe**
> – grâce aux suffixes *-ment* et *-age* (au masculin), *-tion* et *-ade* (au féminin)
> *Démarrage difficile.*
>
> – sans ajouter de suffixe
> *Baisse des prix.*
> *Coût de la vie en hausse.*
>
> ● **le résultat de l'action** du verbe grâce au suffixe *-ure*
> *Ouverture des soldes.*

percé ?

Paris, le 07/01/2003 – Le scénario est connu : une demi-heure avant l'ouverture, les candidat(e)s aux meilleures affaires sont déjà massé(e)s devant les boutiques ; quand les portes s'ouvrent, c'est le rush, l'œil à l'affût, la main prête à dégainer la carte bleue…

[…] Ces images, ce sont celles du lancement des soldes : elles reviennent deux fois par an. En l'occurrence, les soldes d'hiver 2003 débutent demain et, à cette occasion, Egg a souhaité en savoir davantage sur les motivations d'achat des Français. […]

La première information de l'étude menée avec l'IFOP ressemble à un paradoxe. Alors que, par définition, pendant les soldes, les prix sont revus à la baisse (et parfois même divisés par deux), plus de la moitié des Français dépensent davantage d'argent que d'habitude (56 % exactement). Et ce, dans des proportions considérables. L'explication peut se résumer en une formule à la Queneau : « Plus c'est moins cher, moins on regarde à dépenser plus. » […]

Contrairement aux idées reçues, les hommes sont sensiblement plus dépensiers que les femmes ! Un sur trois dépense plus de 150 euros pendant les soldes d'hiver – contre 22 % des femmes seulement. Mais l'étude Egg ne permet pas de montrer si les vêtements que ces messieurs achètent leur sont destinés à eux ou à leur dulcinée…

Enquête menée par l'IFOP et EGG, 07/01/2003.

Anne-Dominique Toussaint présente

VINCENT LINDON
LORÀNT DEUTSCH

FABRICE LUCHINI
ISILD LE BESCO

GÉRALDINE PAILHAS
et avec CLAUDE RICH

Le Coût de la vie

UN FILM DE PHILIPPE LE GUAY

www.lecoutdelavie.com

Écrire

6 Portraits.
Le magazine *Capital* souhaite consacrer un dossier aux différents comportements qui existent face à l'argent. Choisissez deux des personnages décrits dans l'exercice 1 et rédigez leur portrait accompagné d'un titre.

Consom'acteurs

1 « Quiconque travaille a droit à une rémunération équitable lui assurant ainsi qu'à sa famille une existence conforme à la dignité humaine. »

Déclaration des droits de l'homme, article 23.

2 **Le commerce équitable, pourquoi, comment et pour qui ?**

• **Le commerce équitable** est un partenariat commercial, basé sur le dialogue, la transparence et le respect, qui vise plus d'équité dans le commerce international.

• **Le commerce équitable** contribue au développement durable en proposant de meilleures conditions commerciales aux producteurs marginalisés, spécialement dans le Sud.
www.maxhavelaar.org

Café, thé, banane, cacao, artisanat...

KATELL POULIQUEN

Le commerce équitable

Pour une consommation respectueuse des Droits de l'Homme et de l'environnement

3 • MARABOUT •

Repérer

❶ Commerce et éthique.

1 Observez l'ensemble des documents ci-dessus et dites, pour chacun d'eux, de quel type de document il s'agit.

2 Lisez les documents 1, 2 et 3 et relevez : **a** le nom de l'association ; **b** la définition du commerce équitable ; **c** les objectifs de ce type de commerce ; **d** les produits concernés.

3 Lisez le document 4.

a Indiquez quel est le point commun entre l'association Attac et celle que vous avez décrite précédemment.

b Repérez dans quelle partie du document les membres de l'association :

1 expriment un objectif souhaitable ; **2** rappellent des actions déjà entreprises par l'association ; **3** présentent des conséquences négatives ; **4** formulent un slogan ; **5** établissent un constat ; **6** exposent une revendication.

❷ Vous avez trois messages.
Chargé de l'accueil à l'association Max Havelaar, vous devez prendre en note les messages qui figurent sur le répondeur téléphonique de l'association. Écoutez ces trois messages et complétez, pour chacun d'eux, la fiche téléphonique ci-dessous.

Destinataire

M. ....

Date .... Heure ....

En votre absence

M. .... Société ....

Tél. : .... Mél. : ....

☐ Est venu   ☐ Envoyer courrier   ☐ Rappellera

☐ A téléphoné   ☐ Rappeler   ☐ Urgent

Objet : ....

UN **AUTRE MONDE** EST **POSSIBLE**

LA MARCHANDISATION MENACE LA PLANÈTE

La mondialisation financière aggrave l'insécurité économique et les inégalités sociales. Elle leur substitue des logiques strictement spéculatives exprimant les seuls intérêts des entreprises transnationales et des marchés financiers.

LES SERVICES PUBLICS SONT EN DANGER

Pour l'OMC (Organisation mondiale du commerce), toutes les activités humaines sont des marchandises et doivent être ouvertes à la concurrence internationale : les marchés publics, la santé, les transports, l'éducation, la culture...

LE CHÔMAGE ET LES INÉGALITÉS AU NORD, LA MISÈRE AU SUD

Cette logique financière développe le chômage et les inégalités dans les pays développés et appauvrit les pays du Sud écrasés par la dette.

LA TAXE TOBIN TOUT DE SUITE

Attac demande la mise en place de la proposition de l'économiste américain James Tobin, prix Nobel d'économie, de taxer les transactions spéculatives sur les marchés des devises. Même au taux très bas de 0,05 %, la taxe Tobin rapporterait près de 100 milliards de dollars par an.

Cette somme pourrait être reversée aux organisations internationales pour des actions de lutte contre les inégalités, pour la promotion de l'éducation et de la santé publique dans les pays pauvres, pour la sécurité alimentaire et le développement durable.

En bientôt quatre années d'existence, Attac a élaboré des analyses des méfaits de la mondialisation libérale. L'association a aussi porté des alternatives devant l'opinion, les élus, les gouvernements et les organisations internationales. De Seattle, en novembre 1999, à Porto Alegre, en janvier 2002, Attac a été et continuera d'être présente dans toutes les grandes mobilisations des mouvements sociaux et dans tous les lieux où l'on réfléchit et agit pour montrer que : « un autre monde est possible ».

Attac Paris – 17, rue de l'Avre – 75015 Paris (M° La Motte-Picquet Grenelle)
Contacts : paris15@attac.org – http://www.local.attac.org/paris15/

4

Réaliser

3 C'est pour une bonne cause.
En compagnie d'autres membres de l'association Max Havelaar, vous décidez de médiatiser votre combat. Rédigez un manifeste, à la manière de celui de l'association Attac.

4 Tous à la manif !
Votre manifeste étant prêt, avec les autres membres de l'association, vous décidez de les distribuer dans la rue.

1 Imaginez les slogans qui figureront sur vos banderoles.

2 Une fois dans la rue, vous essayez de convaincre les personnes que vous rencontrez d'acheter les produits issus du commerce équitable. Jouez la scène avec votre voisin(e).

5 Un monde en question.
Dans le cadre de son émission *Un monde en question*, la station de radio RTL décide de réunir plusieurs invités et d'organiser un débat sur le thème : « Doit-on encourager la vente des produits issus du commerce équitable ? » Choisissez un rôle et défendez votre opinion.

Kamel Amraoui, membre de l'association Attac, a constaté par lui-même les conditions de travail imposées par les pays occidentaux aux producteurs des pays pauvres.

Yvan Lavelle, directeur d'une grande chaîne de supermarchés, pense que ces produits sont trop chers pour le consommateur.

Anne-Claude Lavesque, députée libérale, approuve le commerce équitable mais défend la liberté de choix des entreprises et des consommateurs.

Mario Poletti, négociant pour une grande marque de café, considère qu'il s'agirait d'une concurrence déloyale pour la marque qu'il représente.

BILAN

① Éventualités.
Répondez aux questions de deux façons différentes en exprimant la probabilité, puis la certitude.

▶ *Exemple : Tu sais s'ils gagnent bien leur vie ?*
→ *D'après ce qu'on m'a dit, ils **gagneraient** plus de 6 000 € à eux deux par mois.*
*Ah oui, ils **gagnent** plus de 6 000 € par mois.*

1 On dit qu'il est parti avec la caisse. C'est vrai ?
2 Elle a l'intention de partager cet héritage ?
3 Il a donné de l'argent à Médecins sans frontières ?
4 Vos parents acceptent de vous prêter de l'argent ?
5 On dit souvent que l'argent ne fait pas le bonheur. Qu'en pensez-vous ?

QU'EN PENSEZ-VOUS ?

② C'est possible.
Dites si ces phrases expriment un fait réel ou non vérifié.

1 Certains Français n'ont pas encore assimilé l'euro et comptent toujours en francs.
2 Les capitaux utilisés pour ce projet proviendraient de trafics illicites.
3 Il paraîtrait que les étrennes sont une coutume de moins en moins observée.
4 Il semble que les Français deviennent de plus en plus égoïstes.
5 Il suffit simplement de faire un petit effort pour que les inégalités diminuent.

③ Question d'argent.
Mettez les mots soulignés en relief.

▶ *Exemple : On a supprimé cette taxe l'an dernier.*
→ *Cette taxe a été supprimée l'an dernier.*

1 On préconise le pourboire pour les employés de maison ?
2 Cette collègue ne partage pas votre avis sur le budget.
3 Ils achètent des actions boursières en grande quantité.
4 On a obtenu ce prêt après beaucoup d'efforts.
5 Ils ont partagé l'addition après discussion.

④ Répartition des richesses.
Imaginez des réponses aux questions en utilisant la forme passive ou la forme pronominale de sens passif.

▶ *Exemple : Vous avez créé cette association dans quel but ?*
→ *L'association **a été créée** il y a cinq ans pour aider les plus démunis.*
***On s'est regroupés** en association pour être plus efficaces.*

1 Quels sont les effets de la mondialisation ?
2 Quelles conséquences avez-vous remarquées ?
3 Quelle est la cause de ce changement des mentalités ?
4 Avez-vous mené des actions publiques ?
5 Avez-vous des propositions pour remédier à cette situation ?

⑤ Le monde de l'argent.
À partir des titres de journaux, réécrivez une phrase verbale comme dans l'exemple.

▶ *Exemple : Négociations sur les indemnités de chômage avec les syndicats*
→ *Les indemnités de chômage **ont été négociées** avec les syndicats.*

1 Fermeture de l'entreprise décidée par le conseil d'administration
2 Détournement d'argent par le conseiller fiscal du Crédit municipal
3 Privatisation des services publics pour cause de rentabilité
4 Décisions prises en faveur des petits actionnaires
5 Dérobade du ministre des Finances face aux questions des journalistes

⑥ Ce qui est important.
Transformez les phrases en utilisant *ce qui/ce que… c'est/ce sont…*

▶ *Exemple : Les Français aimeraient que l'on s'occupe davantage des plus démunis.*
→ ***Ce que** les Français aimeraient, **c'est qu'**on s'occupe davantage des plus démunis.*

1 Le plus important est de ne pas passer sa vie à courir après l'argent.
2 Beaucoup de gens regardent avec intérêt l'émission *Qui veut gagner des millions ?*
3 De plus en plus de consommateurs achètent des produits venant du commerce équitable.
4 En France, c'est assez mal perçu de demander à quelqu'un combien il gagne.
5 Les sociétés de bourse sur Internet se sont développées ces dernières années.

Unité 9

Du coq à l'âme

Contenus thématiques

- La France : entre idées reçues et valeurs réelles
- Les images de la France dans le monde
- Marianne, un symbole aux visages multiples

Objectifs et savoir-faire communicatifs

- Établir un constat en le nuançant
- Exprimer un ordre de grandeur
- Rapporter des propos

Objectifs linguistiques

- Les adverbes de manière, de degré et de temps
- L'expression de proportions
- Le discours rapporté au passé
- La concordance des temps

Bizarre, vous avez dit

Parler

❶ Attention, clichés !

1 Écrivez dix mots que la France et les Français vous évoquent. Puis, comparez avec votre voisin(e) en justifiant vos réponses.

2 Indiquez quelle(s) image(s) les étrangers perçoivent de votre pays et de ses habitants, en général. Dites ce que vous pensez de ces idées reçues.

Comprendre

❷ Drôles de citoyens.

1 Lisez les introductions des deux documents, les indications sur les auteurs et la date de parution des textes. Puis, d'après ces informations, indiquez les points communs et les différences entre ces deux documents.

GRAMMAIRE

Les adverbes de manière, de degré et de temps

Pour nuancer le sens d'un verbe, d'un adjectif ou d'un adverbe, on utilise des adverbes :

- **de manière** : *bien, mal, plutôt…* et des adverbes en *-ment* : *lentement, immédiatement…*
  *Les Français se déplacent **rapidement**.*

- **de degré** : *beaucoup, très, un peu, à peu près, assez, trop…*
  *Les Latins roulent **trop** vite pour un Anglais.*

- **de temps** : *soudain, toujours, souvent, parfois, quelquefois…*
  *Depuis mon arrivée à Paris, j'enrage **parfois** contre ces maudits Français !*

! On peut utiliser un adverbe pour nuancer le sens d'un autre adverbe : *plutôt, très, bien, beaucoup, un peu.*

! La place de l'adverbe varie dans la phrase. Cependant, en général, on constate qu'il se place :
– après le verbe conjugué à un temps simple ;
– entre l'auxiliaire et le verbe quand il s'agit d'un temps composé ;
– avant l'adjectif ou l'adverbe dont il nuance le sens.

Après avoir chassé le tigre dans divers pays, le major Thompson décide d'explorer la jungle française et de consigner, dans un carnet, ses observations sur le comportement des habitants.

Il faut se méfier des Français en général, mais sur la route en particulier. Pour un Anglais qui arrive en France, il est indispensable de savoir d'abord qu'il existe deux sortes de Français : les à-pied et les en-voiture. Les à-pied exècrent les en-voiture, et les en-voiture terrorisent les à-pied, les premiers passant instantanément dans le camp des seconds si on leur met un volant entre les mains. (Il en est ainsi au théâtre avec les retardataires qui, après avoir dérangé douze personnes pour s'asseoir, sont les premiers à protester contre ceux qui ont le toupet d'arriver plus tard.)

Les Anglais conduisent plutôt mal, mais prudemment. Les Français conduisent plutôt bien, mais follement. La proportion des accidents est à peu près la même dans les deux pays. Mais je me sens plus tranquille avec des gens qui font mal des choses bien qu'avec ceux qui font bien de mauvaises choses.

Les Anglais (et les Américains) sont depuis longtemps convaincus que la voiture va moins vite que l'avion. Les Français (et la plupart des Latins) semblent encore vouloir prouver le contraire.

Pierre Daninos[1], *Les Carnets du major Thompson*, 1954, © Hachette.

---

1. Journaliste et écrivain français.

En voyage en France, deux Persans, Usbek et Rica, écrivent à divers amis pour leur faire part de leurs impressions sur le pays et ses habitants.

Lettre 24. Rica à Ibben, à Smyrne.

Nous sommes à Paris depuis un mois, et nous avons toujours été dans un mouvement continuel. Il faut bien des affaires avant qu'on soit logé, qu'on ait trouvé les gens à qui on est adressé, et qu'on se soit pourvu des choses nécessaires, qui manquent toutes à la fois. […]

Tu ne le croirais pas peut-être : depuis un mois que je suis ici, je n'y ai encore vu marcher personne. Il n'y a point de gens au monde qui tirent mieux parti de leur machine que les Français : ils courent ; ils volent. Les voitures lentes d'Asie, le pas réglé de nos chameaux les feraient tomber en syncope. Pour moi, qui ne suis point fait à ce train, et qui vais souvent à pied sans changer d'allure, j'enrage quelquefois comme un chrétien : car encore passe qu'on m'éclabousse depuis les pieds jusqu'à la tête ; mais je ne puis pardonner les coups de coude que je reçois régulièrement et périodiquement. Un homme qui vient après moi, et qui me passe, me fait faire un demi-tour, et un autre, qui me croise de l'autre côté, me remet soudain où le premier m'avait pris ; et je n'ai pas fait cent pas, que je suis plus brisé que si j'avais fait dix lieues.

Montesquieu[1], *Lettres persanes*, 1721, Gallimard.

---

1. Écrivain français.

Les Embarras de Paris.

2 Lisez les deux textes.

a Complétez la liste des points communs commencée précédemment.

b Relevez les effets comiques développés par les auteurs.

3 Indiquez quelle image de la France et des Français ressort de ces deux textes.

❸ **Un peu, beaucoup… follement !**

1 Lisez à nouveau le texte de Pierre Daninos et relevez les énoncés qui comparent :

a la façon de conduire des Anglais et des Français ; **b** le nombre d'accidents de la route en France et en Grande-Bretagne ; **c** le rapport que les Anglo-Saxons et les Latins entretiennent avec la vitesse.

2 Observez les énoncés relevés et repérez les adverbes qui apportent une information sur :

a la manière ; **b** le degré ou la quantité ; **c** le temps.

3 Relisez les deux textes et repérez d'autres moyens de nuancer une information. Puis, classez-les sur le modèle précédent.

puissance mondiale, ne résistent pas à la fraude mais élèvent leurs enfants dans le culte du droit chemin. Un vrai paradoxe national !

❺ **Suivez le guide.**
Voici quelques notes prises par l'auteur d'un guide de voyage étranger au sujet des transports parisiens. Imaginez les commentaires qu'il va rédiger ensuite.

▶ *Exemple : Attention ! Le trajet de l'aéroport de Roissy au centre de Paris est assez cher.*

Taxi
Trajet aéroport Roissy → Paris/centre : cher
Amabilité chauffeurs nulle → nulle !
Samedi soir → difficile trouver taxi

Métro : pas cher. Pratique mais sale.

Bus : pas cher. Idéal pour visiter.
Compliqué pour un étranger.

S'entraîner

❹ **Totalement paradoxal !**
Nuancez le témoignage du major à l'aide des adverbes *régulièrement, encore, souvent, invariablement, un peu* et *sincèrement.*

Les Français sont étranges ! Ils détestent être critiqués mais se dénigrent eux-mêmes, se disent modestes mais sont persuadés d'être une grande

Écrire

❻ **Un autre regard.**
Le magazine *Lire* organise un concours intitulé « Un autre regard ». À la manière de Montesquieu et de Pierre Daninos, rédigez un texte dans lequel un(e) étranger/étrangère fait part de ses observations sur votre pays.

Cocorico !?

Parler

❶ Regards sur l'Hexagone.
Avec votre voisin(e), répondez aux questions.

1 Quelles sont, parmi les affirmations suivantes, celles que l'on entend le plus dans votre pays sur les Français ?

a Les Français sont sales. **b** C'est en France qu'on trouve les plus grands cuisiniers. **c** Les Français ne sont jamais contents. **d** La France est le pays du vin, de l'élégance et des parfums. **e** Les Français sont chauvins et arrogants avec les étrangers. **f** La France est le pays de l'amour. **g** Les Français n'aiment pas travailler et sont toujours en grève.

2 Parle-t-on régulièrement ou rarement de la France dans les médias ? À quel sujet ?

Comprendre

❷ Grandeur et décadence.
1 Lisez le texte.
  a Précisez :
    1 la question centrale soulevée par l'auteur ;
    2 la profession des personnes citées.

  b Indiquez quels adjectifs qualifient le mieux les Français, selon les personnes interrogées.

  c Associez les timbres à des parties du texte.

2 **a** Écoutez l'enregistrement et relevez : ☎

  1 les paragraphes du texte sur lesquels les personnes réagissent ; 2 les critiques positives et négatives formulées à l'égard de la France et des Français.

  b Repérez les phrases du texte qui résument, selon vous, l'attitude de l'homme qui parle en premier. Justifiez votre choix.

❸ Splendeur perdue.
1 Lisez le premier paragraphe du texte et relevez les énoncés qui valident ou contredisent les affirmations suivantes.

  a La France suscite un vif intérêt auprès de la quasi-totalité des Asiatiques. **b** Seule une minorité de la population ignore où se trouve la France. **c** La France n'est pas reconnue comme un pays ayant un pouvoir économique important. **d** C'est la langue française qui, dans les deux tiers des cas, sert à véhiculer les principes chers aux pays occidentaux.

VOCABULAIRE

■ L'expression de proportions

● *La plupart, les deux tiers, les trois quarts*
La plupart *critiquent la nourriture étrangère.*

● *La majorité, la quasi-totalité, la moitié, une minorité*
La quasi-totalité *ignore tout de notre pays.*

● *Un sur deux/trois, etc.*
*Moins d'**un** Français **sur trois** part en vacances à l'étranger.*

● *Un million, un millier, une centaine*
*Ses commentaires sur la France lui ont valu **une centaine** de lettres de protestation.*

● *D'une façon générale, en général*
***D'une façon générale**, les Français sont considérés comme chauvins et arrogants.*

▌ Une proportion peut être renforcée ou amoindrie par un adjectif :
*Seule une **petite** minorité accepte d'écouter les arguments d'autrui.*

Après avoir vécu vingt-six ans en Inde, le père Raymond Rossignol parcourt chaque année les pays asiatiques dans lesquels œuvrent des missions. « En dehors de quelques microcosmes, les Asiatiques ne connaissent pas la France ou ne s'y intéressent guère. La plupart ne savent pas situer l'Hexagone sur un planisphère, chiffrer sa population ou estimer son rang économique. Pour l'immense majorité de la population comme pour la presse, la France n'est pas même une puissance moyenne, contrairement à l'Allemagne. D'une façon générale, les valeurs occidentales passent par l'anglais. Il convient donc de se garder de nourrir trop d'illusions quant à l'importance reconnue à la France dans le monde asiatique. »

Professeur de sciences politiques, Francis Balle enseigne chaque année, à l'université de Standford, en Californie. Voici son constat : « *Il devient exceptionnel de voir un événement français faire la une des journaux américains. La France donne l'impression de ne plus exister qu'à travers ses musées...* »

© Chanel, croquis K. Lagerfeld

2 a Observez les énoncés relevés et repérez les éléments qui donnent un ordre de grandeur, une proportion.

b Trouvez d'autres éléments exprimant un ordre de grandeur ou une proportion, soit dans le texte, soit dans les affirmations précédentes.

S'entraîner

4 Enquête.
Résumez le sondage en cinq phrases.

▶ *Exemple : Une large majorité de Français semble attirée par les pays anglo-saxons.*

5 Non mais, rendez-vous compte !

1 Écoutez l'enregistrement et relevez sur quelle(s) partie(s) de la phrase la personne qui parle accentue l'intonation.

a Les chiffres sont formels : moins d'un Français sur trois part en vacances à l'étranger ! **b** Mais à part une toute petite minorité, ça n'intéresse personne ! **c** L'attitude de la plupart des Français à l'étranger est absolument inacceptable ! **d** Pas une seule des personnes que j'ai rencontrées ne parlait français ! Pas une ! **e** Il a reçu une centaine de lettres de protestation ! Non mais tu te rends compte ! **f** Mais il déteste la quasi-totalité de ses congénères ! Voilà le problème !

2 Avec votre voisin(e), répétez les phrases en reproduisant l'intonation entendue.

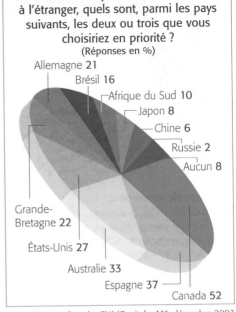

Si vous aviez la possibilité de travailler à l'étranger, quels sont, parmi les pays suivants, les deux ou trois que vous choisiriez en priorité ?
(Réponses en %)

Allemagne 21
Brésil 16
Afrique du Sud 10
Japon 8
Chine 6
Russie 2
Aucun 8
Grande-Bretagne 22
États-Unis 27
Australie 33
Espagne 37
Canada 52

Enquête BVA/*Capital* – M6, décembre 2003.

Pour autant, il existe probablement une marge de manœuvre, selon une des rares études consacrées aux images de la France dans le monde. En dépit des observations précédentes, la France semble, en effet, bénéficier du capital d'image le plus riche et le plus désirable qui soit. Cette « *créature de rêve* » séduit par ses dons de l'esprit, son art de vivre, sa gastronomie, ses produits de luxe, son climat clément, ses paysages variés, sa capitale éblouissante, son patrimoine historique et culturel enviable...

Cependant, à cause de ses contradictions, la France apparaît finalement comme une « créature de rêve » fatigante.

Journaliste belge, Geneviève Delaunoy porte sur nous un regard sympathique mais sans concession. « *À juste titre, les Français sont fiers d'une histoire très porteuse. Cependant, ils abusent parfois de cet atout. Ils ont, en effet, tendance à considérer ce qu'ils ne connaissent pas comme sans intérêt, nul et non avenu.*

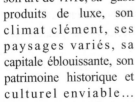

Trop souvent, les Français affichent également un mépris insupportable à l'égard des étrangers, même francophones. »

Un diplomate français ayant récemment passé plusieurs années en poste auprès de l'Union européenne fait ainsi part de ses observations. « *À ma grande consternation, je dois bien admettre que l'arrogance des Français se manifeste à chaque instant de la vie et des négociations communautaires. Le Français a toujours quelque chose à dire sur n'importe quel sujet touchant les affaires du monde.*

Quant aux millions de touristes français qui chaque année voyagent à travers le monde, représentant leur pays sans toujours s'en rendre compte, ne passent-ils pas beaucoup de temps à critiquer la nourriture et même les autochtones ? Le sénateur André Maman l'a observé. « *La mentalité française demeure trop souvent la suivante : "Si je pars de France, c'est pour y revenir très rapidement boire un Ricard en mettant les pieds dans mes pantoufles."* »

D'après Pierre Verluise, directeur du Centre géopolitique et fondateur du site www.diploweb.com © www.diploweb.com, janvier 2001.

Le complexe du

b Relevez les questions que la Sofres s'est posées/a posées pour les besoins de son enquête.

▶ *L'institut a cherché à savoir…*
Les responsables ont demandé…

c Reformulez ces questions telles qu'elles ont été énoncées au départ.

d Comparez les questions rapportées et les questions directes.

3 Écoutez l'ensemble de l'enregistrement et choisissez, parmi les mots ci-contre, ceux qui correspondent à des points évoqués par le journaliste. Justifiez votre choix.

Parler

❶ Le pouvoir des mots.

1 Lisez les mots ci-dessous et choisissez-en cinq qui évoquent le plus, selon vous, quelque chose :

a de positif ; **b** de négatif.

2 Comparez avec votre voisin(e) en justifiant votre choix.

famille	prudence	respect
rêver	maternel	rouge
argent	mariage	ensemble
émotion	révolte	inconnu
entreprise	noir	discipline
créer	sacrifice	patrie
apprendre	tradition	dieu
justice	moi	humour
amour	changer	rire
sensuel	vide	courage
différence	libre	vieillir
île	critiquer	loi
puissance	gloire	seul
politesse	ordre	

Comprendre

❷ Crise d'adolescence.

1 Lisez le document et relevez la raison pour laquelle l'institut de sondages cite Françoise Dolto.

2 Lisez à nouveau le document et choisissez, parmi les mots ci-dessus, ceux qui caractérisent l'état d'esprit actuel des Français. Justifiez votre choix.

❸ D'humeur morose. 🎧

1 Écoutez l'introduction de l'enregistrement et dites quel est le point commun avec le document précédent.

2 Écoutez à nouveau l'introduction de l'enregistrement.

a Dites quel est le thème de l'étude effectué par la Sofres.

La France en mutation ou… le complexe du homard

« Les homards, quand ils changent de carapace, perdent d'abord l'ancienne et restent sans défense, le temps d'en fabriquer une nouvelle. Pendant ce temps-là, ils sont très en danger. Pour les adolescents, c'est un peu la même chose […]. Il y a de l'insécurité dans l'air, il y a le désir de s'en sortir et le manque de confiance en soi. On a besoin à la fois de contrôle et de liberté, ce n'est pas facile de trouver le bon équilibre entre les deux. » (Françoise Dolto[1])

La crise actuelle de la société française a des allures de crise d'adolescence. Culte du moi-je, revendications contradictoires (la liberté pour moi, l'ordre pour les autres), idéologie du rejet, sociabilité réduite et malaise entre hommes et femmes, notre vieux pays semble présenter tous les symptômes d'une mutation douloureuse et mal assumée. […]

La France évolue, dans la douleur mais aussi dans l'attente.

L'appel au changement, au renouveau, se fait pressant. Changer, oui, mais changer quoi ? Et comment ? Comment comprendre une population en demande, comment lui parler, que lui proposer ?

Baromètre Valeurs des Français, édition 2002, © TNS Sofres.

---

1. Psychanalyste. Texte extrait de *Paroles pour adolescents ou le complexe du homard.*

GRAMMAIRE

Le discours rapporté au passé et la concordance des temps

Lorsqu'on rapporte les paroles d'une personne et que le verbe introducteur est au passé[1], il faut veiller à la concordance des temps.

1. Passé composé, imparfait, plus-que-parfait ou passé simple.

❚ Attention également aux modifications qu'entraîne le passage au discours rapporté :

– les termes introducteurs varient selon le type de question rapportée : *ils ont demandé si…, ce que…* ;

– les pronoms personnels changent.

	Paroles d'origine		Paroles passées rapportées
Fait réel	• au présent *La France **évolue** dans la douleur.* • au passé composé *La différence **s'est creusée**.* • au futur simple *Ce problème **se résoudra** difficilement.*	Verbe introducteur au passé[1] : *On **a constaté** que…* *Il **disait** que…*	• à l'imparfait *… la France **évoluait** dans la douleur.* • au plus-que-parfait *… la différence **s'était creusée**.* • au futur du passé = conditionnel *… ce problème **se résoudrait** difficilement.*
Fait fictif	• au conditionnel présent ou passé *Ce phénomène **aurait augmenté**.*		• au conditionnel présent ou passé *…ce phénomène **aurait augmenté**.*

Pablo Picasso,
La Grande Baigneuse au livre (1937),
© succession Picasso 2004.

S'entraîner

❹ Parole d'expert.
Rapportez les éléments de l'interview.

– Quelles sont les grandes valeurs qui structurent aujourd'hui la société française ?

– Le domaine qui compte le plus pour les Français, c'est d'abord la famille. Mais ce qu'il est important de souligner, c'est que les valeurs familiales ont beaucoup évolué. Avant, la famille, c'était un cadre institutionnel. Aujourd'hui, elle repose d'abord sur les sentiments individuels ; ce qui expliquerait sa fragilité. On retrouve finalement dans le domaine familial le mouvement d'individualisation qui caractérise l'évolution des valeurs de notre société. Et cette tendance se renforcera très certainement avec la jeune génération. (Jean-Édouard Lehmann, professeur à Sciences-Po Toulouse)

▶ *Exemple : Nous lui avons demandé quelles étaient les valeurs qui structuraient aujourd'hui la société française.*

❺ Les auditeurs ont la parole.
Voici quelques-unes des questions posées par des auditeurs à J.-É. Lehmann, lors d'une émission radio consacrée aux tendances actuelles en France. Rapportez les questions.

▶ *Exemple : Est-ce que vous pensez que ce phénomène va s'accentuer ? (Éloïse, Marseille)*
→ *Éloïse lui a demandé s'il pensait que ce phénomène allait s'accentuer.*

1 Quelles sont les valeurs qui ont le plus reculé ces dernières années ? (Charles, Le Havre) 2 Pourriez-vous préciser pourquoi tout cela est lourd de conséquences ? (Barbara, Bastia) 3 Qu'est-ce qui explique ce retour à un modèle traditionnel ? (Antoine, Grenoble) 4 Comment réussira-t-on, selon vous, à sortir de cette mutation douloureuse ? (Eva, Bordeaux) 5 Est-ce que ce malaise a déjà été répertorié dans d'autres pays européens ? (Laurence, Pau)

Complètement timbrés !

Marianne se mobilise pour l'environnement, et vous ?

Dessinez le nouveau timbre Marianne !

▮ Les modalités de participation

Présentation générale

La Poste organise une opération dans le cadre du renouvellement du timbre « Marianne » dit « d'usage courant » traditionnellement choisi par le président de la République. Pour cette nouvelle émission du timbre Marianne, le président de la République propose aux Français d'être, eux-mêmes et à titre exceptionnel, les « créateurs » de ce timbre.

Ainsi, La Poste lance un appel afin que le public lui adresse des dessins relatifs à Marianne dans l'objectif :

a. d'en sélectionner cent (100) maximum, aux termes de plusieurs phases de sélection… ;

b. d'en sélectionner un (1) parmi ces cent (100) dessins maximum, qui fera l'objet d'une reproduction et d'une exploitation sous forme de timbre-poste et sur différents supports et à travers différents modes de reproduction et de représentation.

Article 1. Objet

Cette opération fera l'objet d'une campagne d'annonces par La Poste, invitant les personnes intéressées à adresser à La Poste, selon les modalités précisées à l'article 2.2.a et 2.2.b, un dessin de leur choix. Ce dessin devra « illustrer l'engagement de Marianne en faveur de l'environnement et des valeurs fondamentales de la République ». Il devra obligatoirement être effectué au trait noir sur fond blanc dans un rectangle de 9 cm x 13 cm (ou 13 cm x 9 cm).

Article 2. Modalités de participation

2.1. Chaque participant ne pourra envoyer qu'un dessin. Les créations photographiques ne seront pas acceptées.

2.2. Envoi

Les photocopies des dessins pourront être adressées à La Poste entre le 8 décembre 2003 et le 15 mars 2004 et comporter au dos les coordonnées complètes des participants (nom, prénom, adresse, numéro de téléphone, date de naissance).

a. Envoi par courrier

Seules les photocopies des dessins seront acceptées. Aucun original ne devra être adressé à La Poste.

La photocopie devra être envoyée sous enveloppe non affranchie à l'adresse suivante :

La Poste / Opération Marianne
Libre réponse n° 43297
92 260 Fontenay-aux-Roses Cedex

Aucune des photocopies ne fera l'objet d'un retour à l'expéditeur.

b. Envoi par e-mail

Les dessins pourront également être envoyés sous forme électronique *via* le site de La Poste (www.laposte.fr).

Avec l'aimable autorisation de la Poste
© Titouan Lamazou

Repérer

❶ Tout un symbole.

1 a Observez le document 1 et relevez de quel personnage il est question. Indiquez ce que vous savez sur ce personnage.

b Lisez le document 2 et répondez aux questions suivantes.

1 Que symbolise cette femme ? 2 Quand est-elle née ? 3 Quelle est l'origine possible de son nom ? 4 Où peut-on voir son visage ?

2 Observez à nouveau le document 1 et relevez :

1 le nom de l'organisateur du concours ; 2 l'objectif de ce concours ; 3 les personnes à qui il s'adresse ; 4 le thème choisi ; 5 les coordonnées de l'organisateur ; 6 le principe de sélection du timbre gagnant ; 7 les contraintes à respecter ; 8 les deux modes de participation possibles.

3 a Observez les deux derniers timbres Marianne et lisez à nouveau l'article 1 du document 1. Puis, regardez le document 3 et indiquez en quoi le personnage de Marianne correspond aux valeurs chères aux Français.

b Lisez le document 3 et repérez l'image que Marianne véhiculait précédemment.

❷ Numéro Azur.

Stagiaire à La Poste, vous devez répondre aux appels de personnes souhaitant obtenir des informations sur ce concours.

À l'aide du document 1, jouez la scène avec votre voisin(e).

Bien que la Constitution de 1958 ait privilégié le drapeau tricolore comme emblème national, Marianne incarne aussi la République française.

Les premières représentations d'une femme à bonnet phrygien, allégorie de la Liberté et de la République, apparaissent sous la Révolution française. L'origine de l'appellation de Marianne n'est pas connue avec certitude. Prénom très répandu au XVIIIe siècle, Marie-Anne représentait le peuple.

Sous la IIIe République, les statues et surtout les bustes de Marianne se multiplient, en particulier dans les mairies. Aujourd'hui, Marianne figure également sur des objets de très large diffusion comme les pièces de monnaie ou les timbres-poste.

© Site de la présidence de la République : www.elysee.fr

Histoire...
des deux derniers timbres Marianne

Marianne du Bicentenaire : 1989
Dessiné par Louis Briat
Plus star que femme, et en tout cas, très citadine, l'air grave et sévère, pour la première fois, Marianne regarde de face.

Marianne du 14 Juillet : 1997
Dessiné par Ève Luquet
Pour la première fois, notre timbre d'usage courant est l'œuvre d'une femme, dessinateur et graveur. « Pour Marianne, dit-elle, j'ai cherché un type de regard, de volonté qui exprime quelque chose... Je voulais un regard se projetant dans l'avenir. »

© Musée de la poste – Paris

3 Quelles seraient les valeurs d'une société où vous aimeriez vivre ?

L'honnêteté	**41**
La justice	**32**
L'amitié	**30**
L'égalité	**30**
La famille	**28**
Le respect de l'environnement	**27**
La liberté	**25**
Les droits de l'homme	**24**
La tolérance	**24**

Total supérieur à 100, plusieurs réponses possibles.

Sondage IPSOS/BVA, mars 2000.

4 **Interview.**
1 Choisissez un des deux personnages ci-dessous et préparez-vous à l'interview.

a Vous êtes journaliste, à la radio, et vous souhaitez interviewer le directeur/la directrice de la communication de La Poste sur le concours *Dessinez la nouvelle Marianne*. Préparez vos questions en vue de l'interview. b Vous êtes le directeur/la directrice de la communication de La Poste et vous allez être interviewé(e) à la radio, au sujet du concours *Dessinez la nouvelle Marianne*. Imaginez à quels types de questions vous allez devoir répondre et préparez vos réponses.

2 Jouez la scène avec un(e) étudiant(e) qui a choisi un autre personnage que vous.

5 **Une Marianne idéale.**
Vous auriez aimé participer au concours, mais vous ne savez pas dessiner. Lisez le message ci-dessous et répondez-y.

> **Vous ne savez pas dessiner ?**
> **Décrivez-nous la Marianne**
> **que vous auriez aimé nous faire**
> **parvenir.**

Réaliser

3 **Toute la presse en parle !**
Journaliste pour un magazine francophone, vous décidez de rédiger un article sur le concours ci-dessus. À l'aide des repérages effectués dans l'exercice 1, écrivez l'article dont voici les titres intermédiaires.

Grand concours / Rappel historique / Marianne, reflet des valeurs de son époque

Imaginez le titre de cet article.

❶ Votre avis nous intéresse.

Classez ces avis du plus positif au plus négatif.

1 Les prix étaient raisonnables et l'hôtel assez bien situé, pas trop loin du centre.

2 La chambre était plutôt confortable et on a beaucoup apprécié la vue sur la tour Eiffel de notre balcon.

3 Impossible de fermer l'œil ! Les feux juste à côté de la fenêtre, sincèrement, plus jamais ça !

4 Le séjour a été vraiment très agréable, les employés charmants, la cuisine franchement délicieuse.

5 Je n'ai pas trouvé l'hôtel très propre, il y avait une mouche écrasée sur le mur de ma chambre.

❷ Nuance !

Répondez aux questions par des phrases en exprimant une opinion nuancée.

▶ *Exemple : Vous trouvez que les Français sont arrogants ?*
→ *Quelquefois, ça dépend des situations.*

1 Vous sentiriez-vous en sécurité sur les routes françaises ?

2 Que pensez-vous des émissions proposées par les chaînes de télévision ?

3 Est-ce que la France reste le pays des droits de l'homme, selon vous ?

4 Les Français peuvent être fiers de leur histoire, non ?

❸ Optimisme et rapports humains.

Complétez le commentaire des résultats du sondage. Utilisez des expressions exprimant un ordre de grandeur ou une proportion.

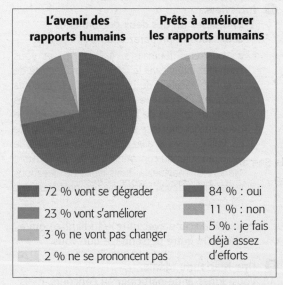

L'avenir des rapports humains

Prêts à améliorer les rapports humains

72 % vont se dégrader

23 % vont s'améliorer

3 % ne vont pas changer

2 % ne se prononcent pas

84 % : oui

11 % : non

5 % : je fais déjà assez d'efforts

… des Français estiment que les rapports humains vont se dégrader. Cependant, … d'entre eux espère un progrès et … pense que rien ne va évoluer. Quand on leur demande s'ils veulent bien faire preuve de plus de fraternité, … sont d'accord, et … ne veulent rien changer à leurs habitudes.

❹ Qu'est-ce qu'il a dit ?

Vous êtes allé(e) à une conférence sur les valeurs des Français. Retrouvez les paroles du conférencier.

▶ *Exemple : Il a remarqué que l'individualisme s'accentuait.*
→ *L'individualisme s'accentue.*

1 Il a constaté que les Français étaient d'humeur assez maussade.

2 Il a expliqué qu'il y avait eu un changement dans les mentalités.

3 Il nous a dit que l'argent serait devenu une valeur refuge.

4 Il a prévenu que la disparité entre les hommes et les femmes s'était accentuée.

❺ Tendance coaching.

Lisez le courriel et imaginez le dialogue qui est à l'origine du document.

Pièces jointes : *Aucune*

Police par défaut · Taille du texte · G I S T

Chère Clara,

Je t'avais promis de te raconter comment s'était passée ma première rencontre avec mon coach. Tout d'abord, il a commencé à me poser des questions pour faire le point. Puis il m'a dit qu'il pouvait m'aider à me reprendre en mains. Il m'a questionnée sur mes goûts vestimentaires puis il m'a expliqué que je devais penser à mon look. J'ai répondu que j'étais d'accord. Il m'a alors proposé cinq séances de gym par semaine, et je lui ai répondu que, vu ses tarifs, je ne pouvais en faire que deux. Il m'a alors demandé quand je pouvais commencer. Je lui ai expliqué que c'était urgent. On commence donc demain.

Je te tiens au courant, bises.

Valérie

❻ C'est ce qu'ils auraient déclaré.

Mettez les paroles au discours rapporté au passé.

▶ *Exemple : La spécialiste au journaliste : « Les Français doivent apprendre à gérer leur liberté. »* (déclarer)
→ *La spécialiste **a déclaré** au journaliste **que** les Français devaient apprendre à gérer leur liberté.*

1 Le fonctionnaire à un collègue : « Il faudrait augmenter les cotisations sociales. » (*expliquer*)

2 Un homme dans un café : « Tout changera quand les gens comprendront vraiment le problème. » (*dire*)

3 Paul à un ami : « Non, je ne ferai plus jamais confiance aux sondages. » (*annoncer*)

4 L'enquêteur au journaliste : « Oui, les gens ne sont pas très optimistes actuellement. » (*avouer*)

Évaluation orale 3

1 Aux petits oignons. DELF

1 Écoutez l'enregistrement et indiquez le thème de la chronique.

a Grâce à la commercialisation de plats issus des meilleurs restaurants du *Guide Michelin*, les hypermarchés montrent qu'il est possible d'allier qualité et grande distribution.

b En demandant à de grands cuisiniers d'imaginer des plats pour la grande distribution, l'industrie alimentaire parvient aujourd'hui à proposer des produits de qualité.

c Les grandes industries alimentaires interrogent régulièrement les consommateurs sur leurs habitudes alimentaires de manière à améliorer la qualité des produits vendus en grande surface.

2 Écoutez à nouveau l'enregistrement.

a Répondez aux questions suivantes.

1 Quel est le comportement actuel des Français à l'égard de l'alimentation ?

2 Quelles sont les deux techniques qui permettent de préserver la qualité des aliments vendus en supermarché ?

3 Quelle est la caractéristique de chacune de ces deux techniques ?

4 Quelle place occupent les plats des grands cuisiniers sur le marché des plats cuisinés industriels ?

5 Quelles sont les nouvelles attentes des consommateurs aujourd'hui ?

6 Comment l'industrie alimentaire répond-elle à ces attentes ?

b Indiquez quel est l'objectif de la Semaine du Goût.

c Repérez une expression équivalant à chacune des expressions ci-dessous.

1 des plats préparés avec soin

2 sont reconnus pour leur qualité

2 Question de choix.

Indiquez quels sont, parmi les critères suivants, les trois critères que vous privilégiez lors du choix d'un restaurant. Avec votre voisin(e), comparez vos réponses en les justifiant.

1 le prix
2 le cadre intérieur
3 l'environnement extérieur
4 la propreté
5 l'accueil
6 la qualité de la nourriture
7 la rapidité du service
8 l'originalité

③ **Le tricheur.**

Georges de La Tour, *Le Tricheur* (1635-1640).

1 Observez le tableau ci-dessus. Puis, avec votre voisin(e) :
   a Faites-en une description.
   b Choisissez deux des personnages du tableau et imaginez leur portrait (âge, origine sociale, situation de famille, personnalité, centres d'intérêt…).

2 Jouez la scène illustrée sur le tableau avec d'autres étudiants de la classe. Imaginez les dialogues.

Au pays de la claustrophilie

La phobie des espaces clos, ou claustrophobie, est un symptôme connu et répertorié dans toutes les nosographies[1] psychiatriques. De même, on connaît bien l'agoraphobie qui est la phobie des espaces libres et des lieux publics.

En revanche, les annales psychiatriques ne mentionnent pas la claustrophilie, qui est, en quelque sorte, l'amour des espaces clos, bien protégés. Pourtant, lorsqu'on entend des étrangers s'attarder sur l'hexagonalité[2] des Français, on en vient à se demander s'ils n'ont pas identifié un nouveau symptôme clinique, digne d'être répertorié et qui mériterait une nosographie approfondie.

Le repli sur l'Hexagone trouve aussi sa traduction dans le style de vie des Français qui témoigne d'une prédisposition assez générale à vivre dans un monde clos, bien délimité, chauvin. D'une certaine façon, en considérant l'urbanisation de l'environnement rural, le fonctionnement des cellules familiales, de l'université, on croit voir des reproductions d'hexagones de différents formats qui s'emboîtent les uns dans les autres à la façon de poupées russes. Par exemple, en se promenant dans les campagnes ou dans les banlieues pavillonnaires, on ne peut qu'être frappé par cet alignement de maisons isolées les unes des autres par des clôtures faites de maçonnerie ou de haies vives, sans aucune unité de taille ou de matériaux, car choisies en fonction des goûts, obsessions et moyens de chacun. Le but manifeste de ces clôtures est de protéger, de dissimuler. Dans les pays anglo-saxons, le concept de clôture façon française n'existe pas, ou seulement pour les très grandes propriétés. Partout ailleurs, l'espace est ouvert. Toujours dans le même ordre d'idées, les étrangers constatent que la famille française est une cellule relativement fermée, où l'on vit beaucoup replié sur soi, et surtout d'où les enfants adultes partent nettement plus tard que dans les pays comme l'Angleterre, l'Allemagne, les États-Unis, les pays scandinaves ou les Pays-Bas. […]

Hexagonalité dans la tête, une fois de plus ? Au même titre que dans l'étonnante sédentarité des Français qui, en termes de logement et même de lieu de résidence, déménagent infiniment moins que les Américains, les Allemands et même les Anglais. Le Britannique Simon Thorpe, un grand barbu de trente-deux ans, à l'allure décontractée, marié à une Française, a transité par les États-Unis et le Canada avant d'obtenir un poste en France. Grâce à sa formation de chercheur en psychophysiologie, il jette sur les mœurs des Français un regard très perspicace. […]

« En France, il y a une tendance à rester dans des groupes restreints, familles et amis proches que l'on connaît depuis longtemps. […] Les Français évitent d'avoir des activités avec des inconnus ; il y a donc très peu de vie associative. Par contre, aux États-Unis, au Canada, il y a beaucoup d'associations de volontaires pour organiser des choses pour les enfants, des activités culturelles ou sportives. Ici, cela ne leur vient pas à l'idée. Ils font plutôt des pétitions pour demander à la mairie de s'en charger. » […]

Qu'ils soient américains, anglais, italiens ou scandinaves, mathématiciens, biologistes, physiciens ou sociologues, les universitaires et scientifiques étrangers rencontrés au fil de cette étude sont aussi fort stupéfaits de constater à quel point leurs homologues français sont sédentarisés dans leur vie professionnelle, au même titre qu'ils sont peu polyvalents en termes de discipline intellectuelle.

Dominique Frischer, *La France vue d'en face*, 1990, © Robert Laffont.

1. Descriptions et classifications des maladies. 2. Le repli sur soi (ce terme fait référence à l'Hexagone, forme géométrique à six côtés qui symbolise la France).

1 **Complètement claustros !** DELF

1 Lisez le texte et indiquez de quel type de document il s'agit.

1 un traité de médecine

2 un commentaire sociologique

3 une analyse historique

2 Lisez à nouveau le texte.

a Dites ce qui caractérise les Français selon l'auteur.

1 une tendance au repli sur soi

2 une grande ouverture sur le monde qui les entoure

3 la peur du repli sur soi

b Précisez dans quels domaines se manifeste cette attitude.

1 la culture

2 l'habitat

3 les voyages

4 la famille

5 la vie politique

6 le travail

7 le cercle amical

8 la recherche

c Trouvez un exemple illustrant chacun des thèmes repérés.

d Indiquez les deux raisons pour lesquelles les Français s'investissent peu dans les activités bénévoles.

1 Ils considèrent que c'est le rôle des pouvoirs publics.

2 Leur vie professionnelle ne leur laisse pas le temps.

3 Ils ont la phobie des lieux publics.

4 Ils préfèrent avoir des activités avec des personnes qu'ils connaissent.

2 **Argent et littérature.** DELF

Un magazine littéraire propose à ses lecteurs de réagir à des citations d'auteurs célèbres.

Gustave Flaubert, écrivain français, a écrit dans son *Dictionnaire des idées reçues* cette définition : « Argent : cause de tout le mal. »

Rédigez un texte de 150 mots environ pour donner votre opinion au journal.

Unité 10

C'est pas demain la veille !

Contenus thématiques

- Les grandes mutations sociales du 20e siècle en France
- Progrès scientifiques et lois éthiques : un difficile accord
- La machine au secours de l'homme ?

Objectifs et savoir-faire communicatifs

- Parler de l'avenir
- Hiérarchiser chronologiquement des événements
- Exprimer son accord ou son désaccord

Objectifs linguistiques

- L'expression de l'avenir : présent de l'indicatif, futur proche, futur simple, futur antérieur, conditionnel
- Les marqueurs chronologiques
- Les préfixes *bio-*, *cyber-*, *électro-* et *micro-*

L'Esprit des lois

1

« Art. L. 162. – La femme enceinte que son état place dans une situation de détresse peut demander à un médecin l'interruption de sa grossesse. Cette interruption ne peut être pratiquée qu'avant la fin de la dixième semaine de grossesse. »

Loi n° 75-17 du 17 janvier 1975 relative à l'interruption volontaire de la grossesse.

Comprendre

❶ Un siècle de mutations.

1 Voici plusieurs lois qui ont marqué l'histoire du 20ᵉ siècle en France. Dites si, selon vous, elles ont été votées au cours de la première ou de la seconde moitié du siècle.

a droit de vote accordé aux femmes **b** abolition de la peine de mort **c** loi réprimant toute personne qui incite à l'avortement et à la contraception **d** premiers congés payés **e** mise en place d'un salaire minimum obligatoire **f** libéralisation de la contraception **g** création d'un contrat d'union pour les couples homosexuels **h** loi autorisant plusieurs personnes à se regrouper en associations **i** légalisation de l'avortement

2 Lisez les différents documents ci-dessus.
a Précisez la nature de chacun de ces documents.
b Associez-les aux lois évoquées ci-dessus.
c Relevez les dates de promulgation de ces lois.

3 Relisez tous les documents et dites si les affirmations suivantes sont vraies ou fausses.
a La loi relative à l'IVG détermine un délai au-delà duquel il devient illégal de pratiquer un avortement. **b** Depuis 1950, c'est l'État qui fixe l'échelle des salaires dans les entreprises. **c** La loi Neuwirth a fait l'unanimité. **d** Bien qu'ayant obtenu le droit de vote en 1944, les femmes ont dû attendre dix ans avant d'être éligibles. **e** Le Pacte civil de solidarité s'adresse également aux couples hétérosexuels. **f** L'abolition de la peine de mort a été ratifiée par une large majorité de députés. **g** Une association ne peut se créer sans l'accord des autorités publiques.

❷ Les grandes heures du Palais-Bourbon.

1 Écoutez le début de l'enregistrement et relevez : 🎧
a la fonction de la personne qui parle ; **b** le lieu où cette personne prend la parole ; **c** les personnes à qui elle s'adresse.

2 Écoutez l'enregistrement et retrouvez le plan du discours de Robert Badinter. 🎧
a Il exhorte à en finir avec la peine de mort. **b** Il rappelle les raisons d'être fier de son pays et présente un bilan positif des actions menées. **c** Il formule une réserve sur un aspect de l'histoire de France. **d** Il annonce l'objet de son intervention.

2 **SALAIRE** *n.m.* (lat. *salarium*, solde pour acheter le sel). [...] *Salaire minimum (interprofessionnel) de croissance (SMIC)* : salaire minimal au-dessous duquel il est interdit de rémunérer un travailleur. ENCYCL. **DR.** Le salaire est fixé librement depuis la loi du 11 févr. 1950 [...]. Mais cette liberté est limitée de plusieurs façons : obligation de respect d'un salaire minimum, le SMIC [...].

Petit Larousse illustré, © Larousse, 2003.

3

Loi du 1ᵉʳ juillet 1901
Loi relative au contrat d'association

Article 1
L'association est la convention par laquelle deux ou plusieurs personnes mettent en commun, d'une façon permanente, leurs connaissances ou leur activité dans un but autre que de partager des bénéfices [...].

Article 2
Les associations de personnes pourront se former librement sans autorisation ni déclaration préalable [...].

Direction des Journaux officiels.

GRAMMAIRE

L'expression de l'avenir

Les modes et les temps qui présentent un événement futur varient selon le contexte.

- Le **présent de l'indicatif** a une valeur de futur immédiat :
Les députés ***se réunissent*** *cet après-midi.*

- Le **futur proche** situe l'événement dans un avenir très proche :
Le Sénat ***va*** *très certainement* ***rejeter*** *cet article.*

- Le **futur simple** place l'événement dans un avenir plus lointain et peut également exprimer une prédiction, une promesse ou un ordre :
On ***pourra*** *peut-être envisager cette loi un jour.*

- Le **futur antérieur** présente un fait accompli avant un autre événement futur :
Quand vous ***aurez terminé*** *la lecture des articles, vous en ferez un résumé.*

- Le **conditionnel** présent ou passé est utilisé pour présenter un fait futur dans un contexte passé :
À l'époque, je pensais que cette loi ***serait votée***.

4 Il aura fallu plus de 150 ans de luttes acharnées des femmes soutenues par un nombre croissant d'hommes pour qu'en 1944 les Françaises obtiennent enfin le droit de voter et d'être élues.

Patricia Latour, Monique Houssin, Madia Tovar, *Femmes et citoyennes. Du droit de vote à l'exercice du pouvoir*, L'Atelier/Temps des cerises, 1995.

5
La fin de la guillotine

Par 369 voix contre 116, l'Assemblée a voté hier le premier article du projet gouvernemental : « La peine de mort est abolie. »
Le Matin, samedi 19 septembre 1981.

6 Le 20 juin 1936, la lois sur les congés payés est votée.

8
Le long combat pour le droit à la contraception

31 juillet 1920 Une loi interdit, sous peine de prison, tout usage ou propagande en faveur de l'avortement et de la contraception.
28 décembre 1967 La loi Neuwirth légalise la contraception. Elle autorise l'information, la fabrication, l'importation, et la vente des contraceptifs. De fortes résistances ralentiront sa mise en application.

L'Humanité, 3 juillet 2000.

7
« Art. 515-1. – Un Pacte civil de solidarité est un contrat conclu par deux personnes physiques majeures, de sexe différent ou de même sexe, pour organiser leur vie commune. »

Loi n° 99-944 du 15 novembre 1999 relative au Pacte civil de solidarité.

3 Réécoutez le discours.
Notez les effets de style, les mots qui se répètent et dites à quelle partie du discours ces répétitions correspondent. Puis listez :
a les raisons d'être fier de la France ; **b** la raison de ne pas être très fier de la France.

4 À partir de la transcription, p. 157, identifiez et justifiez l'usage des temps et des modes utilisés pour :
a faire le bilan positif des actions menées ;
b rapporter les arguments des opposants à l'abolition de la torture ; **c** faire un bilan négatif ;
d exhorter à en finir avec la peine de mort.

ça nous … (permettre) de bénéficier d'avantages fiscaux, un peu comme les couples mariés. En revanche, on ne … (pouvoir) toujours pas adopter d'enfant ; au début, je pensais que ce … (être) possible mais je me suis trompé. Je crois bien que, ce soir, à la télé, on … (présenter) justement un documentaire à ce sujet. Je … (regarder) pour savoir un peu tout ce que ça … (changer) pour nous.

Parler

4 **À vous !**
Avec votre voisin(e), répondez aux questions.
1 Les lois qui ont été votées en France, au cours du 20ᵉ siècle, existent-elles dans votre pays ? Depuis quand ? **2** Parmi les lois évoquées ci-dessus, y en a-t-il auxquelles vous êtes hostiles ? Pourquoi ? **3** Quelles sont celles qui constituent selon vous un progrès considérable pour l'humanité ?

S'entraîner

3 **Paroles d'anonyme.**
1 Lisez le témoignage ci-dessous. À quelle loi correspond-t-il ?

2 Conjuguez les verbes.
Quand la loi … (voter), on … (pouvoir) enfin régulariser notre situation. Si j'ai bien compris,

De l'éthique dans

Bioéthique :
le clonage hors la loi ?

Dès 1994, en France, des lois régissent la médecine de la reproduction, de la génétique et du don d'organes. Ce sont les lois sur la bioéthique. Elles encadrent, par exemple, la fécondation *in vitro*. Les embryons non utilisés peuvent être conservés, mais sur demande écrite des parents, et pas plus de cinq ans. Aucune expérience sur l'embryon n'est autorisée. On peut juste observer son évolution. Les lois de 1994 doivent être révisées tous les cinq ans. Mais la science va vite. Trop vite. En 1997, une équipe de chercheurs britanniques annonce la naissance de Dolly. Cette brebis devient le premier mammifère adulte issu du clonage.

La même année, en France, le Comité consultatif national d'éthique demande que soit assouplie la législation concernant la recherche sur l'embryon humain, compte tenu des pers-pectives thérapeutiques que celle-ci offre. Mais il faut attendre janvier 2002 pour que débute la mise à jour des lois sur la bioéthique, au Parlement. L'Assemblée adopte le projet du gouvernement Jospin, en première lecture. Les choses en restent là. C'est ce projet qu'examine aujourd'hui le Sénat. Le nouveau ministre de la Santé y a apporté quelques retouches.

Un « crime contre l'espèce humaine »

Le clonage reproductif sera inscrit dans le code pénal, au chapitre des crimes et délits contre les personnes, *« entre le crime contre l'humanité et les atteintes à la personne humaine »*.

Non au clonage thérapeutique

Le ministre souhaite que le clonage thérapeutique (*« porte ouverte au clonage reproductif »*) reste interdit.

Oui aux recherches sur les embryons

Le ministre a choisi d'autoriser les recherches, jusqu'alors inter-dites, sur les embryons humains congelés, issus d'une fécondation *in vitro,* mais ne faisant plus l'objet d'un « projet parental ». Cette autorisation, dérogatoire, est accordée pour une période de cinq ans.

Procréation médicalement assistée

En janvier 2002, l'Assemblée nationale avait supprimé l'obligation faite aux couples non mariés d'apporter la preuve d'une vie commune d'au moins deux ans avant de pouvoir accéder à l'assistance médicale à la procréation (AMP). Le gouverne-ment veut rétablir cette obligation. Il veut aussi interdire à une veuve d'avoir un enfant « post-mortem », après la disparition de son com-pagnon, grâce à l'AMP.

La Voix du Nord, 28 janvier 2003.

l'éprouvette

GRAMMAIRE

Les marqueurs chronologiques

Les marqueurs chronologiques servent à :

- **situer un événement dans le temps :** *jadis, autrefois, à l'époque, à cette époque, en 1995, début/fin mars 1980, dès 1950, la même année, l'année suivante, aujourd'hui…*
  *Les premières expériences ont commencé **la même année**.*

- **exprimer la succession :** *d'abord, ensuite, puis…*
  *Les cellules forment **d'abord** un embryon **puis** un fœtus.*

- **souligner la fréquence :** *tous les deux ans, une fois par mois, fréquemment, régulièrement…*
  *La question soulève **régulièrement** des débats virulents.*

- **signaler la rapidité :** *en un rien de temps, instantanément, immédiatement…*
  *La nouvelle a été **immédiatement** transmise aux médias.*

- **préciser la durée :** *pour une période de* cinq ans, *pas plus de* cinq ans, *longtemps, il faut attendre* juin 2001 *pour que…*
  *Cette autorisation est accordée **pour une période de** cinq ans.*

Parler

❶ Point de vue.

1 Avec votre voisin(e), répondez aux questions.

a Selon vous, dans trente ans, les découvertes scientifiques rendront-elles les hommes plus heureux, moins heureux ou ni plus ni moins heureux qu'aujourd'hui ?

b Si un jour la science permettait de faire les choses suivantes, selon vous, faudrait-il les interdire ou les autoriser ?
programmer à coup sûr le sexe de son enfant / créer des intelligences artificielles supérieures en tout point à celle de l'homme / pouvoir, quand on est une femme, avoir des enfants à l'âge de 70 ans / cloner des êtres humains

c Selon vous, dans les trente prochaines années, quelles devraient être les deux plus grandes priorités de la recherche scientifique ?

2 Comparez vos réponses avec celles des Français, p. 160.

Comprendre

❷ Un sujet délicat.

1 Écoutez l'enregistrement. Associez-le à un thème évoqué dans l'activité ❶ **1 b** puis relevez : 🔊

a l'événement dont il est question ; **b** le lieu où cet événement s'est produit ; **c** la raison pour laquelle ce fait a été accueilli avec étonnement ; **d** les interrogations que ce phénomène a soulevées.

2 Lisez l'article.

a Indiquez quels sont les différents aspects abordés par rapport à ce phénomène.
médical / religieux / économique / légal / moral

b Repérez l'information principale.
les espoirs de la génétique pour les couples stériles / l'examen du projet de loi sur le clonage / la naissance du premier animal cloné

3 Relevez ce que :

a les lois bioéthiques permettent, en France, au moment de la rédaction de l'article ; **b** le nouveau ministre de la Santé souhaite modifier.

❸ Le rappel des faits.

1 Lisez à nouveau l'article. Sélectionnez les dates et plus largement toutes les informations d'ordre temporel. Dites à quoi elles correspondent.

2 Observez la liste des informations d'ordre temporel que vous avez sélectionnées. Dites quelles sont celles qui permettent de :
a situer un événement dans le temps ; **b** préciser la durée ; **c** souligner la fréquence.

3 Lisez la transcription de l'enregistrement, p. 158.

a Complétez la liste de mots et expressions repérés précédemment.

b Relevez aussi les mots ou expressions qui :
1 expriment une succession ; **2** signalent la rapidité du phénomène évoqué.

S'entraîner

❹ Interview.

Voici quelques questions posées à un scientifique au sujet de ses expériences en génétique. Imaginez ses réponses.

▶ *Exemple : Quand avez-vous commencé vos toutes premières expériences en génétique ?*
*→ J'ai commencé **dès 1950**, mais **à l'époque** on n'avait pas beaucoup de moyens.*

1 À cette époque justement, est-ce que vous étiez le seul à travailler dans ce domaine ? **2** Vos premiers résultats datent de quelle année ? **3** Vous vous souvenez comment le public a réagi à l'annonce de ces premiers résultats ? **4** Est-ce que le ministère de la Santé vous demande des rapports sur vos recherches ? **5** Vous pensez rester encore longtemps à la tête de l'INRA[1] ?

1. Institut national de la recherche agronomique.

Écrire

❺ Forum.

Voici le sujet de débat que propose le site magicmaman.com sur son forum de discussion. Lisez-le et donnez votre opinion par courriel.
« Mamie-maman, un bébé après 60 ans. »

C'est déjà demain

Si la machine était l'avenir de l'homme

La bionique permet déjà de disposer de véritables miracles en permettant aux aveugles de voir, aux paraplégiques[1] de marcher et aux sourds d'entendre. Notre corps est-il devenu obsolète ? Et si l'avenir de l'homme était la machine ?

1

Des puces sous la peau

Le 24 août 1998, le professeur de cybernétique Kevin Warwick de l'université de Reading (Angleterre) s'est fait implanter dans l'avant-bras une capsule de verre de 23 millimètres contenant une bobine électromagnétique et plusieurs microprocesseurs. Véritable système électronique, ce transpondeur[2] permet de commander le fonctionnement des portes, de l'éclairage et du chauffage, voire de remplacer les clés de voiture et le ticket de métro… Limitée à une dizaine de jours, cette expérience représentait tout de même quelques dangers : le port d'un tel outil permettrait de suivre à la trace son hôte désormais surveillé par des capteurs.

Commander une machine par la pensée

Contrôler un robot par le seul pouvoir de la pensée semble relever de la pure science-fiction. Pourtant, de récentes recherches ont rendu cet exploit réalisable.

En juin 1998, le chercheur Roy Bakay réalisait une première expérience sur le cortex de malades entièrement paralysés qui avait permis d'actionner un système marche/arrêt. Deux ans plus tard, associé au professeur Philip Kennedy de l'université d'Emory

(États-Unis) il réussit à amplifier le signal pour permettre à un tétraplégique[3] de déplacer un curseur sur un écran par la simple force de sa pensée.

Quel sera donc l'homme du futur ? Si la plupart de ces expériences mariant l'électronique à la chair visent actuellement à corriger des handicaps, ne peut-on envisager dans un futur plus ou moins proche l'implantation de tels dispositifs chez des sujets tout à fait sains ? Une oreille électronique permettant d'entendre des ultrasons comme certains animaux, des yeux artificiels pour voir la nuit, des implants cérébraux pour acquérir des facultés mentales particulières ne pourraient-ils pas devenir les cadeaux du troisième millénaire ? Aujourd'hui, une telle perspective susciterait très certainement un tollé général mais les modes et les mentalités évoluent.

David Bême, doctissimo.fr, 2004.

---

1. Personnes handicapées des jambes. 2. Appareil qui répond automatiquement à un signal radar. 3. Personne handicapée des quatre membres.

2

Invitée par Goujet, Gervaise visite la fabrique de boulons[1] et de rivets[1] dans laquelle celui-ci travaille.

Goujet s'était arrêté devant une des machines à rivets. Il restait là, songeur, la tête basse, les regards fixes. La machine forgeait des rivets de quarante millimètres, avec une aisance tranquille de géante. Et rien n'était plus simple en vérité. […] En douze heures, cette sacrée mécanique en fabriquait des centaines de kilogrammes. Goujet n'avait pas de méchanceté : mais, à certains moments, il aurait volontiers pris Fifine[2] pour taper dans toute cette ferraille, par colère de lui voir des bras plus solides que les siens. Ça lui causait un gros chagrin, même quand il se raisonnait, en se disant que la chair ne pouvait pas lutter contre le fer. Un jour, bien sûr, la machine tuerait l'ouvrier ; déjà leurs journées étaient tombées de douze francs, et on parlait de les diminuer encore ; enfin, elles n'avaient rien de gai, ces grosses bêtes, qui faisaient des rivets et des boulons comme elles auraient fait de la saucisse. Il regarda celle-là trois bonnes minutes sans rien dire ; ses sourcils se fronçaient, sa belle barbe jaune avait un hérissement de menace. Puis, un air de douceur et de résignation amollit peu à peu ses traits. Il se tourna vers Gervaise qui se serrait contre lui, il dit avec un sourire triste : « Hein ! ça nous dégotte[3] joliment ! Mais peut-être que plus tard ça servira au bonheur de tous. »

Émile Zola, *L'Assommoir*, 1877, Hachette.

1. Petites pièces de métal. 2. Nom que Goujet donne à un gros marteau de 10 kg. 3. Dépasser, dominer.

Zone Internet

VOCABULAIRE

Les préfixes *bio-*, *cyber-*, *électro-* et *micro-*

Lorsqu'on évoque le monde moderne, notamment dans la presse, on retrouve souvent les préfixes suivants :

● ***bio-*** fait référence aux êtres vivants :
*Les récents progrès de la science ont nécessairement amené à redéfinir les lois de la **bioéthique**.*

● ***cyber-*** s'applique aux réseaux de communication numériques :
*Le succès d'Internet est tel qu'on parle déjà de **cyberculture**.*

● ***électro-*** désigne un système recourant à l'électricité :
*Ce travail demande quelques notions en **électromécanique**.*

● ***micro-*** indique une très petite taille :
*Vous trouverez toutes ces données sur **microfilms**.*

Plantu, extrait de *Wolfgang, tu feras informatique !*, éd. La Découverte, 1988.

Comprendre

➊ Entre hier…

1 Observez les trois documents et indiquez :

a leur nature ; b le nom de l'auteur et leurs dates de création.

2 Observez le dessin.

a Décrivez chacune des six vignettes.

b Dites ce que signifie la dernière vignette selon vous.

3 a Lisez le document 2 et relevez :

1 le thème commun à ce texte et au dessin ; **2** les mots ou expressions qui désignent la ou les machine(s) ; **3** les mots ou expressions qui désignent l'attitude et les sentiments de Goujet ; **4** les qualités qui sont attribuées aux machines ; **5** les reproches qui leur sont faits.

b Indiquez comment l'auteur parvient à montrer que la machine est dénuée de toute humanité.

c Dites si la vision qu'il donne de la machine, à la fin du 19ᵉ siècle, vous semble toujours d'actualité.

➋ … et demain.

1 Lisez le titre et le chapeau du document 1. Dites en quoi la prédiction de Goujet s'est réalisée.

2 Lisez le texte et relevez les espoirs et les craintes que la machine fait naître aujourd'hui.

3 Lisez à nouveau le chapeau et le premier paragraphe du document 1.

a Relevez les termes désignant la science :

1 qui met l'électronique au service des êtres vivants ; **2** qui s'intéresse à l'utilisation des réseaux de communication numériques.

b Repérez les énoncés qui montrent que ces sciences sont aujourd'hui capables :

1 d'exploiter l'électricité à des fins humaines ; **2** de construire des circuits de très petite taille.

c Retrouvez parmi ces énoncés les termes dont le préfixe fait référence :

1 aux êtres vivants ; **2** aux réseaux de communication numériques ; **3** à l'électricité ; **4** à une très petite taille.

S'entraîner

➌ Paroles d'experts.

Lisez les extraits d'interview et remplacez les expressions soulignées par un mot.

▶ *Exemple : il y a longtemps que nous pouvons fabriquer des circuits électriques miniatures !*
→ Il y a longtemps que nous pouvons fabriquer des microcircuits !

1 On se retrouve aujourd'hui devant un phénomène nouveau : la criminalité et les délits commis par l'intermédiaire des réseaux informatiques. **2** Le développement de l'industrie des appareils ménagers électriques, en France, remonte je crois aux années 50. **3** Mon travail consiste en fait à observer les climats propres à des régions très restreintes. **4** C'est alors qu'on a découvert que l'on pouvait fabriquer des produits susceptibles d'être dégradés par des micro-organismes.

➍ Vous pourriez changer de ton ? 🎧
Écoutez chaque groupe de phrases et repérez l'ordre des intentions de communication.

1 l'ironie / l'étonnement / l'interrogation **2** l'indignation / l'approbation / l'ironie **3** l'interrogation / une suggestion / l'indignation **4** l'étonnement / l'indignation / l'interrogation **5** l'ironie / l'interrogation / l'indignation

Parler

➎ Entre espoir et crainte.
Avec votre voisin(e), dites si la machine représente pour vous un danger ou un élément de progrès dans chacun des domaines suivants. Donnez des exemples.

le monde du travail / les services (le commerce, les banques…) / la médecine / l'agriculture / les transports / la maison

Cybernétique toutou

ROBOpolis

LA BOUTIQUE DES ROBOTS

ROBOTS JOUETS LIVRES FUN ! OUTILS COLLECTION REVUES

Le seul robot de compagnie possédant une « intelligence artificielle ». L'Aïbo ERS-7 de Sony interagit avec vous de nombreuses façons différentes *via* son visage, ses capteurs de contact, ses commandes vocales.

Vous pouvez aussi communiquer en lui montrant des cartes qu'il sera capable d'identifier par une technologie de reconnaissance. Grâce à cette même technologie, il reconnaît aussi sa station de recharge et se place tout seul dessus pour recharger sa batterie.

Il est capable de reconnaître la voix et le visage de son maître, jouer à la balle, se balader avec son os *(Aïbone)*, réagir aux caresses et aux punitions. Jouez avec lui et il fera toutes sortes d'acrobaties. Laissez-le seul et il cherchera à attirer votre attention.

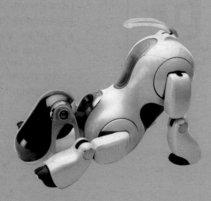

Au bout de quelques minutes, vous découvrirez qu'il peut vraiment avoir du caractère.

Par défaut, le chien-robot est à l'âge adulte et maîtrise toutes ses fonctionnalités. Il est possible de le ramener à l'état

Zone Internet

Repérer

❶ Un robot pas comme les autres.

1 Lisez le titre du document 1 et observez les photos qui l'accompagnent.
a Dites de quel type de document il s'agit.
b Imaginez ce que le dernier-né de chez Sony a de particulier.

2 Lisez ce document.
a Repérez dans quelle partie l'annonceur présente :

1 les références du produit ; **2** les capacités de l'Aïbo ERS-7 ; **3** les délais de livraison ; **4** l'innovation apportée à ce modèle ; **5** la spécificité de ce robot de compagnie ; **6** les fonctionnalités de base prévues sur l'appareil ; **7** les éléments compris dans l'achat de ce produit ; **8** le tarif.

b Faites la liste des capacités de ce robot de compagnie.

3 Lisez la coupure de presse et dites en quoi l'Aïbo ERS-7 illustre ce que dit le journaliste.

❷ À vendre, d'occasion…
Vous avez acheté, il y a un mois, un Aïbo ERS-7 sur le site du magasin Robopolis. Malheureusement, vous êtes déçu(e) par ses capacités, assez éloignées de celles d'un véritable animal de compagnie. Vous décidez donc de le revendre, un peu moins cher que le prix public, en passant une annonce dans le magazine *Cybernaute*. Une personne intéressée par cet achat vous téléphone. Jouez la scène avec votre voisin(e).

1

de chiot et de faire son éducation. Avec son visage « *Illum-face* », ses mouvements expressifs et sa voix 64 notes MIDI, cette petite bête vous communiquera ses émotions (joie, tristesse, surprise, etc.) d'une façon distrayante.

Les nouveaux capteurs de contact sur son dos et sa tête perçoivent les caresses d'une manière quasi naturelle sans que l'utilisateur ait l'impression de cliquer sur le robot.

L'Aïbo est accompagné de sa station de recharge, d'une carte WIFI, du logiciel PC,

d'un jeu de cartes visuelles, de sa balle et de son os *(Aibone)*. Grâce au logiciel fourni, il est possible de lui envoyer un e-mail lui demandant de prendre une photo et de la faire envoyer sur votre téléphone portable (sous réserve de disposer d'un téléphone compatible).

Code produit ROB035
Disponibilité 48 heures + temps d'envoi du colis
Catégorie ROBOTS AUTONOMES
Éditeur / Marque SONY
Prix (TTC) 1 998,99 €

Source : www.robopolis.com

2

Robots : c'est déjà demain

« Un jour, un être humain abattra un robot fabriqué par la General Electric [...] et le verra pleurer et saigner », écrivait Philip K. Dick. C'est de la science-fiction, mais qui sait si un jour cette projection ne deviendra pas réalité ? Car si les robots sont nés dans le monde imaginaire, ils ne font pas moins partie de notre présent. Si on en croit certains spécialistes, ils pourraient même être *« partout »* dans quelques décennies.

La Voix du Nord, 10 janvier 2004.

Réaliser

❸ Entre réalité et science-fiction.
Vous êtes journaliste et vous venez de découvrir le dernier-né de chez Sony. Reprenez le titre du document 1 et rédigez un article dans lequel vous présenterez :
a les caractéristiques de ce robot ; **b** le danger qu'il représente pour les véritables animaux de compagnie ; **c** vos commentaires sur ce type d'innovation.

❹ On n'arrête pas le progrès.
Votre voisin(e) et vous venez de mettre au point un nouveau type de robot.
a Imaginez quelles sont ses capacités.
b À la manière du document 1, rédigez une présentation de votre innovation.

❺ Débat radiophonique.
Une station de radio profite de la mise sur le marché du dernier robot imaginé par Sony pour organiser un débat sur le rôle que joueront bientôt les robots dans notre société. Choisissez une identité. Puis, défendez vos idées.
Akiko Katori, chef de produit chez Sony. Elle a participé au lancement de l'Aïbo ERS-7 sur le marché français.
Marina Valga, licenciée d'une entreprise qui a décidé de robotiser sa chaîne de production.
L'animateur de l'émission. Il pose des questions aux invités et les fait réagir sur ce que disent les autres.

BILAN

① Sur le vif.
Voici des réactions enregistrées le lendemain du vote de la loi Neuwirth. Lisez-les et choisissez la bonne réponse.

1 J'espérais sincèrement qu'une telle loi (serait/sera) possible un jour.

2 Peut-être qu'un jour les mentalités (changeront/changent) et qu'on (légalisera/légalise) aussi l'avortement !

3 Même si la loi a été votée, je suis sûr qu'elle (va être/aura été) difficile à appliquer.

4 C'est scandaleux ! Cet après-midi, nous (organiserons/organisons) justement une manifestation pour protester contre cette décision !

5 Écoutez, moi, je croirai à cette loi quand elle (aura été/aurait été) publiée au *Journal officiel*, pas avant.

② Tout va si vite.
Imaginez pour chacun des thèmes suivants ce qui aura changé dans cinquante ans et pour quelle raison.

▶ *Exemple :* le sida
→ *Il n'y aura plus de malades du sida parce qu'on aura trouvé un vaccin.*

1 le vieillissement
2 le tigre d'Asie
3 les tremblements de terre
4 la vie sur d'autres planètes
5 le clonage

③ In vitro.
Rédigez, à l'aide des informations ci-dessous, l'histoire de la fécondation *in vitro*. Utilisez pour cela des marqueurs chronologiques.

1959	Invention de la fécondation *in vitro*.
26/07/1978	Naissance de Louise Brown (Manchester, Grande-Bretagne), premier bébé né d'une fécondation *in vitro*.
1982	Naissance du premier bébé-éprouvette, en France. Le bébé s'appelle Amandine.
Entre 1992 et 1995	Mise au point d'améliorations techniques, en Italie et en France.
Aujourd'hui	500 000 enfants sont nés grâce à ce procédé.

④ Avant ou après ?
Dites dans quel ordre se déroulent les actions.

▶ *Exemple : Il vous avait bien dit de ne pas appuyer sur ce bouton !*
→ *1 dire, 2 appuyer*

1 Quand vous aurez terminé cette expérience, vous pourrez me l'expliquer ?

2 Vous pourrez peut-être un jour, mais cela n'est pas possible maintenant.

3 Tu nous appelleras quand les résultats seront arrivés ?

4 Éteignez toutes les machines avant de partir.

5 Quand tu auras pris une décision, fais-le moi savoir !

⑤ Chercheurs en herbe.
Mettez les phrases dans l'ordre pour reconstituer l'article.

1 Les enfants ont adhéré en un rien de temps au projet proposé par leurs enseignants.

2 L'année suivante, les enseignants ont décidé de créer un site Internet pour diffuser leur expérience.

3 L'opération Chercheurs en herbe, qui vise à relancer l'enseignement des sciences expérimentales à l'école, a été lancée en 2002.

4 Il faudra attendre l'année prochaine pour acheter le cédérom regroupant le résultat de ces recherches.

5 Il est régulièrement réactualisé pour permettre à tous de suivre les découvertes des Chercheurs en herbe.

⑥ On n'arrête pas le progrès.
Transformez comme dans l'exemple en utilisant le préfixe *cyber-*, *électro-*, *bio-* ou *micro-*.

▶ *Exemple : Nicolas est un véritable <u>spécialiste des réseaux Internet</u>.*
→ *Nicolas est un véritable* **cybernaute**.

1 Suivre son <u>propre rythme</u> permettrait de vivre mieux et plus longtemps.

2 La <u>miniaturisation</u> des puces <u>dans l'électronique</u> se développe.

3 Dans ces <u>cafés</u>, on peut utiliser <u>Internet</u>, c'est très pratique.

4 Ces déchets ne sont pas polluants, ils se <u>décomposent naturellement</u>.

5 Combien coûtent ces appareils <u>ménagers qui fonctionnent à l'électricité</u>, déjà ?

Unité 11

Culture : entre élitisme et démocratisation

Contenus thématiques

- Attitudes contrastées face à l'art
- Les Journées européennes du Patrimoine
- L'évolution des pratiques culturelles en France

Objectifs et savoir-faire communicatifs

- Présenter les conséquences d'un phénomène
- Exprimer des objectifs
- Exprimer la progression ou la régression d'un phénomène

Objectifs linguistiques

- L'expression de la conséquence et du but
- Les préfixes négatifs *dé-* et *in-*

Dans le temple de l'art

Jean-Jacques Sempé,
Tout se complique,
© 1963, Éd. Denoël.

Parler

❶ Quiz.
Avec votre voisin(e), répondez aux questions.

1 Allez-vous dans les musées ?

souvent / rarement / jamais

2 Parmi les lieux ci-dessous, quel est celui que le musée évoque le plus pour vous ?

une bibliothèque / une salle de cours / une église / un grand magasin / un cimetière / un salon

3 De quelle manière préférez-vous visiter un musée ou une exposition ?

avec un(e) ami(e) / avec un guide / avec un audioguide / seul(e)

4 Pourquoi allez-vous dans les musées ?

pour vous instruire / pour ressentir des émotions / pour satisfaire aux convenances

Comprendre

❷ Le musée : un lieu sacré ?

1 Observez le dessin et faites une description physique du personnage central. Puis, imaginez son portrait.

2 **a** Relevez dans les textes 2 et 3 les mots qui associent le musée à une église.

b Dites quelle vision des musées est commune aux auteurs du dessin et des deux textes. Donnez des exemples.

❸ Le point de vue du muséologue.

1 Lisez le texte 1.

a Dites quel terme (utilisé trois fois) caractérise le mieux la visite des musées.

b Quelles conséquences cela a-t-il sur le public ? Retrouvez les formules exactes utilisées pour dire :

1 La plupart des expositions sont tellement ennuyeuses que plus personne n'a envie de les voir. 2 Le fait d'obliger les enfants à visiter ces musées entraîne un rejet inévitable de leur part. 3 Comme pour l'expo *700 ans de découvertes scientifiques*, les explications sont souvent très pauvres ; si bien que les visiteurs sont perdus.

c Repérez, dans les énoncés précédents, les moyens grammaticaux et lexicaux pour exprimer les conséquences.

1

A rrêtons de nous mentir : la pratique culturelle de la plupart des Français exclut la visite des musées. Cela se comprend : je pense comme tous les millions de non-visiteurs que les musées distillent l'ennui et prétendent faire passer des messages sur l'esthétique ou sur l'histoire de l'art qui échappent à la quasi-totalité de la population. […]

L'absence de […] réflexion des conservateurs de bibliothèques ou de musées a donné lieu à trop d'expositions distillant un ennui tel qu'elles en deviennent répulsives. Les visiter, c'est infliger aux visiteurs une punition, c'est dégoûter les scolaires qu'on y traîne de force, c'est gaspiller des énergies inutilement. Qui peut, hors un cercle restreint, éprouver un réel plaisir à visiter par exemple l'exposition « 700 ans de découvertes scientifiques » à la New York Public Library en ce moment ? Franchement, personne ! Il suffisait de voir les gens hagards et égarés dans ces salles où étaient pourtant assemblés des chefs-d'œuvre livresques. Mais quelle indigence dans l'accompagnement didactique, quelle laideur dans la présentation, quel ennui général.

Hubert Bari, muséologue, novembre 1999,
© ensib.fr/biblionumérique.

2 **a** Repérez la date de parution et la profession des auteurs des textes.

b La représentation qu'on se fait des musées a-t-elle évolué ?

2

Je n'aime pas trop les musées. Il y en a beaucoup d'admirables, il n'en est point de délicieux. […]

Au premier pas que je fais vers les belles choses, une main m'enlève ma canne, un écrit me défend de fumer. Déjà glacé par le geste autoritaire et le sentiment de la contrainte, […] je m'avance dans la peinture. Devant moi se développe dans le silence un étrange désordre organisé. Je suis saisi d'une horreur sacrée. Mon pas se fait pieux. Ma voix change et s'établit un peu plus haute qu'à l'église, mais un peu moins forte qu'elle ne sonne dans l'ordinaire de la vie. Bientôt, je ne sais plus ce que je suis venu faire dans ces solitudes cirées, qui tiennent du temple et du salon, du cimetière et de l'école… Suis-je venu m'instruire, ou chercher mon enchantement, ou bien remplir un devoir et satisfaire aux convenances ?

Paul Valéry, écrivain, « Le problème des musées » dans *Pièces sur l'art* © Gallimard, 1923.

GRAMMAIRE

L'expression de la conséquence

Pour exprimer une conséquence avec une nuance d'intensité, on peut utiliser :

- *si* + adjectif + *que*, *tellement* + adjectif + *que*
  Les explications étaient **tellement** confuses qu'on n'a rien compris.

- *tellement de* + nom + *que*
  Ils faisaient **tellement de** bruit **que** tout le monde les regardait.

- *un(e)* + nom + *tel(le) que* ou *un(e) tel(le)* + nom + *que*
  La présentation des œuvres est d'**une telle** pauvreté **que** l'expo n'a aucun intérêt.

- *si bien que* + indicatif
  Ça ne les intéressait pas, **si bien qu'**ils n'écoutaient pas le guide.

- des verbes ou des expressions comme *provoquer*, *donner lieu à* ou *entraîner*
  Le sujet de l'exposition **a provoqué** une vague de protestations.

- *donc, alors, c'est pourquoi, c'est pour ça que*
  La visite du palais coûtait trop cher ; **alors**, nous n'avons visité que les jardins.

S'entraîner

❹ Enquête.
Reformulez les phrases.

▶*Exemple : On nous montre tout ça sans aucune explication ! Alors, c'est difficile de comprendre.* (donc)
→ *On nous montre tout ça sans aucune explication ! C'est **donc** difficile de comprendre.*

1 C'est tellement grand qu'on ne peut pas tout visiter en une seule fois. *(si bien que)* **2** Il y a trop de bruit ! Alors, c'est difficile de se concentrer sur une œuvre. *(tellement de… que)* **3** Certains préfèrent les visites solitaires. Il faudrait donc proposer des audioguides. *(c'est pourquoi)* **4** Le prix d'entrée reste élevé ; c'est pour ça qu'il y a une baisse de fréquentation. *(entraîner)* **5** Les visites sont beaucoup trop rapides, si bien qu'on ne voit rien ! *(si… que)*

3

Les musées trahissent, dans les moindres détails de leur morphologie et de leur organisation, leur fonction véritable, qui est de renforcer chez les uns le sentiment de l'appartenance et chez les autres le sentiment de l'exclusion. Tout en ces lieux saints de l'art où la société bourgeoise dépose les reliques d'un passé qui n'est pas le sien […] concourt à indiquer que le monde de l'art s'oppose au monde de la vie quotidienne comme le sacré au profane : l'intouchabilité des objets, le silence religieux qui s'impose aux visiteurs, l'ascétisme puritain des équipements, toujours rares et peu confortables, le refus quasi systématique de toute didactique, la solennité grandiose du décor…

L'Amour de l'art, de Pierre Bourdieu et A. Dardel, sociologues, Éd. de Minuit, 1969.

Les Journées euro

Musée du Louvre, Paris.

1

À l'origine des Journées du Patrimoine, en 1983, l'ancien ministre de la Culture Jack Lang continue d'encourager les Français à découvrir une fois de plus leur patrimoine.

Savez-vous que le public qui visite le patrimoine culturel tout au long de l'année n'augmente pas, mais stagne ou décroît ? Et savez-vous que ce public – les statistiques sont hélas formelles – est davantage riche que pauvre, vieux que jeune, étranger que français ? C'est pourquoi j'ai créé les Journées du Patrimoine lorsque j'étais ministre de la Culture. Pour que nos monuments soient une fois par an portes ouvertes, gratuitement, à tous, quels que soient leur âge et leur condition.

L'objectif, c'était – et c'est encore – que les Français s'approprient ou se réapproprient un patrimoine qui est en définitive le leur. Et qu'ils prennent l'habitude d'y revenir ! Le public de proximité, c'est seulement 3 % des visiteurs actuels. Les Parisiens ne visitent pas l'Arc de triomphe, pas plus que les Angevins le château d'Angers ou les Avignonnais le palais des Papes. C'est cela qu'il faut changer.

Jack Lang, député du Pas-de-Calais,
20 minutes, n° 355, 19 septembre 2003.

2

→48 pays d'Europe participants

L'objectif principal des Journées européennes du Patrimoine (JEP) est de rapprocher les citoyens de leur patrimoine culturel en leur offrant notamment la possibilité de découvrir durant les week-ends du mois de septembre des lieux habituellement fermés au public. Cela étant, le but va au-delà : rapprocher les citoyens les uns des autres afin de parvenir à une meilleure compréhension mutuelle malgré la diversité des cultures et des langues. Cette formule suscite un engouement toujours croissant. Pour preuve, en 2000, quelque 30 000 sites et monuments, musées et lieux divers, répartis dans les 48 pays participants, avaient accueilli près de 20 millions de visiteurs. Au total, ce sont des milliers de visites de monuments et sites et autant d'activités et d'animations diverses qui enrichiront le programme de cette manifestation culturelle en 2003.

Ministère de la Culture, dossier de presse
des Journées européennes du Patrimoine, 2003.

GRAMMAIRE

L'expression du but

Pour exprimer un objectif, un but, une finalité, on peut utiliser :

• **pour** + infinitif, **afin de** + infinitif
*C'est l'occasion idéale **pour** découvrir des lieux habituellement fermés au public.*

• **pour que** + subjonctif, **afin que** + subjonctif
*Ces journées sont gratuites **afin que** toutes les classes sociales puissent participer.*

• **le but est de** + infinitif, **l'objectif, c'est que** + subjonctif
*L'objectif de cette année, **c'est que** le patrimoine spirituel soit redécouvert.*

Comprendre

❶ **Opération portes ouvertes…**

1 Observez les deux textes et indiquez, pour chacun d'eux, de quoi il s'agit.

une publicité / un article / un manifeste / une page Internet / un essai

2 Lisez le document 1. Dites quel personnage a le plus de chance de visiter la cathédrale Saint-Jean à Lyon, selon Jack Lang.

a Alison Jones, 42 ans, architecte, Cambridge (Angleterre) **b** Émile Sedan, 71 ans, retraité, Lyon (France) **c** Giovanna Baldi, 36 ans, femme de ménage, Milan (Italie) **d** Caroline Évin-Baulieu, 29 ans, chef d'entreprise, Bruxelles (Belgique)

3 Lisez les documents 1 et 2. Puis, retrouvez de mémoire à quoi correspondent les nombres suivants.

a 1983	**c** 48	**e** 3 %
b 30 000	**d** 20 millions	**f** 2000

❷ **… et objectifs multiples.**

1 Lisez à nouveau les documents 1 et 2. Relevez les parties de texte qui répondent aux questions suivantes.

a Dans quel but Jack Lang a-t-il créé les Journées du Patrimoine ? **b** Quel est aujourd'hui l'objectif de ces Journées, en France ou en Europe ? **c** À quelle fin cherche-t-on à rapprocher les citoyens européens ?

2 Repérez, dans les réponses aux trois questions précédentes, les moyens et les modes utilisés pour exprimer le but.

3 Écoutez l'interview de Jack Lang et indiquez : 🎧

a quels sont les autres objectifs de cette Journée du Patrimoine ; **b** quelle mesure il aurait aimé prendre lorsqu'il était ministre de la Culture.

S'entraîner

❸ **Sous le signe du spirituel.**
Complétez les phrases suivantes à l'aide d'une expression de but.

Chaque année, un ou plusieurs thèmes nationaux sont sélectionnés, d'une part, … soit mis en lumière un aspect particulier du patrimoine et, d'autre part, … structurer la communication de cet événement. … de ces thèmes … favoriser également les ouvertures insolites et les animations particulières. En 2003, le thème national retenu est le « patrimoine spirituel ».

❹ **À chaque année, son thème.**
Voici les thèmes des Journées du Patrimoine des années précédentes. Choisissez-en deux ou trois et imaginez leur objectif.

▶ **Exemple :** *En 1997, l'objectif était d'ouvrir de grandes entreprises industrielles aux visiteurs.*
*→ En 1997, on a ouvert d'anciennes usines au public **pour que** chacun puisse découvrir ou redécouvrir le patrimoine industriel de sa région.*

1 Patrimoine et cinéma & Parcs et jardins (1995) **2** Patrimoine et littérature & Patrimoine et lumière (1996) **3** Patrimoine, fêtes et jeux & Patrimoine industriel (1997) **4** Métiers et savoir-faire (1998) **5** Patrimoine et citoyenneté (1999)

Parler

❺ **Et vous, qu'en pensez-vous ?**
Avec votre voisin(e), répondez aux questions suivantes. Justifiez vos réponses.

1 Existe-t-il, dans votre pays, des manifestations de ce type ? Si oui, y avez-vous déjà participé ? **2** L'idée d'ouvrir des sites habituellement fermés au public vous paraît-elle intéressante ? **3** L'accès aux monuments, musées ou autres sites culturels devrait-il être gratuit toute l'année, selon vous ? **4** Comme les Français, avez-vous tendance à visiter en priorité les sites éloignés de votre domicile ? **5** Pensez-vous qu'une telle initiative ait des conséquences positives le reste de l'année ?

Écrire

❻ **Septembre dans les Flandres.**
Vous devez vous rendre en Belgique, en septembre prochain, et vous aimeriez connaître :
– le thème des prochaines Journées du Patrimoine ;
– les dates précises de ces journées ;
– les sites ouverts au public à cette occasion.

Envoyez un courriel au site www.coe.int afin d'obtenir toutes ces informations.

Pratiques culturelles

Taux de pratique des activités culturelles (en %)		
1	...	58
2	cinéma	54
3	...	45
4	...	29
5	...	14
6	aucune des activités culturelles	21
7	quatre ou cinq des activités culturelles	19

Champ : personnes de 15 ans ou plus.
Lecture : 50 % des 15 ans et plus sont allés au moins une fois au cinéma au cours des douze derniers mois.

Insee – Enquête permanente
sur les conditions de vie (octobre 2000).

1

Comprendre

❶ **Attitudes.**

1 Observez le document 1 et, avec votre voisin(e), imaginez quelles sont les activités culturelles dont il est question.

2 Lisez le document 2 et retrouvez les réponses manquantes dans le tableau.

3 Écoutez l'enregistrement. 🎧

a Faites le portrait type des personnes qui s'intéressent généralement à la culture.

b Relevez la raison pour laquelle un des deux sexes est plus sensible à la culture que l'autre.

❷ **Des hauts et des bas.**

1 a Lisez à nouveau le document 2 et relevez les expressions utilisées pour faire part d'une évolution ou d'une régression des pratiques culturelles.

	Verbes	Noms	Adverbes
Évolution			
Régression			

b Complétez le tableau à l'aide des commentaires suivants.

En France…

1 Les pratiques culturelles croissent toutes de manière égale. **2** On assiste à une diminution de la fréquentation des salles de cinéma. **3** La pratique d'activités musicales ou théâtrales augmente. **4** Le désintérêt pour la lecture progresse. **5** Le nombre d'entrées dans les musées est en baisse.

c Réécoutez l'enregistrement et dites si ces commentaires sont vrais ou faux. 🎧

2 a Repérez, dans les commentaires précédents, le contraire des termes suivants.
décroître / un intérêt / inégal(e)

b Relevez les moyens utilisés pour donner un sens négatif à chacun des termes.

S'entraîner

❸ **Interview.**
Voici quelques questions posées à un homme politique, à la radio. Imaginez ses réponses. Pour cela, employez les mots proposés, précédés des préfixes *dé-* ou *dés-*.

▶ *Exemple : Que pensez-vous du projet de réduction du temps consacré aux disciplines artistiques à l'école ?* (un accord)
→ *Je suis en total **désaccord** avec ce projet !*

1 Pourquoi les activités artistiques sont-elles si peu nombreuses dans notre pays ? *(valoriser)* **2** Que pensez-vous de ce phénomène ? *(approuver)* **3** Est-ce qu'on retrouve la même attitude entre filles et garçons ? *(un équilibre)* **4** Comment se fait-il que les garçons ne s'intéressent pas beaucoup à la culture ? *(agréable)* **5** Après le bac, est-ce qu'on encourage les jeunes à choisir des filières artistiques ? *(conseiller)*

❹ **Coup de colère.**
Remplacez les expressions soulignées par une expression équivalente.

Alors, non seulement, le sujet de la conférence n'était <u>pas intéressant</u> mais, en plus, son discours sur la culture était absolument <u>impossible à comprendre</u>. Et ses photocopies, <u>on ne peut même pas les lire</u> ! L'horreur ! Et puis, bon, c'est bien joli toutes ces idées mais elles <u>ne peuvent pas être réalisées</u> sur le terrain ! C'est évident… Un tel <u>manque de compétence</u> n'est <u>pas excusable</u>, selon moi ! Vraiment !

❺ **La culture, c'est *in* !** 🎧

1 Écoutez l'enregistrement et dites si vous entendez [in] ou [ɛ̃] dans les mots suivants.
incroyable / inattendue / innommable / insensible / incapable / inouï / inimaginable / inespéré

2 Observez les mots et expliquez la règle de prononciation du préfixe *in-*. Puis, répétez les phrases de l'enregistrement.

Depuis 25 ans, d'après les études du ministère de la Culture, les pratiques culturelles se développent, mais de façon très inégale selon les domaines. Ainsi, si les salles de cinéma attirent moins de spectateurs, les autres équipements culturels (et notamment les bibliothèques) sont de plus en plus fréquentés, les activités artistiques en amateur (musique, peinture, théâtre, sculpture…) se diffusent de plus en plus et la lecture se généralise, même si la proportion de forts lecteurs décline. Malgré ce mouvement de diffusion, en 2000, une personne de 15 ans ou plus sur cinq déclarait n'avoir pratiqué aucune activité culturelle au cours des douze mois précédents. Alors que plus de la moitié des Français sont allés au moins une fois au cinéma ou ont lu au moins un livre au cours des douze derniers mois, ils ne sont que 14 % à avoir exercé une activité en amateur et un peu moins d'un tiers à avoir assisté à une pièce de théâtre ou à un concert. À peine la moitié d'entre eux ont visité un musée, une exposition ou un monument historique.

Insee – Enquête permanente
sur les conditions de vie (octobre 2000).

2

Centre Georges-Pompidou, Paris.

VOCABULAIRE

Les préfixes négatifs

Pour exprimer la négation, on peut utiliser :

● le préfixe *dé-* ajouté à des verbes, des noms ou des adjectifs
conseiller ≠ *déconseiller*

❗ Devant une voyelle ou un h muet, on ajoute un *s* au préfixe *dé-* :
un avantage ≠ *un désavantage*

● le préfixe *in-* ajouté à des noms ou des adjectifs
cohérent ≠ *incohérent*

❗ Devant *b* et *p*, *in-* devient *im-* :
impardonnable.

Devant *l, m, n, r*, on double la consonne :
illégal, *immoral*, *innombrable*, *irrégulier*.

in- se prononce [in] devant une voyelle ou un *n* et [ɛ̃] devant une consonne.

Parler

6 **Opinion.**
Avec votre voisin(e), répondez aux questions.

1 Quelles activités culturelles pratiquez-vous régulièrement ? Occasionnellement ? Très rarement ? **2** Les résultats de l'enquête ci-dessus seraient-ils les mêmes dans votre pays, selon vous ? **3** Pensez-vous que *les habitudes prises pendant l'enfance (...) jouent un rôle spécifique et important sur les pratiques culturelles futures* ? **4** Vous semble-t-il important de valoriser les activités culturelles à l'école ?

De l'art pour les garnements

Qui sommes-nous ?

« Regarder l'art avec des yeux d'enfants, accompagner le jeune lecteur dans sa découverte des artistes et des œuvres, et s'émouvoir avec lui. » La rédaction

La connaissance de l'art est vraiment une expérience passionnante pour l'enfant… comme pour ses parents ! *Mona* a pour ambition de permettre à chacun de partager en famille le plaisir de regarder des œuvres, d'aiguiser sa curiosité et de mieux connaître les œuvres majeures de l'histoire de l'art.

Généreux et ambitieux, conjuguant sérieux de l'information, diversité de sujets et plaisir de lecture, le magazine s'adresse spécifiquement aux 7-11 ans. Il s'attache à les aider à prendre conscience de leurs capacités de découverte. Il contribue à la formation de leur jugement artistique et s'emploie à susciter l'envie d'aller au musée, de poser des questions, d'affiner ses goûts, de se remplir l'esprit de belles images…

Mona constitue donc une aide précieuse pour tous les parents qui souhaitent initier une démarche de découverte de l'art avec leurs enfants, leur permettre de s'enrichir et de s'ouvrir aux artistes et aux œuvres.

En résumé, *Mona* fait aimer l'art aux enfants. Et à leurs parents !

OUI, j'offre un abonnement à **Mona**
un an (11 numéros) pour **38 €**, au lieu de 48,40 €*

Abonnement destiné à :
Nom et prénom :   ☐ Fille ☐ Garçon
Adresse :
CP : |__|__|__|__|__| Ville :   Âge : |__|__| ans

Abonnement offert par (POUR VOUS ADRESSER UN ACCUSÉ D'ENVOI DE LA POCHETTE CADEAU) :
Nom et prénom :
Adresse :
CP : |__|__|__|__|__| Ville :
☐ JE PRÉFÈRE QUE LA POCHETTE CADEAU ME PARVIENNE DIRECTEMENT. JE LA REMETTRAI MOI-MÊME À L'ENFANT.

Je joins mon règlement de 38 € TTC (44 € pour les Dom-Tom et l'Étranger)
☐ Chèque à l'ordre de Mona (ci-joint)
☐ Carte bancaire n° |__|__|__|__|__|__|__|__|__|__|__|__|__|__|__|__|
Date d'expiration : |__|__|__|__|

Signature obligatoire

EN CADEAU AVEC SON ABONNEMENT

La frise exclusive des grands peintres de l'histoire de l'art et les cartes « œuvre d'art » à collectionner.

Message personnel à inclure dans la pochette cadeau (MERCI D'ÉCRIRE EN LETTRES CAPITALES) :

À retourner à : **Mona Magazine • Service Abonnements • BP 41805 • 44018 Nantes Cedex 1**

L'enfant recevra sa frise en cadeau dans un délai maximum de 3 semaines après l'enregistrement de son abonnement. Conformément à la loi Informatique et Libertés, vous disposez d'un droit d'accès et de rectification pour toute information vous concernant.

Repérer

❶ *Mona*, c'est quoi ?

1 Observez la couverture du magazine et répondez aux questions suivantes.

a De quel type de magazine s'agit-il ? **b** À qui est-il destiné ? **c** Quelle est sa périodicité ? **d** Depuis quand existe-t-il ?

2 Lisez ce qui est écrit sur la couverture et le sommaire de *Mona*. Puis, avec votre voisin(e), imaginez quels sont les objectifs de ce magazine.

3 Lisez le document intitulé *Qui sommes-nous ?* et relevez les objectifs définis par la rédaction du magazine.

❷ Offre d'abonnement.
Vous avez décidé d'offrir un abonnement à ce magazine à votre nièce de 9 ans, Alice, qui habite à Tours. Complétez le bon (sans oublier le message personnel) à l'aide de la carte de visite.

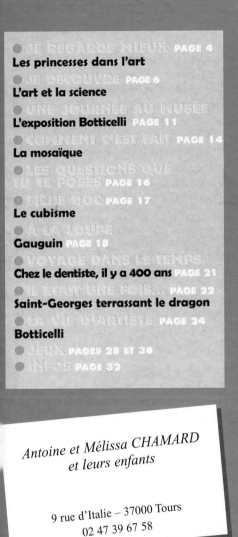

*Antoine et Mélissa CHAMARD
et leurs enfants*

9 rue d'Italie – 37000 Tours
02 47 39 67 58

Mona magazine.

Réaliser

❸ Interview.

1 Choisissez un des deux personnages ci-dessous et préparez-vous à l'interview.

a Vous êtes journaliste, à la radio, et vous souhaitez interviewer le rédacteur/la rédactrice en chef de *Mona*. Préparez vos questions en vue de l'interview. **b** Vous êtes le rédacteur/la rédactrice en chef de *Mona* et vous allez être interviewé(e) à la radio. Imaginez à quels types de questions vous allez devoir répondre et préparez vos réponses.

2 Jouez la scène avec un(e) étudiant(e) qui a choisi un autre personnage que vous.

❹ Réponse à tout.

Vous êtes chargé de répondre aux enfants, dans la rubrique *Les questions que tu te poses*. Répondez à la question (70 mots environ) : « Comment fait-on pour devenir un artiste ? » (Hugo, 8 ans)

❺ Pub.

Le magazine *Mona* a décidé de réaliser une affiche publicitaire destinée aux enfants des écoles primaires françaises. Avec votre voisin(e), réalisez cette affiche.

a Imaginez un slogan.
b Indiquez un ou deux objectifs de *Mona*.
c Présentez quelques rubriques du magazine.
d Donnez des informations pratiques (prix, périodicité, adresse du magazine…).

Attention ! N'oubliez pas que vous vous adressez à des enfants : votre message doit être clair.

BILAN

❶ C'est dur, la culture !
Transformez les phrases comme dans l'exemple.

▶ *Exemple : Il fallait faire la queue une heure. On n'a pas pu attendre. (alors)*
→ *Il fallait faire la queue une heure, **alors** on n'a pas pu attendre.*

1 Le mardi, je ne travaille pas mais les musées sont fermés. Je ne peux jamais y aller. (*si bien que*)

2 Cette sculpture est inabordable. Ils ont renoncé à l'acheter. (*tellement… que*)

3 L'unique cinéma de la ville a été fermé. Il y a eu une manifestation. (*donner lieu à*)

4 Il y a un brouhaha dans ce musée ! On ne peut pas écouter le conférencier. (*un tel… que*)

5 Devant moi, il y avait un homme très grand. Je ne pouvais pas bien voir le spectacle. (*tellement… que*)

❷ Et alors ?
Associez les phrases en utilisant une expression de la conséquence.

1 Il y avait plein de monde au musée d'Orsay, cet après-midi.

2 Le guide qui nous a fait visiter l'Alcazar ne parlait qu'espagnol.

3 Il faisait un froid de canard dans cette cathédrale !

4 On parle de l'exposition sur Gauguin dans la presse.

5 Nous avons trois jours de congé, la semaine prochaine.

a On n'a rien compris.

b J'ai décidé d'y aller à un autre moment.

c Ça attire un nombre très important de visiteurs.

d On va en profiter pour aller visiter le musée Guggenheim, à Bilbao.

e J'ai attrapé un rhume.

❸ C'est pour ça que…
Imaginez la réponse aux questions. Utilisez une expression de la conséquence.

▶ *Exemple : Vous n'avez pas visité les Baux-de-Provence l'été dernier ?*
→ *Non, il y avait **tellement** de monde **que** je n'ai pas eu envie d'y aller.*

1 Il y a eu beaucoup de spectateurs à son dernier concert ?

2 Le festival des Francofolies a été annulé ! Et alors ?

3 Comment ! Il n'y a plus de billets à vendre pour le concert de Zazie ?

4 Ce n'est pas ennuyeux de rester assis là dans le musée toute la journée ?

5 Pardon monsieur, vous avez encore le dernier livre de Philippe Delerm ?

❹ Soirée de la pub francophone.
Complétez les phrases avec une expression de but. (Plusieurs réponses sont possibles.)

1 Le 20 mars, il y aura une Soirée de la pub francophone … mieux faire connaître cet art.

2 … on puisse comparer les annonces, plusieurs pays francophones seront représentés.

3 … les spectateurs expriment leurs idées, un débat sera organisé après la projection.

4 On expliquera les éléments constitutifs d'une pub … savoir l'analyser.

5 … mener une réflexion sérieuse sur la pub, vous devez participer à cette soirée.

❺ Pourquoi y aller ?
Chargé(e) de la culture dans votre ville, vous devez défendre les manifestations culturelles que vous organisez. Expliquez l'objectif de chacune d'elles.

▶ *Exemple : l'exposition Nicolas de Staël au musée des Beaux-Arts*
→ *L'objectif, c'est de présenter des œuvres variées afin d'attirer un public nombreux et diversifié.*

1 l'ouverture du nouveau théâtre Jean-Cocteau

2 le Festival de la bande dessinée

3 l'exposition scientifique *Les animaux ont la parole*

4 la Journée des Langues et Cultures du monde

5 le Festival des fanfares européennes

❻ Désillusions.
Dites le contraire de chaque phrase en modifiant l'élément souligné.

▶ *Exemple : Je te <u>conseille</u> l'atelier « Expérimenter la peinture au couteau ».*
→ *Je te **déconseille** l'atelier « Expérimenter la peinture au couteau ».*

1 <u>L'avantage</u>, c'est que le musée ferme tous les soirs à 18 heures.

2 Le guide a tenu des propos complètement <u>cohérents</u> jusqu'ici.

3 Ce scénario est <u>acceptable</u>, vous n'êtes pas d'accord ?

4 C'est un artiste qui a une production tout à fait <u>régulière</u>.

5 Vous avez cassé cette pièce de musée et c'est <u>réparable</u> ?

Unité 12

Entre sacré et profane

Contenus thématiques

- L'évolution des pratiques religieuses en France
- Les nouvelles formes de spiritualité
- Les rites de passage

Objectifs et savoir-faire communicatifs

- Relever et formuler des contradictions ou des différences
- Argumenter un point de vue

Objectifs linguistiques

- Les pronoms et les adverbes indéfinis
- L'expression de l'opposition et de la concession
- Le pluriel des noms composés

Croyances

Parler

1 Vous y croyez ?

1 Écrivez dix mots que le mot *Dieu* vous évoque. Puis, comparez avec votre voisin(e).

2 Répondez aux questions suivantes.

a Quelles sont les religions pratiquées dans votre pays ? **b** La pratique religieuse a-t-elle évolué par rapport aux générations précédentes ? **c** Quelles sont les fêtes religieuses les plus importantes ? Savez-vous à quoi elles correspondent ? **d** La religion est-elle, selon vous, indispensable à l'homme ?

Comprendre

2 Cathos, mais pas trop…

1 Observez les documents 1 et 2 et indiquez, pour chacun d'eux :

a la nature ; **b** la source.

2 a Lisez le document 1 et associez chaque fête à l'une de ces trois religions.

le judaïsme / l'islam / le catholicisme

b Indiquez quelle est, d'après le document 1 :

1 la religion la plus importante en France ; **2** la seule fête religieuse dont l'importance a progressé entre 2001 et 2003.

c Expliquez, à votre avis, pourquoi cette fête est en progression, en France.

Abbaye de Fontenay, France.

3 Lisez le document 2 et dites si les affirmations sont vraies ou fausses.

En France…

a L'expression des différentes formes de religion est réglementée par l'État. **b** La majorité de la population est catholique mais cette religion est en perte de vitesse. **c** Le sens de certaines fêtes catholiques est méconnu d'un grand nombre d'individus. **d** Les religions autres que la religion catholique ne sont pratiquées que par les immigrés. **e** Le protestantisme est la troisième religion par ordre d'importance. **f** Le bouddhisme est une religion extrêmement minoritaire.

3 Croyant ou athée ?

1 Écoutez l'enregistrement et classez les opinions des personnes interrogées dans les trois catégories suivantes.

croyants / sceptiques / athées

2 a Lisez les commentaires d'internautes sur la religion, p. 135. Puis, associez-les à l'une des catégories ci-dessus.

b Relevez les énoncés qui contiennent un pronom ou un adverbe indéfini.

▶ *Exemple : Rien ne peut exister sans lui.*

c Repérez les indéfinis qui figurent dans ces énoncés et dites :

1 s'il est question de personnes, de lieux ou de choses ; **2** si on évoque un seul élément ou un ensemble ; **3** si le sens est positif ou négatif.

1

Parmi les fêtes suivantes, quelles sont celles auxquelles vous attachez personnellement le plus d'importance sur le plan religieux[1] ?

	2001[2]	2003[2]
Noël	75	74
Pâques	40	37
La Toussaint	14	9
Le 15 Août	8	7
Le Ramadan	4	6
La Pentecôte	4	4
L'Ascension	3	2
Yom Kippour	2	1
Ne se prononcent pas	8	12

1. Question posée à un échantillon représentatif de la population française. 2. En %. Total supérieur à 100, les interviewés ayant pu donner plusieurs réponses.

Sondage exclusif CSA / *La Croix*, août 2003.

> **Forum :**
> Croyez-vous en Dieu ?

Philippe Re : Croyez-vous en Dieu ? (08/05/04)

Ce n'est pas sérieux ! Personne n'a jamais prouvé l'existence de Dieu ! Bien sûr, chacun croit ce qu'il veut, mais moi, j'ai besoin d'éléments incontestables.

Nordine Re : Croyez-vous en Dieu ? (30/04/04)

Franchement, je ne sais pas… Il doit bien y avoir quelque chose d'autre, ailleurs… Mais quoi ? Rien ne nous permet de répondre sérieusement à cette question.

Stéphanie Re : Croyez-vous en Dieu ? (25/04/04)

Dieu ? Oui j'y crois. Mais je vais rarement à l'église. Il y a quelque chose qui me dérange dans certains principes stricts, comme la position de l'Église sur le préservatif par exemple. C'est vraiment n'importe quoi ! Et puis, de toute façon, Dieu est partout, pas seulement dans les lieux de culte.

Zone Internet

S'entraîner

4 **Bonnes paroles.**
Complétez les proverbes avec l'un des pronoms ou des adverbes indéfinis suivants : *tout, ailleurs, rien, toute, aucun* et *tout le monde*.

1 … est signe pour celui qui voit. (le Coran) 2 Ne jamais … faire comme les autres en art ; en morale, faire comme … . (Jules Renard) 3 … homme n'a reçu de la nature le droit de commander les autres. (Denis Diderot) 4 Appliquez-vous à garder en … chose le juste milieu. (Confucius) 5 Nous saluerons Dieu et, s'il se montre hospitalier, nous resterons avec lui. Sinon, nous partirons … . (proverbe bédouin)

2 ## Les religions en France

La France est une République laïque, c'est-à-dire un pays dans lequel l'État et les Églises sont complètement séparés. Aucune religion n'est obligatoire, mais plusieurs sont cependant représentées.

Le catholicisme
67 % des Français se déclarent catholiques, 58 % font baptiser leurs enfants et 50 % se marient à l'église, mais les pratiques religieuses comme les croyances se sont affaiblies. La culture religieuse n'exerce plus la même influence : la signification d'une fête comme la Pentecôte, par exemple, n'est plus connue que par 18 % des Français. Les jeunes gens paraissent, dans leur majorité, de plus en plus indifférents ou étrangers à la religion : 46 % disent croire en Dieu aujourd'hui, contre 81 % il y a trente ans et 40 % affirment être athées.

L'islam
Avec une communauté évaluée à 5 millions de personnes, l'islam est désormais la deuxième religion de France. C'est une communauté très diversifiée qui comprend des Français et des étrangers (Maghrébins, Africains, Turcs, Asiatiques).

Le judaïsme
La communauté juive de France compte actuellement environ 800 000 personnes.

Le bouddhisme
Avec environ 600 000 adeptes, le bouddhisme est désormais considéré comme la quatrième religion de France. Il a beaucoup progressé ces dernières années.

Le protestantisme
On évalue à 3 % le nombre des protestants en France.

Ministère de l'Intérieur.

5 **Tout sur tout.**
1 Écoutez les phrases suivantes et classez-les.
[tu] / [tut] / [tus]

2 Écoutez de nouveau avec l'aide de la transcription, p. 159. Quand prononce-t-on :
[tu] / [tut] / [tus] ?

GRAMMAIRE

Les pronoms et les adverbes indéfinis

Pour donner une information avec une part d'indétermination, on emploie des pronoms indéfinis :

Personne ne peut prouver l'existence de Dieu.

Non mais, arrêtez de dire n'importe quoi sur la religion !

Je crois que Dieu est partout, pas seulement dans les lieux de culte.

L'indétermination porte sur…	Sens positif		Sens négatif
	Un seul élément	Un ensemble	
une personne	chacun(e), quelqu'un (d'autre), n'importe qui	tou(te)s, tout le monde, d'autres	personne… ne, aucun(e)
un objet ou une idée	quelque chose (d'autre), n'importe quoi	tout, tou(te)s, d'autres	rien ne, aucun(e)
	quelque part, n'importe où, ailleurs	partout	ne… nulle part

GRAMMAIRE

L'expression de l'opposition et de la concession

Pour exprimer **l'opposition de deux faits ou de deux événements**, on peut employer :

- *alors que* + indicatif
  __Alors que__ les églises se vident, les nouvelles croyances foisonnent.

- *en revanche, par contre, mais, au contraire*
  Les scientifiques ne rejettent pas nécessairement le divin, bien __au contraire__ !

- *au lieu de* + infinitif
  __Au lieu de__ s'orienter vers la foi traditionnelle, ils se tournent vers de nouvelles formes de spiritualité.

- *contrairement à* + nom ou pronom
  __Contrairement à__ vous, je pense qu'il existe un être supérieur.

Lorsqu'on veut souligner qu'**un fait est sans influence sur le résultat final**, on peut employer :

- *même si* + indicatif
  __Même si__ elle ne croit pas en Dieu, elle comprend mon engagement.

- *bien que* + subjonctif
  __Bien qu'__ils soient très croyants, ils vont peu à l'église.

- *malgré* + nom
  __Malgré__ les impératifs du monde moderne, les gens ont besoin de spiritualité.

Lorsqu'on veut évoquer **le résultat final**, on utilise :

- *pourtant, quand même, tout de même*
  C'est __quand même__ un phénomène étonnant !

- *mais, cependant*
  Il souhaite écrire un article sur la foi ; __cependant__, il n'a rien trouvé sur ce sujet.

Comprendre

❶ Croire, oui… mais en quoi ?

1 Lisez le titre du livre et son sous-titre. Puis, indiquez :

a de quel type de livre il s'agit ; **b** ce que ce titre signifie ; **c** de quelle partie du monde il est question.

2 Lisez la quatrième de couverture du livre.
a Repérez :

1 la profession de l'auteur du livre ; 2 la période sur laquelle porte son étude.

b Relevez :

1 la proportion de croyants et de pratiquants aujourd'hui en Europe ; 2 les principales caractéristiques de l'époque moderne ; 3 l'attitude adoptée par les Occidentaux à l'égard de la foi ; 4 la justification du titre du livre.

FRÉDÉRIC LENOIR

LES MÉTAMORPHOSES DE DIEU

La nouvelle spiritualité occidentale

Plon

Que devient Dieu en Occident ? L'écrasante majorité des Américains et les deux tiers des Européens se disent croyants. Mais à peine un tiers pratique régulièrement. L'homme occidental ne paraît donc pas plus tenté par l'athéisme radical que par l'enracinement dans une religion. Acceptant l'incertitude, il cultive plutôt une sorte de foi/scepticisme qui bouleverse toutes les identités religieuses classiques. Partant de la Renaissance, Frédéric Lenoir retrace les temps forts du parcours historique du religieux dans la modernité occidentale, jusqu'à la période actuelle de globalisation et d'ultra-individualisme, caractérisée par la liberté de choix, le désir d'accomplissement personnel et le nomadisme spirituel.

Dieu n'est pas mort : il se métamorphose. Le sacré prend de nouveaux visages ou bien revêt des habits très anciens. À travers ce bouleversement de l'espace et du temps, nous vivons sans doute l'une des plus grandes mutations religieuses que l'homme ait jamais connues.

Frédéric Lenoir est philosophe et sociologue des religions.

Fr. Lenoir, *Les Métamorphoses de Dieu*, © Plon.

Pour la sociologue Élisabeth Girard,
spécialiste de l'histoire des religions,
les croyances des Français
ont évolué. Aujourd'hui, on bricole
sa foi pour donner un sens
à sa vie terrestre.
Antoine Rivière l'a rencontrée pour
Regards sur la France.
Extraits…

La France est-elle devenue un pays non croyant ?

Malgré la perte d'influence de l'Église, nos concitoyens ne sont pas devenus athées pour autant. La spiritualité est plutôt une valeur en hausse, même si elle ne se manifeste plus de la même façon. Au lieu d'aller tous les dimanches à la messe, les gens choisissent des formes de croyance qui s'adaptent à leurs besoins.

Dans ce cas, peut-on toujours parler de religieux ?

Il est vrai que certaines pratiques ont de quoi surprendre ! J'ai rencontré des gens qui, bien qu'ils aillent assez régulièrement à l'église, vont aussi voir des astrologues ou des graphologues pour connaître leur avenir. Contrairement à ce que l'on pourrait croire, ce genre de pratiques est très fréquent. Avoir une religion officielle n'exclut pas d'autres formes de croyance. Bien au contraire !

3 a Écoutez l'enregistrement et indiquez sur quel document s'appuie le journaliste pour réaliser sa chronique. 📞

b Réécoutez l'enregistrement et repérez : 📞
1 les informations déjà évoquées sur la quatrième de couverture du livre ; **2** les raisons qui justifient l'apparition de nouvelles formes de spiritualité en Occident ; **3** les particularités des nouvelles formes de spiritualité.

❷ Mélange des genres.
1 Lisez l'interview ci-dessus et retrouvez des idées communes avec le document précédent et l'enregistrement.

2 a De quelle manière la sociologue répond-elle à la première question ?
totalement positive / nuancée / totalement négative

b Justifiez votre choix de réponse en donnant des exemples de formules ou de mots utilisés.

c Trouvez dans la deuxième réponse de la sociologue des exemples de comportement contradictoire en matière de croyance. Citez les formules exactes.

S'entraîner

❸ L'habit ne fait pas le moine.
Transformez les phrases comme dans l'exemple.

▶ *Exemple : Il est médecin et il tire régulièrement les cartes. (*bien que*)*
→ *Bien qu'il soit médecin, il tire régulièrement les cartes.*

1 Elle a un esprit très logique. Elle s'intéresse énormément au surnaturel. *(mais)* **2** Elle était inspectrice des impôts. Chaque mardi, elle organisait des séances de magnétisme ! *(alors que)* **3** Ils sont très rationnels. Ils se passionnent pour la graphologie ! *(malgré)* **4** Ma mère adore lire des magazines d'astrologie. Pas mon père. *(contrairement à)* **5** Renaud n'est pas croyant. Il passe une semaine par an enfermé dans un monastère. *(même si)*

Parler

❹ Vous avez dit charlatan ?
Choisissez l'un des personnages ci-dessous et préparez-vous à l'interview.
a Vous êtes l'animateur de l'émission *On en parle* et vous souhaitez interviewer un adepte d'une des nouvelles formes de spiritualité. Préparez vos questions.

b Vous êtes adepte de l'une des nouvelles formes de spiritualité. Vous allez être interviewé(e) dans l'émission *On en parle*. Imaginez les questions auxquelles vous allez devoir répondre et préparez vos réponses. Jouez la scène avec un(e) étudiant(e) de la classe.

Écrire

❺ L'avenir en rose.
Vous travaillez sur Internet en tant que voyant(e). Vous devez réconforter les gens, quels que soient leurs problèmes. Vous avez tiré les cartes pour Maryse dont voici la question : « J'ai 35 ans et mon mari vient de me quitter. J'ai trois enfants à charge et pas de travail. Qu'allons-nous devenir ? Aidez-moi s'il vous plaît. »
Rédigez un courriel de réponse.

Rites de passage

1

La torture est au-dedans de nous, si certaines guerres d'un style particulier en développent monstrueusement le germe, elle n'en prolifère pas moins aux époques paisibles. Elle porte alors des noms qui font sourire. Les pédagogues ferment les yeux. Qu'allez-vous parler de torture ? Les brimades[1] trempent le caractère, et un peu rudement peut-être font passer l'enfant à l'adolescence et l'adolescent à la virilité. Il en fut toujours ainsi : c'est le noviciat[2] commun à toutes les grandes écoles, dans les lycées, mais aussi dans les collèges. [...]

Un jour, il y a deux ou trois ans, dans une très petite ville, au cours d'un de ces dîners [...] qui duraient des heures, j'écoutais d'une oreille d'abord distraite ma voisine, la femme d'un pharmacien. Elle me parlait avec angoisse de son fils de seize ans, interne dans un lycée de Paris. Elle savait que ce n'était pas grave, qu'il ne fallait surtout pas se plaindre, que ces épreuves finiraient. Quelles épreuves ? Quelles sortes d'épreuves ?

Cette lettre ne le spécifie pas, que j'ai reçue le 30 septembre dernier et qui n'est pas signée : les bourreaux, et même cette graine de bourreau-là, ont toujours fait peur : « Vous avez depuis bien des années mené une campagne contre la torture, m'écrit ce correspondant anonyme. Puis-je me permettre d'attirer votre attention sur le scandale du "bizutage" qui sévit chaque année au début de la scolarité ? [...] Que de tels procédés qui assouvissent les plus bas instincts de l'homme soient encore de nos jours pratiqués [...], qu'ils soient tolérés, sinon encouragés par les directeurs des divers établissements publics ou privés, voilà qui doit susciter votre indignation. »

François Mauriac[3],
© *Le Figaro littéraire*, 19 octobre 1963.

1. Épreuves vexatoires souvent brutales.
2. Temps d'épreuve imposé par un groupement religieux.
3. Écrivain français.

Comprendre

❶ Initiations.

1 Lisez les textes 1 et 2 et indiquez :
a le nom de l'auteur, la date de parution et le type d'écrit ; **b** le lieu où les événements décrits se déroulent.

2 Relevez dans ces documents :
a le terme qui, dans chaque pays, désigne le rite dont il est question ; **b** les termes qui indiquent que ce rite est éprouvant ; **c** le lieu et le moment où ce rite est pratiqué ; **d** le profil des personnes qui le subissent ; **e** les responsables de ces actes ; **f** l'objectif de ces pratiques ; **g** l'attitude de l'institution scolaire face à ce phénomène.

3 Lisez le texte 3. Ce texte est lié à un des deux documents. Dites lequel et de quelle manière. Peut-on dire qu'il y a eu une évolution des mentalités ?

❷ C'est pas une vie !

1 a Lisez le *Journal d'un bizut* et repérez les phrases qui illustrent :
1 les épreuves auxquelles les étudiants ont dû se soumettre ; **2** les conséquences en cas d'échec.

b Indiquez les similitudes et les différences entre les expériences du futur ingénieur et celles décrites dans les deux premiers documents.

2 Relevez tous les mots composés qui figurent dans le journal de Médéric et essayez de trouver les règles d'accord au pluriel.

Page d'accueil | Apple | iTools | Assistance Apple | Apple Store | Produits destinés aux ordinateurs Macintosh

Favoris | Historique | Recherche | Album | Garde-pages

JOURNAL D'UN BIZUT

Médéric est étudiant dans une école d'ingénieurs. Il raconte son bizutage. Extraits.

Vendredi 3 octobre
Après avoir préparé mille cinq cents petits-fours pour les « très vénérables anciens », on a dû dessiner des ellipses de 60 par 90 mm sur lesquelles il fallait écrire une demande de sortie, des laissez-passer en quelque sorte. On devait présenter notre requête tête baissée sans les regarder. Si l'ellipse n'était pas parfaite, on restait à l'école pendant tout le week-end.

Lundi 6 octobre
On a eu un nouveau jeu à partir de noms d'objets qu'on nous a donnés. Il fallait en esquisser deux modèles différents, très vite. Sinon, ils nous plongeaient dans une eau à 13°. Moi, j'ai dû faire des chefs-d'œuvre et Stéphane, lui, des porte-bonheur ! On s'est retrouvés tous les deux à l'eau...

2

Dans l'extrait suivant, l'auteur évoque les modes de socialisation et d'éducation des jeunes adolescents africains.

Le camp d'initiation, sorte de stage intensif pour la classe d'âge du même sexe, est la seule institution éducative reconnue comme telle. L'initiation [...] marque une nouvelle rupture : il faut mourir à l'enfance et se métamorphoser pour renaître pleinement à la collectivité et y adhérer de manière irréversible et indissoluble. Les moyens employés eux-mêmes rompent avec les habitudes : à l'atmosphère bienveillante et à l'organisation informelle dans laquelle baigne d'ordinaire la formation se substitue une période faite d'épreuves épuisantes, de veilles, de privations, de souffrances, [...] dirigée par des inconnus qui remplacent les familiers. [...] Mais surtout, il s'agit d'amener à une expérience spirituelle qui façonne profondément la sensibilité, qui dépouille la personnalité individuelle pour la fondre dans la communauté.

Pierre Héraux, *Histoire des mœurs*, Éd. Gallimard, 1991.

UNITÉ 12

Les Bassaris.

Parler

4 Us et coutumes.
Avec votre voisin(e), répondez aux questions.

1 Les rites de passage existent-ils dans votre pays et si oui, sous quelles formes ? 2 Avez-vous participé à l'un de ces rites ? 3 Y a-t-il une loi pour interdire le bizutage dans votre pays ? 4 Pensez-vous qu'il soit nécessaire de réglementer ces pratiques ? 5 Ces rites peuvent-ils avoir, selon vous, une utilité ? Laquelle ?

3

Délit de bizutage

Il est défini dans le code pénal comme étant le fait pour une personne d'amener autrui, contre son gré ou non, à subir ou à commettre des actes humiliants ou dégradants lors de manifestations ou de réunions liées aux milieux scolaire et socio-éducatif, quel que soit le lieu où elles se déroulent. Ce délit est puni de six mois d'emprisonnement et de 7 500 euros d'amende (loi n° 98-468 du 17 juin 1998).

www.service-public.fr

S'entraîner

3 Savoir-faire.
Vous êtes soumis à une épreuve lors de votre arrivée dans un cours de français. Vous devez mettre la liste de mots ci-dessous au pluriel, sans fautes. Sinon vous aurez un gage !

un tire-bouchon / une belle-mère
une eau-de-vie / un coffre-fort
un arc-en-ciel / un presse-citron

VOCABULAIRE

Le pluriel des noms composés

Au pluriel, les noms composés s'accordent différemment selon la nature des mots qui les composent.

● En général, quand le nom se compose d'un **nom** et d'**un adjectif**, les deux mots s'accordent :
*Ce rite existait du temps de mes **grands-parents**.*

● Quand le nom est composé de un ou deux verbes, les verbes restent invariables :
*Ils nous ont obligés à faire une sculpture avec des **porte-manteaux** !*

Cas particuliers

– **Nom + préposition + nom** : le deuxième nom reste invariable :
*On devait aussi leur verser des **pots-de-vin**.*

– **Verbe/Nom + nom** désignant quelque chose d'abstrait ou de non dénombrable ; le nom est invariable :
*Nous, on devait écrire des messages sur des **timbres-poste** minuscules !*

La divine bouteille

MUSEE DU VIN

Actualiser Démarrage Remplissage automatique Imprimer Courrier

...eeduvinparis.com/

...ple iTools Assistance Apple Apple Store Produits destinés aux ordinateurs Macintosh Microsoft Office Internet Explorer

Bienvenue au

Musée du Vin
Paris

Créée fin 1997
sur l'initiative de Nogentais,
**la Confrérie du Petit Vin
Blanc de Nogent**
s'est donné pour but de :

1 Faire revivre le patrimoine
culturel et historique de Nogent.

2 Perpétuer la mémoire
du célèbre vignoble de Nogent.

3 Favoriser son renouveau
par la plantation d'une vigne
sur son terroir.

4 Animer cette renaissance
par l'organisation d'événements
liés au vignoble.

« Je ne connais rien de plus
sérieux ici bas que la culture
de la vigne. » (Voltaire)

● La confrérie porte un costume d'apparat
composé d'une robe de tissu vert galonnée
d'or, d'une étole moutarde frangée d'or, d'une
toge et d'une médaille, reproduction d'un
thème moyenâgeux. La confrérie remet un
diplôme lors de son rituel d'intronisation.

● La confrérie est dirigée par un Grand Maître,
assisté d'un Grand Chambellan, d'un Grand
Argentier. Le Grand Maître anime une équipe
d'une quinzaine de Grands Dignitaires et la
confrérie d'environ cent adhérents.

● Un chapitre a lieu chaque année le troisième
dimanche de novembre. Un banquet est
organisé en juin chaque été.

● L'adhésion à la confrérie se fait en payant une
cotisation annuelle actuellement de 16 €. Les
adhérents actifs peuvent ensuite devenir
Chevaliers puis Dignitaires.

D'après www.museeduvinparis.com
Philippe Jouvin, 9 rue Saint-Sébastien, 94130 Nogent.

Zone Internet

Repérer

❶ L'esprit du vin.

1 Lisez le titre du document 1.

a Dites de quel type de document il s'agit.

b Imaginez quel peut être le but de la
confrérie.

2 Lisez le document 1.
a Associez chacune des étiquettes suivantes
à une partie du document.

Date des principaux événements

Symboles et rituels

Organisation

Adhésion

Origine et but de la confrérie

b Repérez le titre donné aux membres de la
confrérie. Imaginez quel peut être le rôle des
trois principaux membres.

3 Lisez le document 2 et indiquez quel est, en
général, le but de ce type de confrérie.

❷ Ça m'intéresse.
Étudiant(e) dans une école de langue pendant
un an, en France, vous avez entendu parler de
la Confrérie du Petit Vin Blanc de Nogent.
Comme vous êtes assez curieux/curieuse de
nature, vous aimeriez devenir adhérent(e) de
cette confrérie. Vous décidez alors de téléphoner
pour demander des renseignements.
Jouez la scène avec votre voisin(e).

Raoul Dufy, *Pont rose et chemin de fer Nogent* (1935).

2

Quand on a demandé au Grand Maître de la confrérie de Bacchus à quoi servait ce « machin », il a répondu : « Ça ne sert à rien qu'à faire plaisir, à rien qu'à se retrouver entre gens de bonne compagnie, à rien qu'à passer d'agréables moments sans souci devant une bonne table et de bons vins, à rien qu'à se déguiser de temps en temps et à se donner un peu d'illusion, à rien que d'aider à oublier la tristesse et l'égoïsme de nos contemporains. »

Et vlan ! Sachez que j'aime bien cette idée et cette philosophie. Je l'ai faite mienne depuis un bon moment. Salut !

Jean-Gilles Jutras, ambassadeur du vin au Québec. Extrait : *Saint Bacchus*, planete.qc.ca, 17/06/03.

Réaliser

❸ Bonjour les dégâts !

Radio Québec organise un débat autour des bienfaits et des méfaits du vin.

Les deux invités sont :

1 Jean-Gilles Jutras, ambassadeur du vin au Québec ; 2 Aline Lepage, présidente de la Ligue antialcoolique de Montréal.

Choisissez l'un des personnages et, avec un autre étudiant(e), jouez la scène.

❹ Événement local.

Vous êtes journaliste et vous avez participé au banquet de la confrérie en tant que nouveau membre. Écrivez un article pour le journal *Le Petit Nogentais* dans la rubrique « Événements ».

❺ Les mots de la fin.

Avec votre voisin(e), vous avez décidé de créer une confrérie dans un domaine autre que le vin.

1 Rédigez votre propre dépliant en vous inspirant du document 1.

2 Présentez votre projet devant la classe.

❶ Quelles sont vos convictions ?

Répondez aux questions en utilisant *chacun(e), tou(te)s, rien, n'importe où* et *personne (ne)*.

▶ *Exemple : La France est un pays exclusivement catholique ?*
→ *Non, il y a d'autres religions pratiquées en France.*

1 Y a-t-il des points communs entre les différentes religions ?

2 Pensez-vous que tout le monde devrait croire en quelque chose ?

3 D'après vous, où est-il possible de méditer ou de prier ?

4 Dans votre famille, y a-t-il des gens pratiquants ?

5 Et vous, en quoi ou en qui croyez-vous ?

❷ C'est le contraire.

Transformez les phrases comme dans l'exemple.

▶ *Exemple : Parmi vous, **aucun** ne croit en Dieu ?*
→ *Parmi vous, **tout le monde** croit en Dieu ?*

1 Rien n'explique cette forme de communautarisme.

2 Personne ne peut visiter ce monastère sans autorisation.

3 Ce rite ne se pratique plus nulle part aujourd'hui.

4 Tout le monde peut assister à cette cérémonie.

5 Tout malheur est bon.

❸ Avis partagés.

Complétez avec une expression de l'opposition ou de la concession : *bien que, par contre, au lieu de, contrairement à* et *même si*.

1 Je suis très croyante, … je ne me reconnais pas dans l'Église.

2 … je ne crois pas à la voyance, ça m'amuse de me faire tirer les cartes.

3 … je sois assez cartésien, j'avoue être superstitieux.

4 … ce qu'on raconte, tout ça n'existe pas.

5 … croire à toutes ces bêtises, tu devrais réfléchir.

5 … croire à toutes ces bêtises, tu devrais réfléchir.

❹ Même si vous pensez le contraire.

Remplacez *même si* par *bien que* et faites les changements nécessaires.

▶ *Exemple : **Même** si tu te dis athée, je suis certain que tu doutes parfois.*
→ ***Bien que** tu te dises athée, je suis certain que tu doutes parfois.*

1 Même si tu trouves ça ridicule, je vais entrer dans la confrérie des Tire-bouchons.

2 Même si tu ne me crois pas, je suis sûr qu'ils font partie d'une secte.

3 Même si c'est un peu tard, je vais essayer quand même.

4 Même si on ne la connaît pas bien, la franc-maçonnerie existe depuis des siècles.

5 Même si vous allez consulter ce charlatan, cela ne changera rien.

❺ Aventures de l'esprit.

Faites des oppositions en utilisant les expressions *au lieu de, en revanche, malgré, alors que* et *cependant*.

▶ *Exemple : Les lieux de culte se vident – les nouvelles spiritualités se développent.*
→ *Les lieux de culte se vident, **par contre**, les nouvelles spiritualités se développent.*

1 Vous croyez ce marabout – vous devriez faire attention.

2 Cette forme de bizutage n'est pas choquante – la torture est inadmissible.

3 On dit que Dieu est mort – ce sont ses représentations qui changent.

4 Le bizutage est interdit par la loi – il se pratique encore.

5 Ils disent que c'est possible – rien n'a jamais été prouvé.

❻ Bizutage.

Voici une liste de consignes donnée à des bizutés. Ajoutez un *s* ou un *x* si nécessaire.

1 Préparez les petit… déjeuner… de tous les internes pendant une semaine.

2 Lisez à voix haute la liste de tous les chef…-lieu… de France.

3 Enlevez tous les essuie…-glace… des voitures autour de l'école.

4 Fabriquez des porte…-bonheur… originaux pour les professeurs.

5 Nettoyez toutes les porte…-fenêtre… du rez-de-chaussée.

4

Évaluation orale

① **La tête dans les étoiles.** 👓 DELF

1 Écoutez le micro-trottoir et choisissez parmi les trois questions suivantes, celle qui a été posée aux personnes interrogées. Justifiez votre réponse.

a D'après vous, dans quels domaines l'État doit-il investir de l'argent en priorité ?

b La conquête de l'espace est-elle une chose utile selon vous ?

c Pensez-vous que la recherche spatiale aboutisse un jour à des découvertes importantes ?

2 Écoutez à nouveau le micro-trottoir.

a Indiquez quel est, globalement, le point de vue des personnes interrogées sur ce sujet.

	Oui	Non	Ne sait pas
Émile, 64 ans – retraité – marié – Chantilly (Oise)			
Marc, 31 ans – fonctionnaire – pacsé – Paris (Seine)			
Mehdi, 23 ans – étudiant en sciences économiques – célibataire – Nanterre (Hauts-de-Seine)			
Bastien, 19 ans – menuisier – célibataire – Melun (Seine-et-Marne)			
Zohra, 35 ans – infirmière – divorcée – Paris (Seine)			
Matteo, 43 ans – sans emploi – marié – Bobigny (Seine-Saint-Denis)			

b Lisez les opinions suivantes et dites à quelle(s) personne(s) elles correspondent. Justifiez votre réponse.

1 Moi, ce qui me gêne le plus, ce sont les sommes phénoménales dépensées dans la recherche spatiale. Ça, c'est dommage !

2 Bien sûr que cet argent pourrait être utilisé autrement mais on ne peut pas abandonner la conquête de l'espace, quand même !

3 En ce qui me concerne, je crois que la priorité sur terre, c'est avant tout la résolution des problèmes de pauvreté et d'exclusion. Le reste, c'est tout à fait secondaire !

4 La recherche spatiale a des conséquences positives sur notre environnement quotidien, ça me semble évident.

② **Et vous, qu'en pensez-vous ?**

Avec votre voisin(e), répondez à la question posée dans le micro-trottoir et dites ce que vous pensez du point de vue des différentes personnes interrogées.

③ **Les grandes mutations du 20ᵉ siècle.**

Sempé, *Un léger décalage*, © Denoël, 1977.

1 Avec votre voisin(e), faites une description du dessin ci-dessus.
Puis, observez son titre, sa date de publication et indiquez
ce que le dessinateur a voulu exprimer, selon vous.

2 Vous êtes actuellement membre d'une association féministe.
Un(e) journaliste vous demande votre opinion sur ce dessin.
Jouez la scène avec votre voisin(e).

Loi 1901 sur les associations :
une centenaire pleine de vitalité

Aujourd'hui, le secteur associatif représente un immense potentiel d'énergie et de dévouement, un immense gisement d'emplois aussi.

En 2001, la France compte environ 750 000 associations de toutes tailles. Il est difficile de tracer un tableau homogène d'une réalité avant tout composite. Néanmoins, leur importance, au total, ne cesse de croître.

Les associations gèrent des budgets d'environ 45 milliards d'euros dont 60 %
5 proviennent des fonds publics. Vingt millions de Français sont adhérents et parfois militants dans des associations tandis qu'1,3 million de personnes sont salariées d'une structure associative, soit 6 % de l'emploi total. Telle est la réalité chiffrée d'aujourd'hui, laquelle est le résultat d'une longue évolution. Car le monde associatif s'est adapté aux problèmes et aux besoins de son temps.

10 Au début du siècle, lorsque les députés de la République votent, en 1901, la loi autorisant les particuliers à se rassembler pour œuvrer ensemble à une cause commune sans but lucratif, la France est un pays très fortement rural. On ne s'étonnera pas dès lors que les premières associations s'intéressent au folklore local, aux activités sportives et aux fanfares municipales. Dans cette période, les associations, encore peu
15 nombreuses, concernent surtout l'entraide.

Avec l'exode rural de l'après-guerre et la massification des comportements urbains, les hommes ont cherché à se rassembler pour mieux se battre contre telle ou telle institution. L'association devient alors un instrument majeur de convivialité et aussi un outil dans la pratique de la démocratie et de la citoyenneté. L'association « loi 1901 »
20 à but non lucratif permet aux locataires et aux copropriétaires de se constituer comme interlocuteur incontournable des bailleurs ou du syndic, aux usagers des transports en commun de protester contre telle décision de la RATP ou de la SNCF. Tous les domaines de la vie sociale sont touchés par le phénomène associatif.

Si les pouvoirs publics, tant l'État que les collectivités locales, ont suivi d'un regard
25 soupçonneux l'évolution des associations jusqu'en 1968, leur importance a depuis été reconnue « *comme un lieu d'engagement civique* ». Pour autant, si le contrôle à priori est succinct – il suffit de déposer des statuts en préfecture pour voir son existence établie par une publication au *Journal officiel* –, certaines associations reconnues d'utilité publique doivent présenter leur budget à la Chambre régionale des comptes
30 ou même à des inspecteurs de l'État. Exiger la présentation d'un budget transparent n'est pas une atteinte à la liberté d'association. S'il arrive que des collectivités locales, et tout aussi bien l'État, se voient critiquer, c'est qu'ils utilisent le mode associatif à des fins qui n'ont rien à voir avec l'activité de bénévoles ou de militants. « Faux nez », « associations 1902 », elles sont innombrables les structures créées de toutes pièces
35 pour faciliter les procédures administratives. Et toutes les communes, malgré la loi Sapin qui interdit à un élu d'être président d'une association subventionnée par la ville, connaissent ce genre de structures, vides d'adhérents et de militants, mais qui offrent des facilités de gestion.

Au moment où l'on fête le centenaire d'une loi de liberté, il faudra sans doute que l'on
40 se penche sur l'avenir d'associations dont la pratique s'apparente à n'importe quelle autre entreprise…

Henri Israël © CFDT[1], 4 juillet 2001.

1. Syndicat (Confédération française démocratique du travail).

1 Loi 1901, entre hier et demain. DELF

1 Lisez le document et relevez la raison pour laquelle cette loi
s'appelle la loi 1901.

2 Lisez à nouveau le document.

a Dites si les affirmations suivantes sont vraies ou fausses. Justifiez votre réponse.
Une association loi 1901…
1 est constituée de simples citoyens.
2 ne peut se créer que sur autorisation préfectorale.
3 a la possibilité d'employer du personnel.
4 est systématiquement soumise à un contrôle sur sa comptabilité.
5 ne peut pas être présidée par le maire de la ville qui la subventionne.

b Indiquez quels peuvent être les objectifs d'une association de ce type.
1 faire des bénéfices
2 aider les autres
3 gérer les transports en commun municipaux
4 défendre le droit des citoyens
5 proposer des animations sportives ou culturelles

**c Précisez quelle a été longtemps l'attitude des pouvoirs publics à l'égard
du mouvement associatif. Justifiez votre réponse.**
1 la répression
2 la méfiance
3 le désintérêt
4 l'encouragement

3 Répondez aux questions suivantes.
a Comment les associations loi 1901 sont-elles financées, en général ?
b Qu'est-ce qui permet d'affirmer qu'elles rencontrent de plus en plus de succès
auprès des Français ?
c Par qui et pour quelles raisons sont-elles parfois utilisées à des fins contraires
aux principes de base de la loi 1901 ?

2 Au péril de la science. DELF

Pendant une semaine, le magazine *Télérama* propose à ses lecteurs de réagir,
sur le site du magazine, à la citation suivante, en faisant part de leur opinion
et de leur sentiment :
« Toujours porteuse d'espoir pour certains, la science est devenue
simultanément source de crainte pour beaucoup. »
Albert Jacquard, *Au péril de la science ? Interrogations d'un généticien*, Éd. du Seuil, 1990.
Rédigez votre point de vue sur ce sujet (150 mots environ) en illustrant
votre argumentation d'exemples.

Plan de Paris

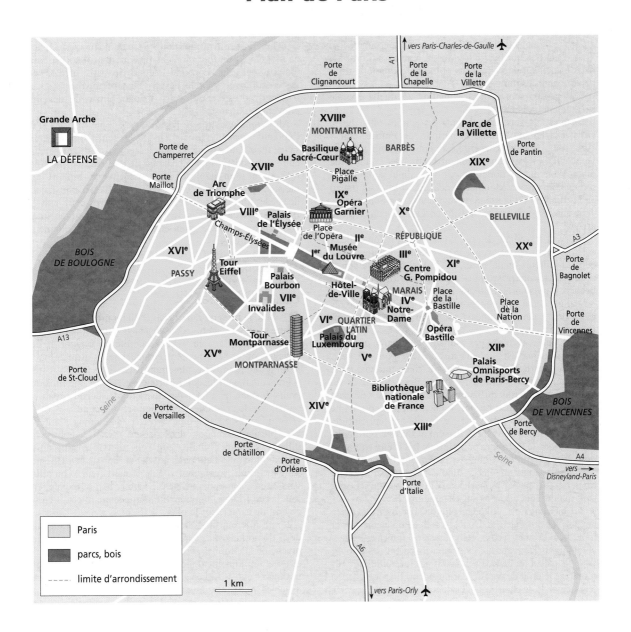

Grande Arche
LA DÉFENSE

Paris
parcs, bois
limite d'arrondissement
1 km

vers Paris-Charles-de-Gaulle ✈

Porte de Clignancourt
Porte de la Chapelle
Porte de la Villette

XVIIIe
MONTMARTRE
BARBÈS
Parc de la Villette
Porte de Pantin

Porte de Champerret
Basilique du Sacré-Cœur
XIXe

Porte Maillot
XVIIe
Place Pigalle
Porte de Pantin

Arc de Triomphe
IXe
Opéra Garnier
Xe
BELLEVILLE

VIIIe
Palais de l'Élysée
Place de l'Opéra
RÉPUBLIQUE

Champs-Élysées
IIe
IIIe
XIe
XXe
A3

BOIS DE BOULOGNE
XVIe
Ier
Musée du Louvre
Centre G. Pompidou
Porte de Bagnolet

PASSY
Tour Eiffel
Palais Bourbon
Hôtel-de-Ville
MARAIS
Place de la Bastille
Place de la Nation

VIIe
Invalides
IVe
Notre-Dame
Porte de Vincennes

A13
VIe
QUARTIER LATIN
Opéra Bastille

Tour Montparnasse
Palais du Luxembourg
XIIe
Palais Omnisports de Paris-Bercy

XVe
Ve
BOIS DE VINCENNES

Porte de St-Cloud
MONTPARNASSE
Bibliothèque nationale de France

Seine
XIVe
Porte de Bercy

Porte de Versailles
XIIIe
Seine
A4

Porte de Châtillon
Porte d'Orléans
vers Disneyland-Paris →

A6
Porte d'Italie

vers Paris-Orly ✈

Gens d'ici, gens d'ailleurs

Leçon 2

Comprendre p. 14

❷ Première partie

Née en France de parents portugais, Sonia a aujourd'hui 25 ans. Elle nous parle de ses parents, de leur arrivée en France, du lien qui les lie toujours à leur pays d'origine, mais également de sujets plus politiques comme le droit de vote pour les immigrés.

– Vos parents sont arrivés à quelle… à quelle époque exactement en France ?

– Eh bien, ils sont arrivés dans les années 60… 68 je crois, exactement. C'était la période, en France, euh… euh… de la grande prospérité économique, hein, je crois. Donc, ils… ils avaient vraiment besoin de… euh… de main-d'œuvre. Et donc ils ont fait appel à la main-d'œuvre étrangère. Mon père a accepté. Il avait un travail au Portugal. Il l'a laissé pour venir euh… en France.

– Et quel type de travail il avait en France, euh… à son arrivée ?

– Alors, il travaillait dans la construction automobile… euh… une entreprise… euh… très connue : Heuliez. Et… euh… d'ailleurs, maintenant, la ville où se trouve euh… cette grande entreprise, qui s'appelle Cerizay, est devenue beaucoup plus portugaise que française.

– Et alors, depuis toutes ces années, est-ce que vos parents ont souhaité devenir français, est-ce qu'ils ont pu devenir français ?

– Alors, euh… ils n'ont pas souhaité, non, parce que… je pense que déjà c'est… c'était très difficile pour eux de… de laisser derrière eux tout un passé, toute une vie, toute une famille, des souvenirs… donc, ils sont arrivés en France mais je crois qu'ils ont eu une période vraiment très difficile… d'intégration… euh… et puis, non, ils ne le souhaitaient pas parce que c'est… ils ont leur culture, ils ont leur façon de vivre et ils sont avant tout portugais.

– Mais alors, le fait d'être portugais, le fait d'être étrangers donc leur interdit de… de voter en France. Est-ce que, de leur part, y a pas une cert… une certaine frustration par rapport à… à ça, par rapport à la politique puisqu'ils… ils sont malgré tout citoyens sur ce territoire ?

– Oui, bien sûr. Euh… d'autant plus que ils vivent en France depuis plus de trente ans. Donc, ils sont complètement pour moi, hein à mes yeux, complètement français. Euh… comme tous les Français, ils paient, ils paient des impôts, ils… ils paient un loyer. Et ils n'ont pas le droit d'élire, ils n'ont pas le droit de choisir leur président. En revanche, on leur demande de choisir un président au Portugal. Donc, ça, je trouve ça un petit peu absurde puisqu'ils n'y… ils n'y sont pas. Donc, ils ne peuvent pas savoir… euh… euh… connaître quels sont les différents candidats. Et puis, je pense que leur vie n'est plus là-bas, donc il serait préférable de… de pouvoir choisir un président dans le pays euh… où ils vivent. Mais ce n'est pas le cas.

Deuxième partie

– Est-ce que vous pourriez nous expliquer comment vous avez acquis la nationalité française ?

– Oui, eh bien, à l'âge de 16 ans, je suis allée à la mairie de ma ville où j'habitais… Donc, je suis allée à la mairie, j'ai fait ma demande, on m'a fourni un dossier à remplir. Donc, c'est

ce que j'ai fait, j'ai fourni également quelques documents et puis, deux ou trois mois après, j'ai reçu mon papier officiel me confirmant que j'étais devenue citoyenne française.

– Et alors, vous êtes née en France ou au Portugal ?

– Moi, je suis née en France. Donc, mes parents sont nés au Portugal. Ils ont eu sept enfants. Quatre qui sont nés au Portugal et les trois derniers, dont moi la septième, nous sommes nés ici en France.

– Et alors, le fait d'être née sur le sol français ne suffit pas à vous donner la nationalité française, alors ?

– Non. Non, parce que, en France, pour devenir citoyen français, il faut avoir au moins un parent français. Donc, ce n'était pas du tout mon cas puisque mes deux parents étaient nés au Portugal. Donc je suis née… et systématiquement j'étais dev… j'étais portugaise.

– Alors, qu'est-ce qui vous a donné envie de devenir citoyenne française ?

– Ah, bonne question. Envie… euh… je ne sais pas si à l'époque j'avais vraiment envie. Je pense que… vous savez quand on est ados… adolescents… les adolescents entre eux sont… sont méchants. Et je crois que j'ai très mal vécu mon adolescence… euh… par rapport au racisme qu'il y avait. Et, je crois que c'était une façon de… de fuir ce racisme. Et j'ai voulu devenir euh… française. Je crois que si je n'avais pas connu ce racisme, euh… je ne sais pas… peut-être que je serais actuellement encore portugaise.

Leçon 3

Comprendre p. 16

❶ – Ben, je dirai qu'à partir de… du moment où… euh… même si on vit… euh… dans des pays qui se sont ouverts, si on n'a pas le… le… la possibilité de bouger et de voyager, on se sent pas plus européenne qu'avant. Donc, je dirai que je me sens plus française.

– Français hein, puisque l'Europe est… c'est une illusion pour l'instant, hein ! Y a pas de politique sociale… euh… euh… pas de politique économique européenne.

– Hum, européen, ben faut vivre avec son temps… euh… y a plusieurs années, une identité c'était… euh… le village ; ensuite, c'était… euh… la région ; ensuite on a eu une identité nationale au début du siècle. Ça me semble… euh… cohérent… euh… que… euh… on aille vers… une citoyenneté… euh… ben mondiale, en fait… euh ! Donc, une identité européenne, c'est… c'est ce qui me caractérise le plus.

– Je me réfère à la France et… euh… j'ai pas beaucoup de… de notions sur ce qui se passe sur les autres pays au niveau de la culture… euh… des droits, de l'histoire, etc., et on… on nous inculque plutôt une… euh… je dirai des notions… euh… français et on nous parle que de la France avec les ministres, le droit, la politique française. Y a que… euh… l'euro qui peut… euh… nous rapprocher entre les différents pays européens mais pour moi, aujourd'hui, y a que ça.

– Moi, je me sens française. Pourtant je suis très investie dans la construction européenne mais je trouve que… euh… y a pas d'identité européenne… enfin, à part notre monnaie, on n'a pas vraiment d'identité et notre histoire, c'est la France, donc voilà je me sens plus française.

S'entraîner p. 17

❺ (Attention ! Sur les deux phrases transcrites par item seule une phrase est enregistrée.)

1 a Ça ? Elle l'a pris à Bruxelles. **/** Ça ? Elle l'a appris

à Bruxelles. **b** Il vous accompagnait au Danemark ? / Il vous a accompagné au Danemark ? **c** Elle a été élue au Parlement européen. / Elle a été lue au Parlement européen. **d** Est-ce qu'il l'amenait avec lui ? / Est-ce qu'il l'a amené avec lui ? **e** Si, si, vous l'avez dit en anglais ! / Si, si, il vous l'avait dit en anglais !
2 Exemple : 1 Elle l'a pris : 3 syllabes.
1 Elle l'a pris. **2** Elle l'a appris. **3** Il vous accompagnait ? **4** Il vous a accompagné ? **5** Elle a été élue. **6** Elle a été lue. **7** Est-ce qu'il l'amenait ? **8** Est-ce qu'il l'a amené ? **9** Si, si, vous l'avez dit ! **10** Si, si, il vous l'avait dit !

2

Et moi, et moi, et moi...

Leçon 5

Comprendre p. 22

2 « Le point commun des gens du club, c'est qu'ils sont célibataires. Et donc, les gens ont trouvé à travers le club un moyen de rencontrer d'autres gens qui ont la même motivation parce que si vous êtes euh... seuls à Paris, bien qu'il y ait dix millions de personnes dans la région parisienne, vous pourrez rester seul pendant euh... pendant toute votre vie. »

20h30, au troisième étage d'un bel immeuble parisien, la prof de salsa fait danser des hommes et des femmes célibataires. Moyenne d'âge : 40 ans ; une majorité de femmes et des profils très différents. Annie ne connaissait personne avant d'arriver à Paris.

« Moi, j'étais originaire de province et je me suis inscrite ici six mois après mon arrivée sur Paris. J'avais deux copines de province mais ça faisait un peu léger quand même pour sortir. Parce que les gens sur Paris euh... sortent par bandes d'amis et restent avec leurs amis, que ce soit dans les cafés, dans les restaurants ou ailleurs, ils restent avec leurs amis. Même quand on va dans un club de sport ou ailleurs euh... c'est bonjour bonsoir. »

Au bar du club-house, c'est l'heure de l'apéro. Tout est fait pour rendre les rencontres le plus naturelles possible. Sur les 3 500 membres, le rythme de travail est souvent à l'origine du célibat des cadres, des fonctionnaires et des ingénieurs comme Hélène, 27 ans.

« Ah ! déjà, dans mon travail, je suis avec des personnes beaucoup plus âgées que moi et je sais que j'ai aucune chance de trouver dans... dans mon travail actuel. Et ça c'est important, c'est quand même au travail qu'on passe la majeure partie de sa journée, c'est souvent dans ce lieu-là qu'on se rencontre. Je me disais que c'était difficile de sortir de sa solitude et de se lier avec d'autres personnes. Et depuis que je suis au club, ben, j'ai rencontré des gens complètement différents. »

Un étage plus haut. Le restaurant : le vin est gratuit. À table, des divorcés comme Patrick.
« Je me suis séparé de ma femme et de mes enfants, donc euh... ma femme était prof, donc on avait essentiellement des amis profs et puis, euh... c'est vrai que j'ai perdu pas mal d'amis euh... en nous séparant, quoi. »

Certains recherchent l'amour mais la plupart viennent ici pour vaincre la solitude et s'épanouir. Depuis dix-neuf ans, Sylvie fréquente ces clubs.
« Je viens pas ici en espérant trouver le prince charmant, non, non. On est entre nous, on s'apprécie bien, euh... c'est une deuxième maison et on se voit en dehors. C'est une deuxième famille. »

Il est minuit. Il y a foule sur la piste de danse. Quelques embrassades, beaucoup de sourires, mais dire qu'on fréquente un club de loisirs reste souvent secret et tabou.
« Ça laisse une étiquette "solitaire désespérée euh... cherche homme à tout prix". Bon, j'en ai pas honte, je pourrais le dire. Mais j'irais pas non plus le clamer sur les toits, quoi. C'est clair. »

Sur le vif, Philippe Antoine, RTL, 13/11/2003.

Leçon 6

Comprendre p. 24

2 – Je trouve que de vivre tout seul, c'est un peu triste et que... que c'est bien agréable de rentrer chez soi le soir et d'avoir quelqu'un... euh... pour dîner ensemble... euh... pour partager... euh... quelques minutes sans... sans forcément partager beaucoup de vie privée mais... euh... un petit quotidien... un petit peu, quoi. Il faut quand même qu'il y ait un bon feeling qui passe parce que c'est vrai qu'il y a souvent des problèmes de ménage ou... euh... ou de qui va faire les courses... euh... qui va faire les tâches ménagères. Donc... euh... je crois qu'il faut simplement bien sentir la personne, bien s'entendre et puis... euh... et puis après, parler dès qu'il y a le moindre problème, se dire les choses, surtout pas... euh... laisser les soucis rester trop longtemps parce que sinon c'est... c'est le clash. Et quand on a un appartement qu'on... qu'on coloue... euh... c'est... ça peut vite devenir un problème vis-à-vis du propriétaire.

– Comme on est dans une ville finalement un petit peu individualiste, eh ben, j'ai choisi de... de trouver d'autres personnes qui... qui voudraient vivre avec moi dans un... dans un appartement... plutôt rive droite. Moi, je redoute pas la solitude du tout... euh... c'est plus pour rencontrer d'autres personnes, particulièrement des étrangers, parce que c'est une possibilité effectivement de connaître du monde, peut-être de faire des voyages par la suite. C'est un mode... un mode de vie qui me va très bien. J'ai déjà vécu en colocation dans diverses villes en Europe. Et ça s'est toujours très bien passé.

– J'ai déjà vécu trois ans en colocation et... euh... et ça s'est très bien passé. On est passés de quatre personnes à neuf personnes. Et... euh... qu'il y ait une seule salle de bains, si on sait s'organiser, c'est pas un problème en fait. C'est peut-être un phénomène de mode mais vraiment je crois pas. Je crois que c'est plus pour lutter contre la solitude... euh... sans forcément s'accrocher aux gens... euh... y a plus à partager... euh... dans une ville où tous les gens sont seuls. Quand on est peut-être un peu plus vieux, qu'on est divorcé, séparé, ça peut aussi être un moyen de... ben... de se rapprocher des gens sans forcément chercher une relation stable. Moi, je vois pas ça du tout comme un... un nid à mariage.

Leçon 7

S'entraîner p. 26

4 a 1 Si je suis heureuse ? Eh bien, écoutez, je n'sais pas ! **2** Si j'suis heureuse ? Eh ben, écoutez, j'sais pas ! **b 1** T'as raison ! Y a qu'à moins consommer, et pis c'est tout ! **2** Tu as raison ! Il n'y a qu'à moins consommer, et puis c'est tout ! **c 1** M'enfin, qu'est-ce t'en penses, toi ? **2** Mais enfin, qu'est-ce que tu en penses, toi ? **d 1** Je n'te dis pas le contraire, mais qu'est-ce que tu veux qu'ils fassent ? **2** J'te dis pas l'contraire, mais qu'est-ce tu veux qu'i fassent ? **e 1** Mais qu'est-ce que tu racontes ! C'est déjà fini cette époque ! **2** Mais qu'est-ce tu racontes ! C'est d'jà fini c't époque !

3

Jean qui rit, Jean qui pleure

Leçon 9

Comprendre p. 32

❶ Ça boit le petit noir ou le petit vin blanc
Ça cherche la bagarre et du boulot souvent
Ça lève le poing, ça bouge, ça manifestationne
Ça sort tous les samedis dépenser son pognon

Refrain

C'est ça la France
Du chili dans les gamelles et du vin dans les bidons
C'est ça la France
Du Laguiole à l'Opinel, partager les saucissons
C'est ça la France
On est tous des frères selon les déclarations
Enfin, je pense, faut jamais les oublier
Les trois mots qui se terminent en Té

Ça fait de l'huile d'olive et du couscous poulet
Ça trinque à la pétanque, au comptoir, chez Marseille
Ça Brassens à tout va, c'est beau les seins d'une fille
Ça camembert, le chinois, ça frise à la Bastille

Refrain

Ça avale son Vichy et ça Dreyfus la joie
Jean Moulin Rouge aussi, Pierre Bérégovoy
Sa liberté de la presse, c'est pas qu'une impression
Le plus souvent ça OS chez Renault, chez Citron

Refrain

Ça flique quand même pas mal, ça repasse à tabac
Ça chauffe un peu dans les bals, je rentre à la casbah
Ça bouche sur les périphs, ça rôde encore la nuit
Ça fait des hiéroglyphes, ça fait des petits

Refrain

C'est ça la France
Paroles : Marc Lavoine.
Musique : Jean-Claude Arnault.
Arrangement : Michel Cœuriot.
© by BMG Music Publishing France (AVREP).

S'entraîner p. 33

❹ 1 boire le petit vin blanc **2** lever le poing souvent **3** dépenser son pognon **4** partager le saucisson **5** trinquer à la pétanque **6** rentrer à Camembert **7** penser aux seins d'une fille **8** honorer Jean Moulin **9** écouter Georges Brassens **10** faire des déclarations **11** du vin dans les bidons

Leçon 11

Comprendre p. 36

❶ – Oui, je suis pour le service minimum dans les transports en commun. Ça paraît logique pour… euh… répondre à la fois au souhait des grévistes et au souhait des utilisateurs. Tout repose sur une… euh… organisation bien sûr sur laquelle tout le monde est d'accord. C'est ça qui est pas évident à mettre en place. C'est qu'il faut… euh… privilégier peut-être des… des plages horaires où les gens vont travailler et tout en diminuant bien sûr le trafic, sinon la grève n'a pas lieu, voilà. Mais tout est dans l'organisation.
– C'est normal qu'il y ait un service minimum qui soit assuré, que les gens puissent voyager et se déplacer au moins pour les cas d'urgence. Je pense qu'il y aurait… il faudrait un minimum de trains pas forcément aux heures de pointe mais en permanence, qu'il y ait un certain nombre de trains qui soient assurés et qui permettent de se déplacer dans les grandes villes au moins.
– Je suis pour le service minimum… euh… tout simplement parce que ça pénalise le pays quand… euh… la SNCF bloque… euh… tous les trains sur le réseau… euh… français, donc bien sûr je suis pour. À partir du moment où il y a des gens qui sont d'accord pour assurer le service minimum, on leur laisse le choix et par contre on autorise les… les autres à faire grève tout simplement, qu'il y ait une… euh… une équipe qui soit volontaire et… euh… prête à assurer ce service minimum.
– Le problème, c'est l'entrave. Il faut garder le droit de grève pour que les gens puissent s'exprimer, ça c'est important, donc il faut effectivement… euh… que la grève soit possible mais il faut aussi… ben, que les autres qui ne font pas grève puissent avoir la liberté de pouvoir travailler. Et donc il faut permettre ça. Le service minimum peut être une alternative possible. Donc… euh… des choses précisées à l'avance quoi, qu'on sache à l'avance quels sont les trains qui seront offerts et puis bon ben dans des conditions qui sont évidemment… euh… des fréquences plus faibles… euh… ce genre de choses quoi.
– Je suis contre le service minimum. Y a des… y a des gens qui sont mécontents, qui utilisent le droit de grève qui est un… qui est un droit constitutionnel et… euh… remettre en cause ce droit constitutionnel, je pense que c'est une dérive dangereuse et… euh… le problème, c'est s'… c'est s'attaquer… euh… aux conséquences sans s'attaquer aux causes parce que les gens, si ils font grève, c'est pas par plaisir… euh… ce qu'il faut savoir c'est qu'une journée de grève, et ben c'est une journée de salaire en moins. Et mettre en place le service minimum et ben… euh… ça… euh… y aurait toujours ce mécontentement comme y a en Italie où en Italie le service minimum… euh… est mis en place, y a du mécontentement mais qu'est-ce qu'ils font, ils font des grèves sauvages.

Évaluation orale 1 p. 41

– En fait, j'avais un intérêt pour l'Asie, je n'peux pas tellement expliquer pourquoi le Japon mais… euh… euh… j'ai vraiment essayé de partir là-bas. J'avais une vue… vision un peu… euh… idyllique un peu de cette société-là, donc je suis parti. Je connaissais à peine la langue, j'avais juste étudié un peu tout seul ; autant dire que je pouvais pas assurer une conversation. Par contre, j'avais un peu préparé le terrain. Donc, j'ai fait un stage en… fait… français langue étrangère à Paris et là… euh… ben j'ai essayé de rencontrer un maximum… euh… de gens, de collègues et en particulier ceux qui travaillaient au Japon. Donc, quand je suis arrivé, j'avais quand même une liste d'adresses et de… de gens qui pouvaient m'aider. Par hasard, aux États-Unis, pendant un voyage, j'avais rencontré une Japonaise et elle m'a proposé de… de venir chez elle, en fait. Donc, pendant trois mois, elle m'a hébergé. Donc, je suis arrivé, j'avais un logement. J'ai des… des amis qui m'ont aidé, ça a été très vite.
– Qu'est-ce qui a été le plus difficile pour vous lorsque vous avez commencé à vivre à Tokyo, notamment ?
– La taille de la cité. Paris, à côté maintenant, ça… ça me semble tout petit. De gérer un peu tous ces… les transports en commun… euh… à Tokyo, le… avec cette… euh… ce nombre de… de lignes privées, de lignes publiques, les stations qui sont tellement immenses que… on se perd complètement. On… on passe une demi-heure à trouver son… sa ligne ou son… enfin, petit à petit, on y arrive et on… on se familiarise à ça. Et puis, dans le… même… dans la langue, je veux dire, il y a des… une langue honorifique, y a un vocabulaire plus humble, par exemple pour dire

bonjour… euh… quelqu'un qui est dans une situation entre guillemets… euh… inférieure va dire *ohayo gosaimasu* et par contre le patron va arriver et dire *ohayo !* Et ça, cet aspect-là, ça m'a toujours… euh… un peu surpris. Petit à petit, on y arrive et on… on se familiarise à ça. Et puis, j'ai eu des amis… euh… japonais… euh… francophones très vite. Donc, ça… ça a facilité les choses.

– Qu'est-ce qui en revanche… euh… vous a étonné, surpris, mais favorablement cette fois ?

– Cette incroyable sécurité qu'il y a au Japon. Tout de suite, j'ai eu un vélo… euh… souvent, je mettais pas d'antivol, je peux le garer partout… euh… euh… on peut se balader à trois heures du matin sans être inquiété, y a jamais dans le métro… euh… bon… une personne qui vient vous importuner. J'ai laissé plusieurs fois mon appartement sans fermer la porte à clé et puis sans m'inquiéter le moins du monde. J'ai perdu deux fois mon portefeuille, je l'ai retrouvé avec tout l'argent dedans. Ça, c'est une… une qualité de vie que… j'apprécie au Japon.

Si jeunesse savait, si vieillesse pouvait

Leçon 13

Comprendre p. 47

❶ Littérature, généalogie, voyage, argent, sexualité et même maternité… Aujourd'hui, il y a peu de sujets qui n'intéressent pas les seniors. Plusieurs sites Internet courtisent depuis quelques années cette frange de la population. Ils n'ont pas grand-chose à voir avec les revues un peu déprimantes que l'on trouvait dans le passé…

Sur SeniorPlanet.fr, on parle de placements en Bourse ou de voyage en Mauritanie sans oublier une petite rubrique sur un livre coquin… Sur Notre Temps, il est question de mal de dos mais aussi de Tintin. Tandis que sur Vivre 100 ans, on dispense toutes sortes de bons conseils pour la santé…

Les seniors connectés représentent environ un tiers des internautes. Ils seraient au total deux millions et demi en France. Un marché à part entière pour les entreprises qui cherchent à les toucher *via* ce nouveau média. Les seniors équipés en informatique ont à la fois du temps et un pouvoir d'achat supérieur d'environ 10 % à ce qu'il était du temps de leur vie active. Eh oui, baisse des charges oblige…

Mais on ne s'adresse pas aux internautes seniors n'importe comment. Il faut une ergonomie de site adaptée. Les publicités « flashies » et les textes ou les icônes trop petits, ça ne leur convient pas (sans compter que le mot « icône » évoque tout autre chose qu'un dessin sur ordinateur pour une personne de 50-60 ans…).

Le comportement des internautes seniors est également plus spécifique. Pas de langage « texto » dans les forums. Ce sont des gens qui ont la culture de l'écrit : ils écrivent bien et longuement. Les seniors prennent leur temps. Ils sont moins « zappeurs », explique Isabelle Fringuet, responsable de SeniorPlanet.

Enfin, très appréciés sur les sites de seniors : les jeux primés pour gagner livres, vidéos ou appareils photo numérique. Internet, c'est plus drôle que le coupon-réponse en couverture du magazine télé.

Leçon 15

Comprendre p. 50

❷ – Si vous aviez le pouvoir de changer le monde, qu'est-ce que vous changeriez ?

– J'essaierais de… de mettre plus de justice dans le monde, je pense. Et… euh… en particulier… euh… je pense que euh, au niveau économique, en ce moment, on a un problème au niveau mondial je pense que euh… enfin par exemple quand on a des… des continents entiers comme l'Afrique qui se développent pas… pas, c'est que y a bien un problème économique et euh… donc euh… moi je sou… je soutiendrais justement une système… euh… qui est de faire une réforme du système économique et monétaire inter… international pour revenir à un système plus juste. Euh… ça veut dire revenir à des taux de change fixes entre les monnaies en particulier, pour éviter la spéculation financière parce que aujourd'hui, on a une économie qui… qui devient complètement virtuelle et ça… ça ne sert plus les gens en particulier, ça sert plus euh… la population euh… donc je pense que ce serait vraiment important de… de réorienter… euh… l'argent… enfin l'économie vers euh… des choses concrètes qui permettent aux gens de se développer. C'est-à-dire l'éducation, les hôpitaux… euh… l'énergie, l'eau potable et tout ça. Donc, en fait l'idée, c'est… euh… c'est d'avoir un système économique qui permette à chaque État-nation de pouvoir se développer… euh… pour empêcher justement d'avoir… euh… des politiques de type impérial, enfin ce qu'on a… euh… en ce moment aux États-Unis ou même en Europe. C'est… c'est pas fini tout ça. Et c'est vrai que ça permet pas d'avoir un vrai échange des… des… des cultures parce que ça… ça met en retrait certaines euh… certaines populations et… c'est… c'est dommage, ça… ça… ça entretient pas la… la richesse de chaque culture.

S'entraîner p. 51

❺ 1 a Elle mourrait pour ses idées, c'est évident ! **b** Nous, on se marrait moins, crois-moi ! **c** Tu tolérerais ça, toi ! **d** Moi, je virerais tous les hommes politiques ! **e** Eux, ils géraient le monde autrement ! **f** Mais on leur barrerait le passage à tous ces idiots ! **g** Ça durerait pas, j'en suis sûr ! **3 a** Il faudrait commencer par changer les mentalités. **b** J'aimerais pouvoir me payer des super vacances. **c** Il y aurait tellement de choses à faire ! **d** Je ferais en sorte que chacun mange à sa faim. **e** Il faudrait essayer d'éveiller les consciences individuelles. **f** Savoir vivre en société, ça devrait être évident pour tout le monde. **g** C'est l'image de la France que je voudrais changer.

De l'utile à l'agréable

Leçon 17

Comprendre p. 56

❸ – Ça fait quatre ans que j'enchaîne les CDD et… euh… j'ai l'impression d'être en dehors du système. C'est ça qui m'énerve. Je… j'ai l'impression vraiment qu'on… qu'on se moque de moi, que je ne suis pas respecté et que mes droits les plus profonds sont bafoués. Parce que, ben, je ne peux pas me projeter dans l'avenir. C'est difficile pour quelqu'un de ne pas pouvoir construire, de fonder une famille, c'est en cela que ça m'énerve. Financièrement, tout se passe bien mais le… le plus difficile dans tout cela, c'est de pouvoir… euh… s'asseoir quelque part, se poser, réfléchir et… et se penser, se projeter vers cet avenir que… que moi, je ne trouve pas. Je suis dans un système où tout peut s'arrêter du jour au lendemain. C'est ça qui est très difficile. Je ne peux pas… euh… m'acheter une maison, je ne peux pas m'acheter une voiture. Les banques ne me font pas confiance parce que… euh… on me dit : ce monsieur-

là ne peut ne plus avoir de revenus du jour au lendemain. Donc, voyez-vous, il… il va… je… je gère mon quotidien au jour le jour, en fait. Elle est là, la difficulté. Donc… euh… jusqu'à quand ce système ? Est-ce que… est-ce que je suis apte à faire partie de l'équipe permanente de ce… de cette entreprise ou pas ? J'ai l'impression pour l'instant, non. Et… et je me bats pour pouvoir en faire partie parce que j'ai envie de faire partie du système. C'est important d'être dans le système. D'ailleurs, je suis déjà allé voir la direction pour leur dire hein, directement hein : « Est-ce que vous me prenez pour un con ? De quoi s'agit-il ? Quel est le problème ? Pourquoi je ne suis pas embauché à l'heure actuelle ? »
– Ben, tout d'abord… euh… ça me permet de… euh… pouvoir exercer plusieurs… euh… activités différentes… euh… voir… rencontrer du monde, différentes personnes sur différentes missions et… euh… jusque-là, je… ça m'a pas embêté. Justement, ça me permet une certaine liberté aussi au niveau… euh… de mes repos et d'autres choses. Puis, j'ai pas les contraintes… euh… d'un employeur fixe. Je peux me permettre… euh… de… de changer… euh… au bon moment quoi.
– Est-ce que t'as des problèmes avec les banques ?
– Ben, jusque-là, avec les banques, effectivement, ça… ça peut poser des problèmes étant… étant donné que… euh… on propose que des crédits que sur CDI. Mais sinon, au niveau des payes, non, il y a aucun problème. On touche même mieux en intérim que… euh… en tant que CDI. J'envisage peut-être un jour d'a… d'avoir un CDI quand même, quoi mais… euh… c'est vrai qu'actuellement bon… euh… les solutions sont pas très ouvertes quoi… euh… donc avant 25 ans, les aides sont très… très minimes. Donc… euh… la seule solution, c'est de démarcher les agences intérim régulièrement.

S'entraîner p. 57

❺ 1 J'ai un boulot qui n'est pas passionnant. 2 J'y croyais vraiment à ce CDI. 3 Maintenant il n'y a que le profit et la compétitivité qui comptent. 4 Les syndicats, oui, c'est sûrement nécessaire. 5 Oui, je travaille dans cette boîte. Non, je n'ai pas le choix. 6 L'ANPE, tu parles ! J'y vais toutes les semaines !

Leçon 18

Comprendre p. 58

❶ – Ce qui se développe, c'est le fait que… on travaille à la fois au bureau et chez soi. Ce qui se développe, c'est le fait que on est de plus en plus itinérant. Et donc, en réalité, le point le plus important, c'est que les contraintes de localisation pour nos activités disparaissent. On peut travailler… euh … dans sa voiture, en… en circulation. On peut travailler à son domicile. On peut travailler à son lieu de vacances. On peut travailler dans un hôtel, en déplacement, en se branchant… euh … sur le réseau. Le… nos interlocuteurs ne savent pas où on est. Donc, c'est ça qui fait la grosse différence, et, de ce point de vue-là, c'est vrai que Internet modifie non seulement les possibilités de travailler d'une façon ou d'une autre, mais contribue à la modification des modes de vie. Ce qui est également un point important du point de vue du travail.
– Je crois que le modèle qu'on imaginait il y a une vingtaine d'années, où les gens allaient rester chez eux travailler et ne plus venir au bureau, ne s'est pas du tout développé. Il est peu probable qu'il se développe. Je crois que ce qui caractérise euh… ce domaine, c'est beaucoup plus que les frontières entre l'entreprise et le domicile deviennent poreuses, hein… Et donc, les gens travaillent en partie à la maison, hein. Peut-être qu'à l'inverse, d'ailleurs, ils font certaines activités qui touchent à leur

vie privée dans… dans l'entreprise. Donc la… la frontière entre le monde professionnel et l'espace privé… euh… est en train de se transformer.

Alain Iribane, économiste au CNRS et Patrice Flichy, professeur à Marne-la-Vallée, © Cité des Sciences, Paris.

6
Le bonheur est dans le pré

Leçon 21

Comprendre p. 67

❸ … nouvelle vague de violence, cette nuit, à Los Angeles… … les dernières propositions du ministre délégué à la Ville ont provoqué une avalanche de protestations dans l'opposition… … je trouve qu'il y a très souvent dans votre évocation des villes un brin de nostalgie, nostalgie du passé, nostalgie de la campagne de nos grands-mères, de nos grands-pères… … quand on aborde le problème de la solitude dans notre société actuelle, on se retrouve immédiatement devant une montagne de questions… … ne manquez surtout pas le reportage *Cités jeunes* de Saïd Amrani, ce soir sur France 3 ; réalisé l'an dernier, ce reportage a reçu, depuis, une véritable pluie de récompenses…

S'entraîner p. 67

❺ 1 a voiture / voiture b pur / peur c injure / un jour d nature / nature e confiture / confiture f cœur / cure
2 a C'est plus possible, maintenant. b Y a même pas d'arbres ! c La maison n'a plus de toiture ! d Il n'y a plus d'oiseaux. e Y a même pas de balcon ! f Il n'y a plus de saisons.

Leçon 22

Comprendre p. 68

❶ – Conservatoire, bonjour.
– Oui, bonjour, j'aurais voulu le service commercial, s'il vous plaît.
– Oui. Vous êtes madame ?
– Plat.
– Pardon ?
– Plat. P.L.A.T.
– Oui.
– « Quelques mots pour vous parler de Chaumont hors-les-murs. Nous avons construit un jardin à Bethléem, une école à Jéricho, l'an dernier et, en ce moment, nous travaillons à Tours, à… »
– Oui, allô.
– Oui, bonjour madame.
– Oui bonjour.
– Donc je suis Mme Plat et, en fait, je suis institutrice… euh… dans une école à Poitiers.
– Oui.
– Euh… J'ai entendu parler de votre… euh… enfin du festival Mauvaise Herbe.
– Oui. Hum, hum.
– Donc, je pense faire une visite donc dans… dans les jardins.
– Oui.
– Je voulais avoir quelques renseignements.
– D'accord. Vous souhaiteriez faire une visite cette année ou… Alors, nous fermons en fait le 19 octobre.
– D'accord. Donc, oui. Non, ce serait avant… avant le 19 octobre.
– D'accord. Donc, nous… euh… le principe… euh… donc le… euh… le festival donc… euh… est ouvert à partir de 9 h 30 jusqu'à 17 h 30… enfin 18 heures en fait dernier accès.

– Oui.

– On peut vous proposer donc… euh… soit de faire… de visiter le festival librement ou avec un guide. C'est le même tarif. C'est 3,20 € par élève.

– D'accord, très bien.

– Voilà, le principe de la visite guidée… euh… la visite guidée dure une heure trente. Donc, on a des guides qui adaptent le discours en fonction de l'âge des… des enfants.

– Oui, ça, c'est parfait.

– Euh… Et donc, on va vous présenter une quinzaine de jardins parmi l'ensemble, hein… Il y en a une trentaine en tout. Donc, il faut compter une heure trente pour la visite guidée et une petite heure par la suite de façon à voir ce qui n'a pas été vu pendant la visite.

– D'accord, c'est-à-dire en visite libre… donc les enfants… euh… se promènent…

– Voilà, tout à fait… tout à fait.

– Pour ce qui concerne… enfin, pour manger ?

– Oui.

– Euh… Est-ce qu'ils ont la possibilité… enfin, est-ce qu'on peut pique-niquer, euh… ?

– Oui, alors nous… euh… au niveau du site, les pique-niques sont interdits. Par contre, vous avez en fait le parc du château qui se trouve juste à côté… euh… de notre… de notre festival qui est ouvert en fait en libre accès.

– Oui.

– Et vous pouvez tout à fait… euh… pique-niquer… enfin… généralement, c'est ce que font l'ensemble des scolaires qui viennent chez nous.

– D'accord.

– Voilà.

– Bon.

– Y a pas de… y a pas de chaises ni de tables mais bon, il y a un grand espace arboré. Euh… C'est très agréable par rapport… pour les enfants.

– Oui, bon ben c'est super.

– Voilà.

– Euh… Je dois enfin… réserver à l'avance ?

– Oui. Oui, par contre, comme ça, je… je vous prévois en fait un guide.

– Oui, très bien.

– Après, je vous envoie la confirmation également.

– OK, donc… Ce que je vais faire, je vais prendre vos coordonnées.

– Oui.

– Alors, vous êtes ?

– Alors, je suis Gwénaëlle, hein… du… euh… du service commercial… si vous souhaitez…

– Et le téléphone ?

– Euh, juste en fait… Vous pouvez également joindre ma collègue Cécile. Nous sommes deux.

– D'accord, parfait. Donc, le téléphone ?

– Le téléphone, c'est le même numéro que vous venez de faire. Vous demandez le service commercial.

– OK.

– Voilà.

– Ben, je vous remercie beaucoup.

– Je vous en prie. Bon après-midi.

– De… vous aussi, au revoir.

Leçon 23

Comprendre p. 70

2 JEAN-PIERRE ELKABBACH : Bonjour, merci d'être là. Dans trois jours, Paris devrait offrir, sur les rives de la Seine, sable, cocotiers, pétanque, chaises longues, bibliothèque pour qui aime lire. Est-ce que vous êtes sûr, Bertrand Delanoë, pour cet étrange été 2003, que Paris-plage aura lieu vraiment ?

BERTRAND DELANOË : Oui, bien sûr, Paris-plage aura lieu ; le public l'a plébiscité l'an dernier. On va essayer de faire mieux. On le fait avec modestie mais Paris-plage aura lieu.

JEAN-PIERRE ELKABBACH : Pour la capitale, est-ce que vous croyez que Paris-plage, c'est un rendez-vous annuel et durable… pérenne ?

BERTRAND DELANOË : Tant que les… les Parisiens, les habitants de l'environnement de Paris, la banlieue, et les visiteurs aimeront… oui. L'an dernier, 2 300 000 personnes sont venues. Moi, je l'avais fait surtout pour les Parisiens qui ne partent pas en vacances et… et ceux de l'environnement parisien, de l'agglomération parisienne. Pareil cette année, c'est d'abord fait pour ceux qui n'ont pas les moyens de prendre des vacances. Que d'autres y viennent et que ça fasse aimer Paris, tant mieux !

Europe 1, extrait de la chronique de Jean-Pierre Elkabbach du 17 juillet 2003.

Évaluation orale 2 p. 75

– Est-ce que vous avez peur de vieillir ?

– Pas vraiment. Pas particulièrement. Peut-être que je n'ai pas trop réfléchi à la chose. Non, il me semble que c'est une évolution à la limite que j'attendrais… euh… pas avec grand grand plaisir nécessairement, mais je n'ai pas peur, non.

– Et comment envisagez-vous votre vieillesse ?

– Comme un moment à la fois de découverte, de sérénité, de curiosité, de… d'intérêt pour les autres surtout… surtout. … euh… tout ce qui est artistique, tout ce qui est culturel… euh… je pense que c'est un moment parfait pour cela parce qu'on met un peu de côté les problèmes quotidiens. On se donne le droit de penser à soi et de penser à se faire plaisir et c'est pour ça que je vous disais que j'envisageais avec relativement une certaine sérénité de vieillir.

– Ben moi, je suis terrorisé par… à l'idée de vieillir. C'est un… c'est quelque chose qui m'a toujours obsédé, même étant jeune. Moi, je… j'aspire à vivre indéfiniment parce que je trouve que la vie est tellement extraordinaire que j'arrive pas à comprendre qu'un jour on puisse renoncer à ça et… moi, ce qui me fait le plus peur, c'est la perspective de retourner au néant. Je peux rien faire, je subis et je… et je retourne à rien, à l'inexistence. Ça me paraît… euh… complètement… euh… absurde.

– Comment vous envisagez, vous, votre propre vieillesse ?

– Difficilement parce que bon, j'imagine les douleurs, enfin bon… un ralentissement… euh… moins de dynamisme… euh… peut-être moins d'entrain… euh… moins de désir… euh… et bon… euh… je trouve ça un peu triste hein.

– Qu'est-ce qui me fait peur ? Ben… euh… la déchéance, enfin des choses comme ça, la maladie… euh… ne plus… euh… être active comme… euh… je l'ai toujours été quoi ! Alors comment j'envisage la vieillesse ? Plus d'activités professionnelles et puis… euh… mais quand même de… de l'activité. Enfin la vieillesse… euh… ouais c'est… c'est… c'est justement cette… cette idée de ne plus pouvoir être aussi active. La vieillesse comme quand ça fait peur, eh ben on… on essaye de ne pas y penser et finalement… euh… on vit comme si on avait… on avait… comme si on était immortel, quoi !

– On ne peut rien contre la vieillesse, donc… euh… il faut prendre les bons moments présents et puis voilà. J'habite… euh… un village en Corse, je vais me retirer là-bas et puis bon euh, je ferai des voyages, je ferai quelques voyages avec ma femme puis je… je m'occuperai de mes enfants… peut-être un peu de ski… euh… la chasse… euh… peut-être un peu de… de vélo, de VTT. Là, j'espère le faire… euh… surtout pendant que je suis toujours jeune hein après… euh… ça va être un peu plus dur hein… euh… le temps, il est plus… plus limité.

7
Entre la poire et le fromage

Leçon 25

Comprendre p. 80

2 – Alors un petit peu de silence s'il vous plaît, une minute de silence, écoutez bien… trois, deux, un… ça y est, le beaujolais nouveau est arrivé ! Tout le monde en boira, y a pas de problèmes !… « … si le vin est bon… goûtons voir, oui, oui, goûtons voir, non, non, non… goûtons voir si le vin est bon… »

Elle existe depuis cinquante-deux ans et, bon an mal an, l'arrivée du beaujolais nouveau, comme ici à l'Olympic Bar, dans le 8e arrondissement, loin du centre-ville, résiste plutôt bien aux modes et à l'usure du temps, comme un bon vin. Alors, à Lyon, en fait, la soirée commence bien avant minuit, à 19 heures exactement, dans un grand hôtel de la ville – grâce à sa dérogation, elle est unique –, le journal *Le Progrès* invite un millier de privilégiés à déguster le primeur avant l'heure. Frédéric est l'un de ces privilégiés. C'est un observateur avisé du microcosme lyonnais. Ici, pas de musique. On discute, un verre à la main.

– Ah ! C'est une des soirées lyonnaises in… incontournables. D'abord parce que… c'est… c'est un des premiers rendez-vous euh… de la rentrée euh… qui permet à tout Lyon de… de se retrouver euh… de refaire… euh connaissance, de prendre contact. Alors, c'est un moment convivial. C'est aussi euh… un moment pour traiter des… des affaires et… et relancer euh… des contacts.

Alors que la soirée du *Progrès* s'achève, retour à l'Olympic Bar. Les verres se remplissent et se vident et se remplissent. Et là aussi, on discute… et on chante, un verre à la main.

– Tout le monde est serré l'un contre l'autre et on partage du vin. Ça, c'est des moments magiques de la vie et ça, on n'y échangerait pour rien… « … goûtons voir, non, non, non… »

– Un moment, c'est un moment du patrimoine parce que le beaujolais est typiquement de notre région Rhône-Alpes. Il faut savoir en profiter, c'est un moment de convivialité.

– Ça me paraît essentiel que des restaurants, etc., s'attachent à… à promouvoir le beaujolais. Et spécialement dans un… dans un quartier qu'est pas spécialement passant, un quartier populaire, y a énormément de monde qui vient fêter le beaujolais nouveau.

– Quand on parle de convivialité justement, même nos pires ennemis qui disent que ce vin est pas bon, etc., ils reconnaissent que ce soir-là, eh ben, c'est un grand moment de convivialité.

Mais au fait, on en oublierait presque le principal : quel goût a-t-il, ce fameux beaujolais nouveau 2003 ?

– C'est vrai que l'année dernière, il avait pas un goût euh… très sympathique mais cette année euh… non, il est très bon, il est fruité, il se boit bien ! Et puis, c'est vrai qu'au bout de deux heures et quelques verres, il ne donne pas mal à la tête.

– Il a un petit goût de cassis, de fruits noirs et cette année, on aura je crois un… un vin exceptionnel, il faut le dire.

– Il a une bonne robe mais il a de la jupe, il a de la gueule, il a tout ce qu'on veut. Il est très bon mais je trouve qu'il a un petit goût de banane.

– Pour nous, c'est un baptême, c'est la première fois que nous assistons à une dégustation de… de beaujolais. Ben, je suis ravie, ravie. À l'année prochaine, hein !… « … du côté de Nogent… et puis de temps en temps, un air de vieille romance semble donner la cadence… »

Philippe Antoine, *Sur le vif*, RTL, 20/11/2003.

Leçon 26

Comprendre p. 82

2 À en croire les spécialistes, un grand vent de liberté chamboule actuellement les tables françaises. « Depuis deux ans, relève Bernard Boutboul, président de Gira, société d'études en stratégie marketing pour l'alimentation, les restaurateurs doivent faire face à une demande de plus en plus forte dans la liberté de choix et de composition des repas. Les consommateurs rejettent massivement les menus et les formules toutes faites. On veut pouvoir composer son repas comme on l'entend, commencer par le dessert par exemple si cela nous chante… »

Alors, que mange-t-on ? Comment le mange-t-on ? Dans quel cadre le mange-t-on ? À quelle heure ? Et avec qui ? C'est un bouleversement social qui est en train de se jouer sous nos yeux. On y prend peu garde. Et pourtant ! On passe de treize à dix-sept ans de notre vie éveillée à manger ! Ces questions sont donc loin d'être anodines. Au contraire : elles en disent long sur l'époque. « Les manières de table, analyse Jean-Pierre Poulain, auteur de *Sociologies de l'alimentation* (PUF) et *Manger aujourd'hui* (Privat), ont toujours été une mise en scène des grandes valeurs d'une société à un instant donné. » C'était surtout vrai hier, mais cela le reste aujourd'hui.

Regardez chez Lipp, par exemple, l'une des brasseries fétiches de l'establishment parisien. Il y a encore dix ans, on ne pouvait s'attabler dans la grande salle sans cravate. Aujourd'hui, l'été, devant le restaurant, un panneau signale que « les shorts et les tongs ne sont pas admis ». Bref, en dix ans, un siècle a passé.

« Aujourd'hui, tout le monde mange avec les doigts, remarque le consultant Bernard Boutboul. Le mouvement a commencé il y a près d'un siècle avec l'apparition du sandwich, puis s'est généralisé avec le fast-food et le grignotage. En outre, il n'y a plus une seule mais une multitude de manières de se tenir à table, selon l'endroit où l'on se trouve, au McDo, autour d'un grand repas familial, chez soi ou dans la rue… »

La table demeure-t-elle alors un révélateur social important ? Apparemment oui, si l'on en croit Anne-Lucie Wack, ingénieur agronome et auteur de *Dis-moi ce que tu manges…* (Gallimard, coll. « Découvertes »). Selon elle, « ce que l'on mange, et la façon dont on le mange, est fortement lié aux contextes culturels et sociaux ; l'être humain, explique cette dernière, a une méfiance instinctive pour ce qui est nouveau. Ce qu'il apprend se construit donc sur la base de connaissances et de références bâties de génération en génération dans un cadre familial ». Même devenue cadre dans une grande banque à la Défense, la fille d'agriculteurs continuera à consommer plus de beurre que les autres. Comme ses parents. Vous n'y pouvez rien, c'est statistique.

Heureusement, les clivages ne sont plus aussi tranchés qu'au 18e. Il n'empêche… La table reste un espace de discrimination sociale. En effet, suivant sa situation, on ne prendra pas ses repas de la même manière. Ni à la même heure. « Dans les couches sociales élevées, relève Jean-Pierre Poulain, les horaires du petit déjeuner et du repas du soir sont plus tardifs. Le rythme alimentaire quotidien du cadre démarre moins tôt et se termine plus tard. D'ailleurs, on remarque qu'à la cantine les employés arrivent les premiers, à midi ; puis, au fil du temps, on monte dans la hiérarchie. »

« Finalement, nous avons beau vivre dans des sociétés uniformes, observe le sociologue Jean-Pierre Poulain, les manières de table persistent à jouer un rôle important dans la recherche de singularité sociale. » Alors, surveillez vos coudes !

Leçon 27

S'entraîner p. 85

3 **a** Ouah ! Mais il est magnifique ton plat ! **b** Ouf ! Enfin un resto ouvert ! **c** Hein ? 80 € la bouteille ! **d** Vin rouge ou vin blanc ? Pff, comme vous voulez ! **e** Pouah ! Mais c'est dégueulasse ce truc !

8
Fourmis ou cigales ?

Leçon 29

Comprendre p. 90

1 – Je pense que l'égoïsme envers les plus démunis, euh… ne disparaîtra certainement pas. Euh… On se préoccupe de ces gens-là, des SDF notamment de… de façon ponctuelle y a qu'à se rappeler de la… de la promesse de Lionel Jospin en 2002 : zéro SDF. Je crois que c'est une promesse dont en fait les gens se fichaient éperdument, euh… je crois même que de plus en plus, notamment dans le métro, moi j'habite à Paris, euh… les SDF, les gens qui font la manche, euh… sont considérés comme des gêneurs, des fainéants, des empêcheurs de prendre son… son métro tranquille, euh… et je crois que ça… ça ne changera pas. La société actuelle renforce au contraire l'égoïsme… j'pense que si y a une prise de conscience un jour, c'est peut-être parce que ces gens-là en auront ras le bol et qu'ils se révolteront d'une façon ou d'une autre.
– Je pense qu'il y aura toujours des sans-domicile fixe parce que euh… dans une économie euh… de marché telle que la nôtre, il y en aura toujours qui seront exclus d'un sys… du système euh… capitaliste. On peut l'atténuer, mais je pense que… il y aura toujours toujours un… un pourcentage de sans-domicile fixe. Il y… quelles que soient les mesures que l'on peut prendre, on peut atténuer la misère, etc., mais il y aura toujours de la misère, parce qu'elle… on… il y aura toujours des riches et des pauvres et donc de la misère par là.

Leçon 30

Comprendre p. 92

2 – Je voudrais tout savoir sur les pourboires. D'où vient ce système ? Pourquoi on en donne pour certains services comme dans les taxis et les salons de coiffure ou dans les restaurants où, pour le même service, je dois donner un plus gros pourboire selon mon choix.
– C'est chose courante chez nous, et bien normale après tout, hein, que de laisser quelque chose, de laisser une somme d'argent à quelqu'un pour le remercier de ses bons services. Cependant, quand doit-on laisser un pourboire ? Ça c'est pas toujours clair. Est-ce que je dois en laisser au livreur de pizzas, au barbier, à la coiffeuse, et si oui combien si je veux pas passer pour quelqu'un de mesquin ? Eh ben, en matière de pourboire, effectivement, il existe une étiquette, une façon de procéder. Catherine Varga et Annie Hudon ont rencontré Mme Denise Visson, une collaboratrice de l'école de tourisme, d'hôtellerie et de restauration du collège Merissy.
– Est-ce que vous laissez des pourboires, monsieur ?
– Oui, madame.
– Vous en laissez ?
– Ben… dans les restaurants.
– Moi en général, je laisse, euh… je sais pas… 15… 20 %.
– Je pense qu'aujourd'hui, comme depuis de nombreuses années d'ailleurs, le pourboire est obligatoire, étant donné

que les salaires varient selon ce que l'on fait dans différents métiers. Quand on parle de restauration, entre autres, le salaire minimum est calculé en fonction des pourboires, et en plus, ils sont imposés sur les pourboires.
– Et combien on devrait laisser ?
– Tout ce qui s'appelle restaurant, euh… 15 % de pourboire à laisser.
– Et les taxis dans tout ça, les chauffeurs de taxi, est-ce qu'on devrait laisser des pourboires ?
– Le taxi n'a pas de pourboire s'il ne fait pas un service de… d'ouverture ou de fermeture des portières.
– Et si vous vous faites livrer la pizza, est-ce que vous laissez un pourboire ?
– Oui.
– Combien ?
– Un dollar.
– Pour le livreur de pizzas, les livreurs de fleurs ?
– Les livreurs de pizzas, vous devez leur laisser le pourboire de 10 %.
– Qu'est-ce que vous en pensez, du pourboire ?
– Moi, je trouve ça bien normal, je trouve que c'est une bonne tradition.

Archives Radio-Canada.

Leçon 31

Comprendre p. 94

1 – Je gagne, je dépense… Au moins, ça circule.
– Je suis un radin, un radin… L'apéritif, c'est pour moi. Pour le reste, je ne sais pas comment on fait. On partage ? Si, au moins, de l'argent, j'en avais pas ! Mais j'en ai, j'ai jamais manqué de rien !
– On est bien d'accord ? Vous encaissez rien avant la fin du mois.
– L'argent, c'est une question d'amour et d'exigence. Si on le respecte, on en fait ce qu'on veut.
– Si vous me prêtez 60 000 euros, je vous jure, vous ne le regretterez pas.
– Ça vous fait mal que je vous prenne tout cet argent ?
– J'arrive pas à économiser, faut que je dépense.

Extraits de la bande annonce du film
Le Coût de la vie, Pathé 2003.

S'entraîner p. 94

4 **1** Je vous jure, vous ne le regretterez pas ! / Je vous jure, vous ne le regretterez pas. **2** Moins c'est cher, plus on dépense. / Moins c'est cher, plus on dépense ? **3** L'argent ne fait pas le bonheur ? / L'argent ne fait pas le bonheur. **4** Vivre d'amour et d'eau fraîche, un rêve ! / Vivre d'amour et d'eau fraîche, un rêve ? **5** Plus que deux jours avant les soldes ! / Plus que deux jours avant les soldes !

Leçon 32

Repérer p. 96

2 – Vous avez trois nouveaux messages sur votre répondeur. Message reçu le 15 avril à 10 h 52.
– Oui, bonjour. Je vous appelle parce que j'ai vu sur votre site Internet qu'il existait un livre sur le commerce équitable… mais je n'ai pas trouvé les références. Pourriez-vous me les donner ? Je vous laisse mon numéro de portable, c'est le 06 80 91 45 98… 06 80 91 45 98… Merci.
– Pour sauvegarder ce message, tapez 1, pour réécouter, tapez 2, pour passer au message suivant, tapez 3. Message reçu le 15 avril à 11 h 12.
– Oui, bonjour. Antoine Pages du journal *Libération*. J'aurais souhaité rencontrer le président de… de l'association afin de réaliser une interview sur les enjeux

du commerce équitable aujourd'hui. Alors est-ce que vous pourriez me rappeler… euh… rapidement si possible… directement au journal… au 01 42 76 17 89 ? Vous demandez à parler à Antoine Pages, P.A.G.E.S. Merci.
– Pour sauvegarder ce message, tapez 1, pour réécouter, tapez 2, pour passer au message suivant, tapez 3. Message reçu le 15 avril à 11 h 45.
– Allô, bonjour. Je vous appelle parce que j'aimerais avoir quelques renseignements… Bon voilà, j'ai… j'ai découvert votre association il y a très peu de temps et vraiment j'aimerais acheter des produits issus du commerce équitable. Mais le problème, c'est que je ne sais pas comment les repérer ni où on peut les acheter. Donc est-ce que vous pourriez m'envoyer une brochure avec toutes ces… toutes ces informations ? Alors je vous laisse mes coordonnées, hein… alors je suis madame Leroy, L.E.R.O.Y. et j'habite 11, rue Victor-Hugo à Nantes… le code postal, c'est 44000. Voilà, ben merci. Merci beaucoup.

9
Du coq à l'âme

Leçon 34

Comprendre p. 102

❷ – Je suis vraiment pas d'accord avec ce qu'il y a marqué dans cet article… je … vraiment, ça commence à me fatiguer, moi, les gens qui sont sans arrêt en train de taper sur les Français et même les Français se tapent le… dessus. Moi, je trouve qu'on devrait vraiment… euh… changer d'attitude et être fiers de nous-mêmes. Voilà. Je sais pas ce que vous avez à dire là-dessus mais…
– Beh… on se tape pas dessus. Enfin, je veux dire… euh… attends… c'est… qu'est-ce qu'il raconte cet article ?
– Non mais regarde cet article… regarde cet article !
– Ouais, non…
– C'est un ramassis de… de critiques. Y a pas un truc positif sur la France. Pas un.
– Non si ils disent à un moment… euh… que c'est… euh…
– Beh dis-moi où. Où ? Vas-y, dis-moi où !
– … que c'est le « capital image le plus riche et le plus désirable qui soit », c'est une « créature de rêve ». Alors ça c'est pas mal quand même !
– Fatigante ! Une créature de rêve fatigante !
– Oui, mais c'est quand même une créature de rêve.
– Fatigante.
– Donc, c'est un pays ma…
– Enfin, y a quand même un truc qui… qui est vrai, tu peux pas le nier, c'est que, quand tu vas à l'étranger, l'attitude des Français… euh… pas mal… quand il dit ouais les Français quand ils vont là-bas… euh… une fois qu'ils sont arrivés dans le pays, ils rêvent que d'une chose, c'est de boire un Ricard et retourner… et mettre les pieds dans les pantoufles. Excusez-moi, mais…
– Ça c'est vrai. Ça, on en connaît tous des exemples…
– Moi j'en ai vu… euh … attends, je me rappelle, en Thaïlande, y avait un bus qu'arrive, tu vois, y avait un… pour visiter un temple, alors tout de suite… ah alors qu'est-ce qu'il y a à voir là alors ils disent ah ben c'est le bouddha machin truc… encore un bouddha ! … ben… et pis à mon avis, il est encore couché… ah ben oui parce qu'il est fatigué ! … alors tu vois bon le style… alors, les pauvres guides, ils en ont ras le bol.
– Les gros beaufs !
– Les gros beaufs quoi !
– Oui, mais les gros beaufs, c'est dans tous les pays, ça, je veux dire ! C'est pas particulier à la France. Tu vois, les

Espagnols, les Italiens, c'est terrible ! C'est bien pire que les Français !
– Plus beaufs que beaufs ?
– Bien pire. Plus beaufs que beaufs !
– Mais pourquoi c'est bien pire ? Comment tu sais ça, toi ?
– Parce que, moi, j'ai voyagé aussi ! J'ai voyagé.
– Mais t'as été où ?
– Ils sont pas pire que les autres les Français.
– Mais t'es sor… t'es allé où ?
– Oui, je suis allé… j'ai beaucoup voyagé !
– Et ben donne un exemple ! Attends, t'es là…
– J'ai été en Amérique, en Asie, en Afrique, partout… et je trouve qu'on n'a pas… qu'on n'a pas de honte à avoir… euh … sur notre pays ni sur nous-mêmes. Voilà.
– Mais de toute façon dans l'article, il dit pas qu'on… doit avoir honte de quoi que ce soit. Il dit juste que … euh … que voilà, que la manière dont on est perçu… euh … n'est pas la bonne et puis que, finalement, il y a beaucoup de gens qui ne connaissent pas… euh… qui ne connaissent pas la France, tu vois.
– C'est très partisan, cet article ! C'est quand même… la France, c'est quand même un… des… des… des pays dans… dans le monde où on mange le mieux, où y a les meilleurs artistes, où… les orchestres français ils sont connus… l'histoire de France… c'est vraiment…
– Mais comment tu peux dire le meilleur, le meilleur, le meilleur ! Y a pas de pays meilleur qu'un autre, ça veut rien dire ça.
– Si, si quand même… quand même. Les champions du monde de football, c'est qui ? C'est les Français !
– Ben attends, ils ont perdu la dernière fois !
– Oui, jusqu'à nouvel ordre !
– La dernière fois mais quand même… quand même. On a quand même les meilleurs joueurs de foot qui jouent dans… dans l'Europe entière et ils sont français !
– Oui mais attends, on s'en fiche des joueurs de foot !
– Oui mais regarde, les meilleurs cuisiniers sont français…
– Dans le genre football, le Brésil, c'est quand même vachement mieux ! Ça veut rien dire, on est les meilleurs en foot. On a été les meilleurs en foot une fois, deux fois ? Je sais même pas et on est remplis d'une arrogance… euh… complètement… et voilà ! Aux yeux des… aux yeux des étrangers, on pa… on passe pour des… des personnes arrogantes et imbues de notre personne !
– Non mais quand tu dis la cuisine, la gastronomie, ok ! T'as la cuisine française, bon d'accord c'est très bon. Mais bon, t'as la cuisine quand même italienne… euh… chinoise, c'est quand… elle est remarquable !
– Oui mais bon, c'est beaucoup moins varié ! La cuisine française, c'est… c'est de loin la meilleure. De loin !
– Mais attends, mais t'as… t'as été manger… t'as mangé quoi ?
– T'as été en Chine toi ?
– Oui, j'ai été en Chine. C'est toujours la même chose. Regarde les Chinois, ils mangent que des pâtes et du riz tous les jours. C'est juste les… les jours de fête, ils mangent un peu des… ils mangent un peu des choses différentes…
– Mais n'importe quoi ! Dans… mais attends… dans les familles françaises, qu'est-ce qu'ils mangent les gens ? Ils mangent du jambon…
– Patates, nouilles tous les jours !
– … du jambon avec de la purée. Alors, la gastronomie française !
– Pas du tout, alors il y a une entrée, un plat, un dessert… euh… c'est formidable ! C'est formidable ! Pis c'est riche ! Il y a les marchés français, tu vois, y a… ça regorge de victuailles !
– Mais tu vis pour manger ou quoi ? C'est n'importe quoi !
– Ben oui, c'est très important de bien manger ! Très important ! Et puis regarde même… même quand y a les

filles françaises, elles sont super mignonnes… euh… c'est vrai ! D'ailleurs…

– Attends, elles ont jamais rem… rem… remporté les… Miss Monde, hein !

– Ben ça je sais pas, je suis pas ça.

– Ça c'est un argument de choc quand même ! Ça c'est la preuve scientifique que les Françaises ne sont pas les plus belles…

Leçon 35

Comprendre p. 104

❸ Nous vivons dans une société qui ne cesse de se regarder dans le miroir : sondages, enquêtes sociologiques, tables rondes, sans oublier les élections. Si aucun de ces moyens n'est complet ou décisif, ils nous aident cependant à comprendre ce qui se passe autour de nous et à comparer avec nos propres expériences. D'où l'intérêt de cette étude menée récemment par la Sofres, sur les valeurs des Français. Comme tous les quatre ans, l'institut de sondages a cherché à savoir quelle était l'humeur des Français, ce qui avait changé dans leur comportement ou bien encore quelles tendances actuelles pourraient bien se développer dans les années à venir. Pour cela, les responsables de l'étude ont demandé à près de trois mille individus s'ils aimaient ou non deux cent dix mots de base comme « argent, respect, vieillir, tradition, sensuel, rouge ou Dieu ». Grâce à ce procédé assez original, inspiré de la sémiologie, on obtient une photo de nos humeurs actuelles. Ce que cette étude révèle d'abord, c'est la poursuite inexorable de l'individualisation et de la méfiance à l'égard des systèmes collectifs ou sociaux. On valorise avant tout la recherche de son identité propre, au point d'en faire une éthique. En même temps, on se détourne des idéologies, de la religion et des engagements à long terme (y compris affectifs), car on ne veut pas se faire enfermer par quoi que ce soit. À l'inverse, on privilégie le concret, le vécu, le pragmatisme, avec un retour en force de l'importance de l'argent comme refuge. Le tout sur fond de pessimisme et de sentiment d'isolement. En bref, on se cherche, on se débrouille et l'on ne compte pas trop sur les autres.

Ce qui est nouveau, c'est surtout la différence qui se creuse entre les deux sexes. En 1998, la Sofres constatait un certain rapprochement du fait d'une « féminisation des hommes » et d'une masculinisation des activités féminines. Aujourd'hui, le mouvement s'inverse : les femmes réinventent une féminité affranchie des modèles de leurs mères, tandis que les hommes, déstabilisés, se réfugient dans une identité masculine traditionnelle, sinon archaïque. Un paysage intérieur assez sombre pour eux, où montent des mots comme « noir, vide, révolte, soldat ou attaquer ». Dominique Lévy, qui a dirigé cette étude, remarque que « les femmes se sont emparées des champs d'expression jusqu'ici réservés aux hommes comme la réussite sociale ou la liberté sexuelle. Quant aux hommes, très anxieux, ils se demandent où aller ».

Mais le plus lourd de conséquences pour notre société c'est peut-être la désaffection, pour les deux sexes, de la valeur du travail. On s'investit moins dans son métier et la méfiance renaît à l'égard de l'entreprise.

Évaluation orale 3 p. 109

Canard au poivre vert, suprême de volaille aux girolles, gâteau de langouste à la florentine… Ces plats alléchants ne sont pas issus de la carte d'un grand restaurant coté au Michelin mais des rayons des supermarchés.

Depuis plusieurs années, l'industrie alimentaire tente de concilier efficacité et qualité en proposant des plats mitonnés aux petits oignons.

Pour cela, les grandes marques se sont allié les talents de chefs prestigieux : Joël Robuchon chez Fleury-Michon, Bocuse pour les plats Marie, Alain Senderens pour Carrefour ou encore Michel Guérard chez Findus…

Ce phénomène surfe sur la vague du bien-être alimentaire. On pense aux légendaires « coups de gueule » de Jean-Pierre Coffe mais aussi à la Semaine du Goût censée inculquer aux enfants de bonnes habitudes alimentaires. Avec le temps, les consommateurs sont devenus exigeants et vigilants.

Ce développement des plats gastronomiques en grande surface bénéficie, il faut le dire, des apports de la technique. Le sous-vide à basse température, apparu en 1981, permet de restituer aux plats la saveur de la cuisine mijotée. La surgélation à moins 18 degrés préserve les qualités nutritionnelles des aliments. Ainsi, des légumes congelés dès la cueillette contiennent plus de vitamines que des produits frais entreposés à l'air libre.

Les surgelés ont acquis leurs lettres de noblesse avec des marques comme Picard qui s'efforcent de conjuguer longue conservation et qualité.

Cependant, le marché se tasse. Les plats de chefs ne représentent que 12 % du total des plats cuisinés industriels et cette proportion n'augmente pas. C'est que les consommateurs en veulent plus ! De nouvelles recettes et un packaging plus attractif encore. Du coup, l'emballage carton fait place à des terrines en grès et des boîtes ornées de petits rubans rouges plus rassurants et plus luxueux.

10
C'est pas demain la veille !

Leçon 37

Comprendre p. 114

❷ La parole est à M. le garde des Sceaux, ministre de la Justice.

Monsieur le président, mesdames, messieurs les députés, j'ai l'honneur au nom du gouvernement de la République, de demander à l'Assemblée nationale l'abolition de la peine de mort en France. […]

La France est grande, non seulement par sa puissance, mais, au-delà de sa puissance, par l'éclat des idées, des causes, de la générosité qui l'ont emporté aux moments privilégiés de son histoire. La France est grande parce que elle a été la première en Europe à abolir la torture. Il y avait à cet instant dans le pays des esprits précautionneux qui disaient que, sans la torture, la justice française serait désarmée, que, sans la torture, les bons sujets seraient livrés aux citoyens. La France a été parmi les premiers à abolir l'esclavage, ce crime qui déshonore encore l'humanité. Il se trouve que la France aura été, en dépit de tant d'efforts courageux, un des derniers, presque le dernier – et je baisse la voix pour le dire – en Europe occidentale, dont nous avons été le foyer et le pôle, si souvent, à abolir la peine de mort. […]

Demain, grâce à vous, la justice française ne sera plus une justice qui tue. Demain, grâce à vous, il n'y aura plus, pour notre honte commune, des exécutions furtives, à l'aube, sous le dais noir, dans les prisons françaises. Demain, les pages sanglantes de notre justice seront tournées. À cet instant, j'ai le sentiment plus qu'à aucun autre d'assumer, au sens ancien, au sens noble, le plus noble qui soit, le mot de ministère – c'est le « service ». J'ai le sentiment de l'assumer. Demain, c'est l'abolition. Législateurs français, de tout mon cœur, je vous remercie.

Discours de Robert Badinter à l'Assemblée nationale, le 17 septembre 1981, lors de la discussion du projet de loi portant sur l'abolition de la peine de mort. Source : Débats parlementaires, Assemblée nationale, 1re séance du jeudi 17 septembre 1981.

Comprendre p. 117

2 Fin février 1997, une nouvelle qui provient de Grande-Bretagne fait en un rien de temps le tour de la planète : on a cloné un mammifère adulte, une brebis, l'instantanément célèbre Dolly. La nouvelle surprend parce qu'un dogme de la biologie vient de tomber : on croyait jusqu'alors que, dans le monde animal, seules de très jeunes cellules étaient douées de totipotence, c'est-à-dire de la capacité de repartir à zéro pour donner un embryon, puis un fœtus, puis un bébé, puis un adulte. Mais ce sont les questions éthiques et anthropologiques qui sont sur toutes les lèvres. Et si l'on devait faire ça à l'humain ! Tout le monde sent bien qu'un pas a été franchi et que ce pas-là a quelque chose de profondément troublant. Jamais les nouvelles technologies de la reproduction et de la génétique n'ont-elles semblé plus proches pour ne pas dire plus complices. Jamais n'a-t-on senti aussi fort qu'avoir accès à l'embryon, c'est avoir accès à l'identité biologique des êtres vivants, microbes, plantes, animaux, humains.

Archives Radio-Canada.

Leçon 39

S'entraîner p. 119

4 **1 a** Vous pensez que c'est mieux comme ça ? **b** Vous pensez que c'est mieux comme ça. **c** Vous pensez que c'est mieux comme ça ? **2 a** Mais bien sûr que vous avez raison. **b** Mais bien sûr que vous avez raison. **c** Mais bien sûr que vous avez raison. **3 a** Et pourquoi pas un nouveau système électronique ? **b** Et pourquoi pas un nouveau système électronique ? **c** Et pourquoi pas un nouveau système électronique ? **4 a** Vous pourriez faire ça ? **b** Vous pourriez faire ça ! **c** Vous pourriez faire ça ! **5 a** Vous avez d'autres propositions comme celle-là ? **b** Vous avez d'autres propositions comme celle-là ? **c** Vous avez d'autres propositions comme celle-là ?

11
Culture : entre élitisme et démocratisation

Leçon 42

Comprendre p. 127

2 – Je souhaitais que les citoyens prennent mieux conscience eux-mêmes de la beauté, de la fragilité, de la grandeur de ces monuments. D'où l'idée d'ouvrir une fois par an, gratuitement, l'ensemble de ces lieux. Et, dès la première minute, ce fut un grand succès. Une passion s'est emparée de beaucoup de gens. Euh… il faut dire que certains de ces monuments sont des monuments habituellement fermés au public. Je pense notamment à ceux qui sont le siège d'autorités politique et publique : la présidence de la République, l'hôtel Matignon, les ministères. Il est normal que les citoyens du pays qui, par ailleurs, contribuent par leurs impôts à financer indirectement ou directement la restauration de ces monuments puissent y avoir accès. Ces monuments sont nationaux, c'est-à-dire qu'ils appartiennent à… à chacun. Ils sont la propriété collective du pays. C'était… c'était une des raisons. Autre raison qui m'a incité à organiser cet événement : je souhaitais que, par ce plébiscite populaire, les pouvoirs publics, et notamment le ministère des Finances, prennent conscience que c'est une grande richesse pour un pays comme le nôtre et on doit ne

pas ménager ses efforts… euh… matériels pour ne pas laisser ce patrimoine dépérir. Et puis dernière raison : je voulais que tous ceux qui, dans l'anonymat – conservateurs des… des monuments, architectes des monuments de France, artisans… euh… entreprises –, qui jour après jour s'emploient à sauver ou à restaurer soient en quelque sorte récompensés par cette reconnaissance… euh… nationale populaire. Et pour eux, vous savez, c'est chaque année un encouragement à se déployer mieux encore, à se battre avec énergie pour… euh… accomplir le travail qui est le leur.

– Avec cette manifestation, monsieur Lang, peut-on parler selon vous de démocratisation des pratiques culturelles, de culture accessible au plus grand nombre ?

– Oui, alors si vous voulez, moi, j'ai un petit regret. Je regrette de ne pas avoir décidé de rendre gratuit l'entrée des musées nationaux. Quand vous devez venir à trois, quatre, cinq, six, ça coûte cher, et c'est un obstacle qui est très important. Les Anglais le font depuis longtemps et l'atmosphère des musées anglais est, je trouve, beaucoup plus chaleureuse, beaucoup plus… euh… simple… euh… conviviale. Je crois qu'il faudrait le faire au moins certains jours ou certains soirs.

Remerciements à M. Jack Lang, député et ancien ministre.
Interview exclusive réalisée pour Taxi ! 3.

Leçon 43

Comprendre p. 128

1 Les habitudes culturelles se prennent dès l'enfance ! Quand on lit ou qu'on va au cinéma étant petit, on continue à le faire une fois adulte. C'est ce qui ressort de la dernière étude de l'Insee sur les pratiques culturelles des Français.

Ces habitudes de culture prises dès le plus jeune âge parviendraient même, selon l'Insee, à gommer les différences sociales. Et c'est l'élément le plus important de cette étude : la culture, lorsqu'on la « tête au biberon », n'annule pas les écarts liés au milieu d'origine mais elle les atténue.

En 2000, quatre Français sur cinq déclaraient avoir pratiqué au cours de l'année au moins une activité culturelle : lecture, cinéma, théâtre ou concert, visite de musées, expositions ou visite de monuments. Quatre sur cinq…

Cela dit, les plus gros consommateurs de loisirs culturels restent les habitants des grandes agglomérations, les cadres et les diplômés du supérieur.

Autre phénomène. De plus en plus de jeunes accèdent à la culture et surtout de plus en plus de filles ! Il y a cinquante ans, jeunes filles et jeunes garçons montraient à peu près la même sensibilité aux choses de l'esprit. Ces dernières années, au contraire, les filles s'y ouvrent beaucoup plus que les garçons. Un phénomène qui ne surprend pas les spécialistes car les filles, d'une manière générale, sont plus réceptives à l'éducation. Elles le montrent d'ailleurs dans le cadre scolaire avec des résultats globalement supérieurs à ceux des garçons. Ces dernières années, les habitudes culturelles des Français ont évolué mais de manière inégale. Il y a moins de spectateurs dans les salles de cinéma, par exemple, mais il y a plus de monde dans les musées ou dans les bibliothèques. On note plus de lecteurs qu'auparavant mais moins de « gros lecteurs » ; ces forcenés capables d'engloutir des pavés les uns derrière les autres.

Enfin, ce que les Français semblent apprécier particulièrement ce sont les activités artistiques pratiquées en amateurs comme la musique, la peinture, le théâtre ou la sculpture…

S'entraîner p. 128

5 **1** C'est une expo incroyable ! Et totalement inattendue ! **2** Absolument. Le travail de cet artiste est tout simplement innommable ! **3** T'as pas aimé le film ! T'es insensible ou quoi ? **4** Il est incapable de finir un livre ! C'est inouï, non ? **5** Les cours de chant ont un succès inimaginable ! C'est vraiment inespéré !

12
Entre sacré et profane

Leçon 45

Comprendre p. 134

3 – Est-ce que vous croyez en Dieu ?

– Ben écoutez, moi j'ai reçu une éducation dans ce sens-là, donc aujourd'hui… euh… dire que je crois en Dieu… euh… Dieu, je sais pas si c'est comme ça que je dois l'appeler mais je crois en quelque chose en tout cas.

– On ne peut pas dire que je croie vraiment en un dieu judéo-chrétien, un dieu paternaliste qui me suivrait partout, je pense pas du tout à ça mais, par contre, je pense qu'il y a du divin en toute chose, en chacun de nous, qu'on fait tous part d'un… d'un tout et que oui, dans la nature, dans… qu'y a du divin partout.

– C'est assez difficile de répondre à cette question parce que j'ai été élevée effectivement dans… la religion catholique où… euh… ma maman continue d'ailleurs d'aller à l'église… euh… quasiment tous les samedis ; j'allais à l'église tous les samedis mais sans aucune conviction véritablement. J'y crois sans vraiment y croire. Je me dis que peut-être effectivement il y a quelque chose mais j'en suis pas persuadée puisque les actes… euh… aujourd'hui… euh… les guerres, etc. me font dire que c'est pas possible qu'un dieu puisse laisser faire tout ça. Donc, je me dis y en a peut-être un, mais est-ce que… euh… aujourd'hui il est pas un petit peu endormi quelque part ?

– Y a des jours où je me dis que… y a d'excellentes choses et qu'il doit exister et puis… euh… d'autres où il arrive catastrophe sur catastrophe. Là, je me demande vraiment s'il existe. Et… euh… aujourd'hui, je… j'avoue que je suis peut-être un peu… un peu moins croyant quand même.

– J'ai eu une éducation… euh… religieuse, hein… euh… catéchisme… j'ai même fait ma première communion mais je me souviens, quand j'étais gamin déjà, y a un truc que je trouvais insupportable c'est qu'il y a un mec quelque part en haut qu'on voyait même pas qui savait tout ce qu'on faisait et ça je trouvais ça insupportable comme idée. Donc ça m'a pas empêché de faire ma première communion avec une aube blanche et tout… J'ai même des photos totalement ridicules où j'ai les mains jointes dans une… euh… aube blanche et depuis j'ai plus jamais refichu les pieds dans une église sauf pour visiter ou alors pour malheureusement des enterrements. C'est tout.

S'entraîner p. 135

5 a Ils y vont tous les dimanches, sans exception. **b** Toutes ces fêtes sont des fêtes religieuses ? **c** Après cette cérémonie il était tout ému. **d** Ils sont presque tous croyants dans ce village. **e** On leur a montré le calendrier. Ils ont tout compris. **f** Ils ont tout entendu même s'ils étaient assis au fond. **g** Il a préparé la décoration tout un samedi. **h** C'est une fête qui dure tout l'après-midi du samedi et tout le dimanche.

Leçon 46

Comprendre p. 137

1 Les églises sont vides, les vocations rares, Dieu perd du terrain… Mais le sacré, lui, en gagne. Jamais le besoin du divin ne s'est autant manifesté. Pour échapper au carcan du tout scientifique, à l'impératif du tout rationnel, à la dictature du tout marché – en un mot pour essayer de trouver un sens à un monde qui nous angoisse –, on bricole des spiritualités à la carte.

C'est ce paysage explosé qu'a exploré le philosophe et sociologue des religions Frédéric Lenoir. Il en a tiré *Les*

Métamorphoses de Dieu, qui vient de paraître chez Plon, un ouvrage passionnant qui trace aujourd'hui le tableau paradoxal d'une époque où l'effacement de la religion, loin de sonner le triomphe du matérialisme, laisse la place à une magnifique religiosité alternative.

Sur l'ensemble de l'Europe, environ 30 % des habitants pratiquent assidûment une religion et 7 % sont athées. Le reste, c'est-à-dire près des deux tiers des Européens, les non-pratiquants et les sans-religion, sont le laboratoire vivant des nouvelles formes du croire. Aujourd'hui, force est de constater que l'immense majorité des Occidentaux ont préservé une certaine fraîcheur d'âme et qu'ils continuent de croire à l'existence de forces supérieures.

L'explosion des croyances parallèles témoigne en fait de l'accélération des trois tendances fondamentales de la modernité. Individualisation : on n'hérite plus sa croyance, on la choisit. Raison critique : allergique à tout dogmatisme, l'individu préserve jalousement sa liberté de tout évaluer à l'aune de son jugement personnel. Globalisation : chacun panache à son gré les traditions plurielles rendues accessibles grâce aux technologies de la communication.

Enfin, la nouvelle religiosité ne se contente plus de l'égocentrisme du méditant enfermé dans son caisson d'isolation. Elle veut changer le monde, manger autrement, produire autrement et investit désormais le combat altermondialiste.

Évaluation orale 4 p. 143

– Euh… oui… conquête spatiale, non. Jusqu'à quel point on est plus heureux ? Et… dans la vie quotidienne, ça… ça sert à quoi ? Je suis contre et sûrement que l'ar… que l'argent pourrait être employé… euh… autrement… nettement, hein… notamment pour les sans-abri, notamment pour… voilà. Je suis… enfin pas contre mais ça doit… on devrait pas mobiliser tant d'argent, quoi.

– Y a une grosse partie à mon avis de l'argent qui doit être… euh… gaspillé. D'un autre côté… euh… je pense que la conquête spatiale apporte beaucoup de choses, surtout… euh… enfin au niveau technologie… euh… communication, comme on est un monde de communication et de médias, je pense que ça doit quand même nous aider dans beaucoup de choses.

– Ouais… enfin, moi, je suis pas trop… euh… d'accord avec ce genre d'arguments disant… euh… si on prenait de l'argent… euh… je sais pas… euh… au ministère de la Défense… Je… on est dans un pays où y a… euh… des ministères… y a des… des pans de la société où faut mettre de l'argent. Donc, effectivement, on peut mettre plus d'argent dans le social, dans la recherche, dans l'éducation nationale… mais bon… euh… la… la recherche scientifique ou la conquête spatiale, ça fait partie aussi de… des choses importantes.

– J'ai l'impression que c'est quand même relativement utile, la conquête spatiale, c'est… c'est aussi… euh… c'est aussi un secteur à développer, quoi.

– C'est vrai que ça peut être important pour… euh… pour nous. Mais… euh… y a d'autres choses aussi à… à revoir… euh… on pourrait regarder… euh… d'autres budgets pour… euh… justement les mettre … euh… en place dans la réinsertion… mettons… professionnelle comme pour le logement.

– Moi, je dis qu'il y a autre chose à conquérir avant que… la conquête spatiale, quoi… peut-être une conquête humaine à faire avant. Y a déjà une misère qui est flagrante en France et… vaut mieux regarder ce qu'il se passe sur terre avant ce qu'il se passe dans l'espace, quoi. C'est clair.

Réponses des Français aux enquêtes de la Sofres et de l'Ipsos

Unité 4

Leçon 14 p. 49

❺ À partir de quel âge avez-vous le sentiment qu'une personne est âgée ?

(Réponses spontanées)

Cite un âge entre 50 et 59 ans	7
Cite un âge entre 60 et 69 ans	22
Cite un âge entre 70 et 79 ans	37
Cite un âge égal ou supérieur à 80 ans	20
Sans réponse	14

(Moyenne : 70 ans)

Qu'est-ce qui caractérise, selon vous, la vieillesse ?

La dégradation de la santé	75
La dépendance physique	54
La diminution des capacités intellectuelles	46
La solitude	39
La cessation de l'activité professionnelle	21
La dépendance financière vis-à-vis de ses enfants	6

Le total des % est supérieur à 100, les personnes interrogées ayant pu donner plusieurs réponses.
Enquête réalisée du 24 au 26 octobre 2001 par la Sofres pour la Journée du livre d'économie.

Unité 10

Leçon 38 p. 117

❶ Selon vous, dans trente ans, les découvertes scientifiques rendront-elles les hommes plus heureux, moins heureux ou ni plus ni moins heureux qu'aujourd'hui ?

Plus heureux	28
Moins heureux	10
Ni plus, ni moins heureux qu'aujourd'hui	59
Ne se prononce pas	3

Si un jour la science permettait de faire les choses suivantes, selon vous, faudrait-il les interdire ou les autoriser ?

Programmer à coup sûr le sexe de son enfant

L'autoriser	21
L'interdire	77
Ne se prononce pas	2

Créer des intelligences artificielles supérieures en tout point à celle de l'homme

L'autoriser	13
L'interdire	84
Ne se prononce pas	3

Pouvoir, quand on est une femme, avoir des enfants à l'âge de 70 ans

L'autoriser	6
L'interdire	92
Ne se prononce pas	2

Cloner des être humains

L'autoriser	5
L'interdire	93
Ne se prononce pas	2

Selon vous, dans les trente prochaines années, quelles devraient être les deux plus grandes priorités de la recherche scientifique ?

Découvrir un vaccin contre toutes les maladies contagieuses	67
Résoudre le problème de la faim dans le monde	65
Découvrir une solution aux problèmes d'environnement et de pollution	42
Prévenir les catastrophes naturelles	15
Prendre contact avec des formes de vie extra-terrestre	2

Total supérieur à 100. Plusieurs réponses possibles

Étude Ipsos pour *Télé-cable-satellite hebdo,* 12 novembre 2001.

Imprimé en Espagne par Mateu Cromo
Dépôt légal : 59168 – 05/2005
Édition n° 02 - Collection n° 45
15/5289/2